北京古籍叢書

[清]周家楣 [清]繆荃孫 編纂

光緒順天府志

左笑鴻 點校

第十三册

圖書在版編目（CIP）數據

光緒順天府志．第十三册 /（清）周家楣，（清）繆荃孫編纂；左笑鴻點校．— 北京：北京出版社，2018. 2

（北京古籍叢書）

ISBN 978-7-200-13593-0

Ⅰ．①光… Ⅱ．①周… ②繆… ③左… Ⅲ．①北京—地方志—清代 Ⅳ．① K291

中國版本圖書館 CIP 數據核字（2017）第 283016 號

項目策劃：安　東　　項目統籌：許　可

責任編輯：喬天一　許　可　　責任印製：宋　超

裝幀設計：郭　宇

北京古籍叢書

光緒順天府志

第十三册

［清］周家楣　［清］繆荃孫　編纂

左笑鴻　點校

出　版　北京出版集團公司

　　　　北京出版社

地　址　北京北三環中路六號

郵　編　一〇〇一二〇

網　址　www.bph.com.cn

總發行　北京出版集團公司

經　銷　新華書店

印　刷　北京京華虎彩印刷公司

開　本　八八〇毫米×一二三〇毫米　三十二

印　張　十一點五

字　數　二〇六千字

版　次　二〇一八年二月第一版

印　次　二〇一八年二月第一次印刷

書號　ISBN 978-7-200-13593-0

定價　128.00 圓

人物志十三

先賢十三

黄岡洪良品纂 江陰繆荃孫覆輯

國朝

崔　升　吴邦慶　劉　弼

盧　坤　田士魁　林天培

白　鎔　徐　松　沈道寬

楊承湛　崔　偲　孟友龍

駱　六　煤黑子　李　鍾

高繼珩　劉毓崑　康樾敷

甯鴻音　李　菡　劉源灝弟源濬

王錫朋　徐有壬李光涵 徐大勳 李如珪　李嘉端

崔　侗　李右文子傑　李載文

張中寅　王萬齡　趙　儒
王應泰　高　靜　王繼庭
侯邦典　俞奎垣　任式坊
朱文錦　張　耀　俞昌烈
苑　梅　劉　潛　李兆發
韓　燿　史維基　葉福棠
張耀嵩　李文才　高　福
吳士達　沈桂芬　桑春榮
蔡兆極　紀汝彝　劉祚永曾孫達　李中倫　邢雲霑　邊溥　李廣發　康套　王大　任璽　芮嘉瓚　楊玉　邊樹
蕃　王文輝　王公擢　魏繼雲　李含春　芮維新　宋印奇　劉潭　焦壽　李汝華　王慎德　馮廷棐
張鎮　邢澄　陳鋐　劉餘澤　岳毓粹　劉新第　王國華　田沂　張鴻勳　劉建敔　崔士贍　邵豫新　劉縉
杜恭睿　崔體忠　藺從哲　王照乘　李九祥　楊直政　王璽　劉正廉　張士瓔　劉正忠　馬呈瑞　范璋　徐
文翰　劉聖　馬成龍　馬國武　羅錦　陶淑　陳可嘉　魏思明　王光祖　趙植　趙清忠　解潤　高國棟　馮
焯　楊琛　楊琨　劉光彝　胡璉　陳正心子秉信　邁通　雷應禹　劉召望　王永爵　周之俊　屯雯　張仲金
梁問孟　趙鎮　張以智　宋一貫　何鉰　柴游洙　隨宗印　孫延增　張體乾　張蕃　史澤遠　汪懿瀾　劉皋
柴葵　胡清　王威　李思聰　張進寶　侯實祿　黃九錫　王純　張奇　邵聯榜　于際盛　馬自誠　崔文鱗　馬
煥　常懷禮　鄧日壎　王夢熊　田錫華　孫冠賢　任奎英　張企生　劉林　李某　劉殿培　王敏學　吳國棟
張某　吳繼述　侯盡善　鄭文學　任毓麒　林雲漢　李遇春　李如瑾　楊毓文　王志勤　譚陞　李慶昇　韓鋭
劉淑　王銘　姚存信　劉之權　張玉　康泰來　張大中
李馨遠　劉連柱　趙承烈　王國令　彭德元　孟玉聲

國朝

崔升，京師民，嘉慶元年七月，偕妻陳氏至杭州，投親不遇，無所得食，同縊於西壁坊客寓。錢塘縣令蔣重耀爲葬於萬松嶺側，且作判辭，其略云：共處太平，何至謀生無轉計？良由狷介，願甘駢首不求人。雖匹夫匹婦之自經，愚誠可憫；然同死同生之大節，理實無虧。用特捐廉，卽爲搆地。掩兹雙骼，遂其夫潔而婦貞；錫以一坏，庶幾行成而名立。仁和周南卿茂才三變爲賦雙烈行，有云：生則異鄉死同穴，一貧致死長鬱結，一死守貧真決絶。錢塘江水表汝潔，嶺上萬松表汝節。殉名殉夫總一轍，士與女兮視雙烈。後士人於其墓傍立祠祀之，大著靈應，禱祀不絶。冷廬雜識四。

吴邦慶，號霽峰，霸州人。成童而孤，母孟督之嚴。由乾隆五十四年拔貢，官昌黎訓導。六十年，舉人。嘉慶元年，進士，改庶吉士，授編修，尋擢御史。言：軍機章京宜令大員子弟迴避，以嚴樞密。遂著爲令。十四年，巡漕濟甯，奏請重浚運河，並請復山東春兑春開舊制，以杜州縣折收虛兑之弊，而蘇丁船守凍，沿河民夫派巡之累。十六年，東河水淺滯運，議先閉分水口迤北之柳林閘，使水南下，俟挽船過分水口，卽閉迤南之寺前閘，托水北趨，而開柳林閘放船，順流以出。如其言，漕得速達。十九年，擢鴻臚寺少卿，偕内閣學士穆□，督通永道張五緯濬北運河，事竣，授内閣侍讀學士。二十年，授山西布政使，旋調河南布政使。河南常平倉穀久缺，飭屬補之。又通省地丁三百餘萬，皆由胥役催納，民之全完者，胥役輒蝕其半，以爲民欠，或先期墊交，而倍取償於民，民欠日多而力益困。邦慶諭民自納，有胥役包納及多索者許其首告。於是輸將踴躍，積三年，賦無逋者。二十三年，擢湖南巡撫。次年，調福建巡撫。未至閩，授刑部侍郎。途次，命往河南查馬營壩大工。二十五年，授安徽巡撫。時河南蘭儀漫口未合，黄水由亳挾渦以注於淮，洪湖汎溢，浸連鳳穎，乃與南河總督黎世序商放湖水以洩盛漲，而親往災區賑撫。未幾，以審案被議落職。奉旨，賞給編修。道光三年，請假修墓。是年雨潦盛積，經流支川皆成水患。直隸則滏陽自磁州北至大陸貫二泊會滹沱，以入南運河，而正定、宣化、古北口，關内外諸水，或入清河，或入永定，或入北運河，皆與南運河匯於天津，以趨一綫之海河，下流壅而上流益潰。聖天子軫念郊圻，特詔大員疏通河道，並將修復雍正初年畿輔水利。邦慶遂著畿輔水利叢書，姚元之吴公墓誌銘。書自序云：本朝定制，於經流則設總河及河道，以司修防，而塘堰圩圍則府州縣佐皆兼水利之銜以董之。世宗憲皇帝時，因興修直隸水田，特設營田水利，並設觀察、副使諸官，各揚其職。觀建官之制，而斯事之各爲一局也。竊欲分水學爲二，如防江之垸、禦海之塘、黄河隄埽及他廣川洪流之分合通塞，曰河道；直隸之淀泊、丹陽之圩圍、吴越之漊港、關中六輔龍骨、陳潁鴻卻鉗盧，其設閘、建壩、撩淺、留泥諸法，曰水利。各採專門諸書以附之，庶成規矩。然往復講習，可資世用，以合於湖州學治事齋之遺法。畿輔河道水利叢書序。其序明徐貞明潞水客談云：天下之水，未收其利，須先去其患。水利在灌溉，而患在衝決淹浸，故興水利者留水以爲用，而除水患者則排之而使去也。事雖殊塗，而功歸一致，特施工分先後緩急耳。有明一代，言水利於畿輔者頗有人，而貴溪徐儒東先生之潞水客談爲最著。至所謂致力當先於水之源，源分則流微而易御，田漸成則水漸殺，水無泛濫之虞，田無衝激之患，是興水利即可除水患。此論祇可施於尋常湖、蕩、山泉、小水，若畿輔諸大川，不能以此説施，當别有疏濬之法在。潞水客談序。又跋陳學士儀直隸河渠志云：欲治河，莫如先擴達海之口；欲擴海口，莫如先減入口之水。洵可謂片言居要。是以南、北運各設減河，皆所以減入口之水也。然此止以減南、北運之水耳。七十二清河之匯於東淀，滹沱、滏陽、大陸、甯晉二泊之匯於子牙河，專以三岔河一綫爲尾閭，獨無法以減之乎？何公之未嘗言及此也？豈當時淀泊尚不似今日之淤淺，止此已足分其勢而暢其流耶？直隸河渠志跋。又跋陳學士文鈔云：公居文安城，而祖居則在東淀旁之西馬頭。又自登賢書後，遊於津門者迨二十年，計其扁舟往返，目睹利病者已久，一旦獲佐營田之任，遂抒其素蘊，以爲設施。所謂成竹在胸，遂能迎刃而解者。故其論擴海口，論治淀，雖元郭太史、明潘印川殆無以易之。然於其論永定河及文安河道事宜，不能無疑焉。其於永定河，謂宜引之南下，東以隄防，於河淀皆無淤墊之害。夫濁性之水，流緩則沙停，槽寬則溜緩，永定從前之不能淤墊河淀者，以任其東西蕩漾，故泥沙皆澄沈於固、永之間，逮至與清河合流，已漸成清流矣。今若隄以束之，則流急，流急則沙泥俱下，迨至入淀，則勢分溜散，有不淤墊者乎？若以隄束永定河而南，則濁流闐注，必致高仰立形。竊謂因其故道而變通之，仍用其下口入海之路，未必無策也。至文安爲公桑梓之地，東距東淀，西距五官淀，北距清河，衆水所臨，勢如釜底，公之意則甚惜郡丞徐元禹之議不用。竊謂保定界立閘引水易，龍塘灣立閘洩水難，蓋近日形勢，淀身較高於陸地，則溝渠之水安能瀉之淀中？竊擬文邑宜堅築三面之隄，東防東淀，南防五官淀，北防玉帶河。再於保定東擇地開減河，一以洩秋汛盛漲，一以分潤圍田。由左各莊迤下歸入淀池。減河亦宜設立隄堰，然後爲圍田於其兩旁，借隄爲圍，借圍護隄，使一圍之内有田三百頃，則村落必有千家，春之暇合力修圍，秋水盛同心防範，減河之旁，或爲涵洞，或爲引渠，旱則分潤，潦則閉閘，不惟陽侯不能爲災，即旱魃無由肆虐矣。陳學士文鈔跋。其言皆通達事理，鑿然有裨於實用。蓋邦慶家玉帶、會同河之間，少時嘗究心於畿輔水利。洎通籍，往來淮徐楚豫之地，觀於江淮河湖，清濁交滙，而得其蓄洩、箝制、疏引、灌溉之法。復稽往籍，求今昔之異，與易地而可以相師，同事而不能相襲，或功本可成，以持論未善而爲浮議所撓，或效已漸收，而他事方興未旋踵而已廢，一切錯綜不齊之故，參互融貫，務使師古而不執，因地以爲宜。取資博，故擇之精；發慮審，故語之詳。其所謀畫又皆桑梓素習之處，故文成百數十萬言，而無一言之不可施於用。逾年書成，思致之當事而未果。九年，授洗馬。十年，授少詹事。旋授貴州按察使。越日，命署漕運總督。習聞軍船私載津鹽爲淮綱病，謂當因所利而利之，不可遽禁以法。於是指示開導，令載他物之可以獲利者，而弊遂絶。十二年，授河東河道總督。以山東運河惟恃四百八十四泉爲灌注，請復設泉河通判，以專責成。修防餘閒，則率道廳捐資造水車，馬營壩北及蔡家樓大窪積水地七千餘畝爲良田。十五年，以改撥人員被劾，仍賞編修。時年已七十，遂致仕。邦慶官河南布政時，嘗延永清朱孝廉雲錦於幕，考豫省志乘所載，有水田處，臚列其泉水旺弱，溉田多寡之數，爲田渠説。將檄郡邑墾治，以往楚南，未及行，乃以其説附之畿輔水利集中。至是始於河堧數千畝廢地一試其端，若著書之志，固未之能滿也。道光二十八年卒，年八十有三。吴公墓誌銘。

劉孝子名弼者，甯河人。父爲人僕。同産四人，孝子其次也。性戇直，寡言笑，役於人，碌碌無所長。嘉慶初，父得瘋狂症，旋止旋作，瀕危者數矣。一夕，疾大作，輾轉牀褥，懨懨待斃。家人計無所施，儲喪具以待。適孝子負薪歸，偵其父已無生理，退而自維，素聞長老稱説昔人有以割股療親者，日既暝，入别室，即以薪斧封其左股約斤許，囑其妻煮以進，而家人不知也。父食之，疾頓起。母若妻始争詢其肉之所自來，百方迴護不肯洩，惟日以敗絮縛其創，亦不知痛楚，旬日間平復如初。既而家人見其瘢痕，乃漸爲宣播。崔梧劉孝子傳。

盧坤，字静之，一字厚山，涿州人。父士夔，客山東久，坤請父歸。士夔曰：我以家累遠出，非汝通籍，吾何有歸期耶！坤聞之，泣數行下，遂力學不輟，中乾隆五十九年舉人，嘉慶四年進士，改庶吉士，散館，授兵部主事，始獲禄仕，迎父就養京寓。涿州續志。累遷郎中。隨圍木蘭，校步射，賞戴花翎，擢湖南糧儲道。先正事略。丁母艱，服闋，授廣東惠潮嘉道。屬多會匪，有司圖旦夕安，率相觀望。坤謂會而不匪者衆，皆懦弱之民，被脅入會，當令自首免罪。丁父憂，服闋，補山東兖沂曹道。涿州續志。成皇帝御極，由湖北按察使遷甘肅布政使，擢授廣西巡撫，調陝西巡撫。時教匪戡定後，議者謂南山老林易藪奸，不宜墾。坤謂此地唐漢皆開闢，金元始荒廢，歷舉漢書、蜀志、唐書、宋史證之，且舉漢李翕郙閣頌爲據，遂加墾治，至今賴焉。在陝丁大母憂，小祥後，會回疆有軍務，特旨以行衣陛見，馳驛往甘肅，會總督辦理轉餉事宜。時逆回張格爾據四城，精鋭屯喀什噶爾，滿漢官兵三萬七千有奇，會於阿克蘇，轉烏魯木齊糧濟之。坤上議曰：烏魯木齊距阿克蘇三十二站，官兵以五萬餘人計，日需糧五百石有奇，每站須置駝五百有奇，共需駝萬有六千，關内外臺站又需駝一萬有奇，烏魯木齊雇駝七千，尚缺二萬餘，請刻期購撥出關，其内地之銀餉、軍火、器械，卽以此駝運。又請以伊犂糧由冰嶺運阿克蘇。又議兵馬過沙漠，加給草豆，添設民夫，酌給羊茶，諸事凡十一條，皆報可。大兵自進勦至凱旋，共用帑銀千一百餘萬，轉輸不竭，無虚糜，坤之功也。服闋，補山東巡撫。以回疆平，加太子少保，並戴頭品頂戴，調山西、廣東、江蘇巡撫，遷湖廣總督。道光十二年，湖南逆猺趙金龍作亂，坤親往督師，密陳湖北提督羅思舉能辦賊。先正事略。時湖南提督海陵阿以兵五百由甯遠之下壪進勦，聖武記七。被猺誘戕，副將、遊擊等皆戰死，新田縣知縣王鼎銘亦死之。桂陽、常甯諸土猺應賊起，衆號數萬，先正事略。官兵未設糧臺，增調常德水師、荆州滿騎，皆不習山戰。聖武記七。坤至，始奏罷之，先正事略。而改調鎮筸苗疆之兵。又以衡州水陸咽喉，而常甯屏蔽衡郡，當賊衝祁陽，又入衡永捷徑，且糧運後路皆派兵勇禦防，桂陽、新田、嘉禾三州縣，聖武記七。令堅壁清野，先正事略。各練鄉勇，土猺自守，以防虜脅。聖武記七。迨湖南、湖北兵大集，先正事略。羅思舉至永州，聖武記七。

貴州提督余步雲、湖南副將曾勝，皆率兵來助勦。（先正事略。）詔以猺皆山賊，蹻捷負險，恐蔓兩粵，或盤踞山峒，致稽搜捕，飭諸將誘至山外平野之地，聚而殲之。乃議大兵由新田後路躡賊，遏其南竄，與桂陽北路兵夾攻，并扼其西通道州、零陵、祁陽小路。於是三路猺四五千人及婦女二三千，爲官兵驅逼出山，皆東竄常甯之洋泉鎮。其地爲入山水口，有溪通舟，市長數里，垣牆堅厚，（聖武記七。）賊悉衆抗拒。坤以賊逼歸一路，且失其翻山長技，密檄各路兵進逼合圍。會大雷雨，羅思舉等晝夜督將弁立泥淖中，仰擲火彈、火弩，延燒民舍數十户。（先正事略。）鎮筸兵數十，躍牆而上，前者傷墜，後隊繼登，先後斃賊千餘。賊詐降以緩我攻，欲乘間竄入山。（聖武記七。）佯許之，攻益急，生擒其子女及頭目數百人，金龍易服乘間遁，爲我兵所殺，獲其尸及劍印、木偶，餘賊先後就殲。上嘉獎，賞戴雙眼花翎，世襲一等輕車都尉。方捷書之未上也，上命户部尚書禧恩、盛京將軍瑚松額來視師，未至軍，先三日奏捷。會廣東逆猺趙仔青糾衆數千入楚界，聲言爲趙金龍復仇。（先正事略。）命羅思舉、余步雲馳堵之，破賊于錦田之濠江冲，禽斬逆首，殲猺五百，餘黨瓦解。詔切責廣東將校，不如湖南出力。（聖武記七。）而廣東連山黃瓜寨排猺復煽亂，官兵初失利，禧恩奉命，率曾勝往勦平之，而調坤總督兩廣，辦善後事宜。（先正事略。）先是，連山猺與金龍先後起事，底定後，俘囚尚數百人，抵粵任，委宛活之。（涿州續志。）時猺匪新定，坤編查户口，設猺長、猺目，漢民村寨設練總，改綏猺同知爲邊要缺，教職佐雜改邊俸，皆報可。未幾，越南奸民陳加海，與内地游民馮生丁等，在夷洋狗頭山嘯聚，偷入内洋。坤遣官兵擊沈其八船，餘寇悉平。西洋暎咭唎來粤貿易，夷目嗶嘮嘽違法度，坤照例封艙，停其市易。嗶嘮嘽遣護貨兵船自外洋闌入虎門，我兵礮擊之，輒以礮拒。駛至黄埔，奉嚴旨督辦。坤檄鎮將，用大船載石，横沈水底，復用大木筏塞水面，多設警備，斷其入省之路。其後路在老洲岡，復遣將弁，用大石船遏其歸，復備草船火攻具脅之，沿海部署皆精整，禁商民無許接濟夷船。於是嗶嘮嘽諸夷窮蹙，求給牌出口，詞甚恭。澳門夷商伽嗶哋等助之請命。坤固持之，良久，乃令出虎門。奏入，宣宗手勅曰：玩則懲之，服則舍之，尚合機宜，不失國體也。十五年卒，年六十有四。先正事略。贈太子太師，諡敏肅。龔自珍盧公神道碑諭賜祭葬如例。先正事略。

田士魁，固安人，十歲失怙，號痛幾絶。母慰之曰：兒不吾慮耶？哭乃止。自是每號泣，不敢令母知也。家貧，力耕奉母。母病篤，刺臂血和藥進，病頓瘳。逾年，母卒，哀毁三年，未嘗有笑容。幼未讀書，粗習古人詩句，於父忌日，感賦，有云：生時未及養，祭物何堪獻？晨昏莫報恩，永作終天恨。蓋天性語也。邑令給匾旌之。固安陳志。

林天培，字仲因，大興人。嘉慶四年進士，畿輔詩傳五十五。改庶吉士，以兵部郎出爲惠潮道。潮俗喜械鬭，明示例禁，復招紳耆，令其轉相勸諭，鬭風少戢。是時，盜匪聯腙海面，魚鹽各船被虜者，輸其米石求脱，且得原值。制府檄令沿海關隘稽察諸船出海約計人口、時日，毋得多賫糧。天培曰：絶盜口糧，其法固善，恐不得食，則勢將内撲，防禦未集，民受其殃矣。乃親歷沿海諸地，修墩堠、練軍實，於要害處添設礮臺、營汛兵弁，爲防堵計，遂以積勞卒。初，天培嘗請調撥師船數十號，停泊放雞洋，既可爲南澳聲援，亦可絶閩、粵盜艘之會哨。其言卒不見用。未幾，福建提督李長庚追勦蔡牽至黑水洋面，將成擒，粵盜適會哨，益其勢，而長庚反隕命焉。潮人多天培有先事之明，立祠海濱祀之。廣東通志。子寅，補湖北漢陽通判，殉粵寇難。鄂城表忠詩序。

白鎔，字小山，通州人，嘉慶四年進士，改翰林院庶吉士。六年，散館，授編修。十二年，充福建鄉試副考官。十七年，大考二等，記名，遇缺題奏。十八年三月，遷右春坊右贊善。六月，轉左贊善，提督安徽學政。十二月，升中允。十九年二月，升司經局洗馬，翰林院侍講，留學政任。二十年，奏報按試情形，得旨：安徽吏治民生，亦宜隨時陳奏。旋奏安徽省民欠錢糧，鳳陽、泗州較多，該二屬瀕臨湖河，每遇黄流漫溢，湖水盛漲，各州縣多被淹浸，請嗣後該處帶徵錢糧，遇成熟之年，或儘年分最遠者，或最近者，每年祇帶徵一年，儻遇歉收，再行遞緩。允之。二十一年，轉侍讀，充日講起居注官。二十五年三月，充會試同考官，升右春坊右庶子，擢翰林院侍講學士。十月，充武會試副考官。道光元年，轉侍讀學士。二年四月，升詹事府少詹事，提督廣東學政。十月，擢詹事。三年，升内閣學士兼禮部侍郎銜。六年，充武會試副考官，署禮部左侍郎。七年，擢工部右侍郎，兼管錢法堂事務，轉吏部右侍郎。十年，充經筵講官，提督江蘇學政。十一月，命偕户部右侍郎寶興，抽查南河垛料。十一年正月，奏言查各廳見儲之料，尚無虛鬆情弊，惟統計到工料垛，不過十分之六，各廳購料，尚未到齊，與該河督請撥歲料銀兩勒限年前全數到工之語不符。其揚糧廳有埽段縴道等工，不用存工防料，率將尚未驗收之料，用至五十三垛，尤屬含混。揚河廳舊料九垛，大半色黑質朽，由購買時貪圖價賤，亦屬辦理不善，應請俱令照數賠補。南河歲料，應遵奏定章程，令於秋後一律購辦，務於年前全數到工。上以河南總督張井未能察弊，下部嚴議。五月，擢都察院左都御史，命來京供職。七月，江南高郵湖河漫溢，田廬被淹，命鎔同工部尚書朱士彦往勘。九月奏：勘揚河廳屬製卸各工，宜分新舊段落，責令原辦之員賠修。又奏：江南下河積潦之區，已飭地方官給賑，惟胥吏串通地保，浮開户口，爲向來辦災積弊，已令委員覈實各鄉户口之數，於本鄉榜示，放賑時即可憑以覈辦。又奏：山盱廳屬添建滚水石壩，本年啟放時，石底被衝裂縫，壩下灰土亦多衝損，應俟塘水消落，責令工員修固堰盱，兩廳掣卸石工二百餘丈，固限未滿，應請責令賠修。其前項土堤，既非臨湖，與黄河險要隄岸不同，向來僅照黄河保固一年，限期太寬。請嗣後堰盱各廳土隄及運河隄岸，均定爲保固三年。其運河埽工，亦與黄河隄岸不同，請於經歷一年後，再加保固一年，由該管道驗明堅整，始准歸汛修防。均如所請行。三月，署翰林院掌院學士，賜紫禁城騎馬。十三年，升工部尚書，充武會試正考官，以取中武舉有置雙好而中單好者，降大理寺卿。國史列傳。鎔天性孝友，母鄧夫人素畏雷，每夏秋，鎔與妻劉日夜侍幃榻。官詹事時，奉召入對。上曰：朕精神日退，御事輒煩，當作何修養？對以清心寡欲，莊敬自强。上爲動容。給諫劉啟南以直諫獲譴，鎔力爲申解，天顔頓霽。奉命勘江南北水災，識拔周文忠天爵、林文忠則徐二人，得以不次超擢，皆鎔力也。十九年乞病歸，二十二年卒。通州高志。

徐松，字星伯，大興人。嘉慶六年舉人，十年進士，殿試二甲第一，改庶吉士。散館，授編修。十六年，放湖南學政。因事戍伊犂。松博極羣書，尤精地理。出關後，將軍松筠令撰新疆事略，於南、北兩路，壯遊殆徧。每所之，攜開方小册，置指南鍼，記其山川曲折，下馬録之。至郵舍，則進僕夫、驛卒、臺弁、通事，一一與之講求。積之既久，繪爲全圖，乃徧稽舊史、方略及案牘之關地理者筆之爲記。又以圖籍所紀，異文蹐駁，使夫覽者歎其混淆，一以欽定西域同文志寫之，元元本本，殫見洽聞。國朝開闢新疆，視同畿甸，爲千古未有之事。松所作，亦千古未有之書。自撰漢西域傳，補注西域水道記，均極賅博。松筠奏進事略，并敍其勞，特旨赦還。道光元年，特用内閣中書，轉禮部主事，晉郎中，簡陝西榆林府知府。未幾，卒。采訪册。

沈道寬，字栗仲，大興人。嘉慶九年舉人。家貧，橐筆游津沽、中州、嶺南、山左，聲稱籍甚。二十五年進士，以知縣用，分發湖南，歷任甯鄉、道州、茶陵，補酃縣。江華猺人爲亂，酃之龍榨猺，生齒最繁，他邑率由此遷徙，古有四姓，今則唯盤氏、趙氏，其分居於桂東南麻者，悉聽龍榨猺指揮。亡何，民間訛言，大府傳檄，凡猺人勿論良莠盡殺無赦。於是羣猺持械登山，具餱糧，與官兵敵。時則權桂東令者爲何彤文，遣急足持書至酃問道寬。道寬答曰：斯事易了也。卽夕命健役持諭帖往盤雲逵家。雲逵者巨富，爲猺之頭人，名曰猺管。其人甚恭順，羣猺咸受約束，故招之赴中村。已則馳往中村待其來。猺山距城東南百里，中村距山之南十里，距城亦百里。弗徑至猺山者，恐猺人不察，誤以爲官來討我也。猺管至中村見道寬，道寬遣其弟雲鳳往諭南麻，並達其狀於桂東。雲逵曰：洞中人衆勢洶洶欲鬬，雲逵力弱，無以制之。官爲民之父母，愛吾猺與赤子無異，猺之服官非一日已，官不鄙棄吾猺，惠然命駕而往，俾得望見顔色，其誰不惟官之言是聽！道寬曰：吾卽從汝入峒。雲逵又曰：官宿於峒，以示不疑，則羣猺無不罷兵者。道寬曰：可。入峒，羣猺環跽道左。道寬諭之曰：爾輩食毛踐土，向化歸心已久，朝廷一視同仁，撫之字之，豈有不教而誅之理！繼自今其各安本業，勉爲良善，愼毋惑於浮言，致罹法網。羣猺聞言，泣數行下，弭首帖耳，投戈解甲，無復有鬬者。遂宿於峒。明日歸。雲逵曰：官無憂，脫有不靖，惟猺管是臯。龍榨之猺，一言定亂，而桂東南麻亦皆安堵矣。十二年，調權耒陽，是冬調補桃源。十八年，以事去官，僑寓長沙，與湘南人士訂文字交，觴詠流連，殆無虛日。擅詩歌，工書畫，求者踵門不絕。畫不肯輕作，書則一縑片紙，人得之珍如拱璧。咸豐二年，長沙戒嚴，遂東下，僑寓揚州。三年，揚州陷，復徙泰州而卒。年八十二。子敦蘭。方濬頤贈通奉大夫沈公家傳。

楊承湛，字閬仙，固安人。家貧，力學，夕就帳中然鐙自課，頂爲之墨。嘉慶九年舉人，十六年成進士，以知縣分江蘇卽用。補靖江，以母憂歸。服闋，再補靖江，調南滙。南滙濱海，西連申江幹河最要者曰閘港，潮汐往來，每易淤墊。自乾隆四十年疏導後，民賴其力，歲久復淤。宰斯土者憚其費鉅役重，旋浚旋塞。壬午夏旱，江潮不至，浸以成災。承湛下車，親莅各鄉，訪問疾苦，周覽形勢，知旱澇之備，實係於此，慨然曰：地方首務其在斯乎！力請上官，籌資興工。晨餐而出，日入而歸，徒步數十里，嘗勤懲惰，百弊胥蠲，歷五十餘日，浚河三千數百丈，深廣逾昔，而民忘其勞。工既竣，梅水盛漲，七月初，颶風大作，民居賴是獲免漂没，於是鄉人忭舞相慶，謂楊侯活我，設祠祀，又私樹碑工次，禁之不可。戊子，再調元和。元邑首劇，政務殷繁，承湛處之裕如。庚寅擢海門同知。未赴，遭父喪，北歸。於時去南邑數年矣，邑人思之愈篤，遇誕辰，紳士李吟香繪鶴南飛圖，賦詩賡和，裒然成册。承湛和韻，有北向哀鴻方戢影，南飛孤鶴尚祈年之句，迄今垂六十年，邑人之子若孫、若曾孫，述其祖若父之言，未嘗不唏嘘而嚮慕也。服闋，再補海門同知，調蘇州府海防同知。青浦民因漕聚鬭洶洶，數千人圍縣署，邑令飛文告變。大吏議遣員彈治，羣僚相顧愕眙莫敢應。以承湛有德於南滙，而青浦其接壤也，共推以往。遂携兩僕，棹小舟行，肩輿入城，令一僕排衆呼曰：撫軍委員來！衆擁輿不得進，問：委員爲誰？曰：楊姓。是前宰南滙之楊邑侯耶？曰：然。衆讙呼曰：楊侯來，吾曹事得白。相率散去。承湛察其情，爲乞恩而治其倡首者數人，皆翕服。歷攝川沙同知，兩攝常州、松江知府，一攝江甯知府，均有惠政。卒，年六十五。楊閬仙府君墓志銘。

崔偲，字怡庭，號茶農，霸州人。幼聰穎，總角時，母郝教以唐人詩，即能解其大義。及受書，攻苦倍恆人，誦習至午夜不輟。所著氈笠，一夕爲鐙火所燃，方讀，弗覺也。

母爲補綴之。族祖某見而訶之，以爲年少好修飾，及詢知，乃大笑。年十九，嘉慶九年舉人，十三年進士，以知縣即用山西。歷任趙城、潞城、永和、臨晉知縣。丁憂，服闋，復選湖南祁陽縣知縣，調攸縣知縣。前後莅官六任，所至以文章飾吏治。當潞城之解任也，士民赴省籲留，大吏爲動容驚歎。永和處萬山中，僻且陋，偲弗鄙夷其民，民以牒訴，必爲之諄復勸勉，多感泣，不克訟而去。臨晉頻年苦旱，偲禱雨輒應。民歌頌之。偲曰：是胡可恃也！境内舊有涑河八十里，日久淤塞，因相度形勢，會商上下游各縣挑濬之，使水旱有所蓄洩。工訖，奏明，記功一次。期年内清理積案二千餘，以卓異去。其莅祁陽也，適湖北大祲，流民麕至，沿途繹騷。偲預爲之所，及至則飲食寢處皆有資藉，衆咸帖然。是歲咨送流民過境也七萬餘人，而合邑若無事者。道光十二年，江華猺煽亂，陷東安、新田等處，盤踞常甯，與祁接壤。邑人士紛紛議避。偲曰：賊未至而徒驚，是自擾也。今之計，惟聚鄉團，修器械，防要隘，察奸民，協力禦之，乃可有濟。且民與令異，令之家口省垣，可以寄居，僚友可以付託，民去此，安之乎？令今誓與爾民同生死，爾民其聽予言。因爲之設方略，籌守備，一時民情大和，隱然有衆志成城之效焉。是時調集楚黔兵會剿，祁居水陸衝要，兵差絡繹，日不暇給。自正月軍興，至八月凱旋，逆匪無一人竄入祁境者。九月調攸縣，以積勞發病，卒，年五十三。邊葆誠原任湖南攸縣知縣崔公家傳。

孟友龍，字霖生，霸州布衣。性仁厚，爲人慷慨好施與。幼讀書即懷利濟志，顧家貧不克卒學。年稍長，即應辟爲州典吏。久之，見官吏多蠹民自私者，意不合，輒去之，即歸躬耕自給，兼傭書以事親，有餘即分恤於族黨，人咸以長者稱之。初，畿輔州縣凡旗産以事入官者，募民耕，俾納租於官，年既久，吏緣爲奸，歲增月益，掊斂無常程，故租額較重於他賦，百姓苦之。逋負既深，民多逃亡，甚且累及於無辜之民。友龍慨然憫之，歎曰：困農之弊，莫甚於此，惜朝廷未之知耳。友龍乃潛修一疏，痛陳其利害，挈以入都。將發，别家人曰：余幸生於不諱之朝，所言儻蒙採納，稍有裨益於國家，亦可不負此生矣。既至京師，無路上其疏，遂投旅舍，日懷疏赴酒家飲。時都中定親王好微服行民間，察得失，亦時至酒家與飲，數與之言，而友龍不知其爲親王也。一日，把酒累吁，憂慮之誠達於面。王異之，乃引入僻巷，問曰：爾何事日悶飲於此耶？友龍審其人非尋常者，乃拱手言曰：某有機密事欲上陳天子，惜無人代奏耳。王聞之謂然，既而詢何事。告之故。王遽行，而呼之曰：來，來！友龍亟從之，及走入邸，友龍瞻顧錯愕，始知其人乃親王也，亟跪拜謝罪弗遑。王曰：有疏乎？獻之。王覽疏大悅。翌日入朝，遂袖其疏代奏焉。其疏略曰：竊友龍生長草野，毫無才能，耕田食力，分所宜然，至於朝政之得失，民間之利弊，官守言責，各有專司，友龍上言，實爲僭越。而友龍不言，亦無罪咎。且每稽往籍，以言獲罪者不可勝數。故宋臣蘇軾上神宗書云：書成復毁，至於再三。朱熹劾韓侂胄，具疏萬言，卜之中止。友龍雖愚，亦知緘默之可以全身免禍，何必越俎妄陳，干冒不測？然嘗念魯漆室女尚知憂及國君，齊無鹽女猶能赴闕言事，身爲丈夫，毫無建白，不惟有愧於古今忠臣義士，亦深爲二女所不齒者矣。況明臣楊繼盛死於直諫，重爲世祖章皇帝嘉奬。我朝曹錫寶參劾劉全，現蒙皇上追贈。以是知言路無終塞之理，公道有必伸之時。友龍身在官府二十餘年，留心於吏治之得失、民生之利病，目見耳聞，知之甚悉，深欲以言上，非一日矣。今幸躬逢皇上勵精圖治，舉措咸宜，詔求直言，樂聞民隱，則凡在臣民，何忍緘默，有負聖主虚衷延訪勤求治理之至意！雖友龍至卑極賤，而所進之言則於國於民實有裨益，儻蒙采納，不特友龍感恩圖報，知無不言，將見天下賢臣志士，必皆聞風而起，各進讜言，於以興利除弊，自不難矣。友龍欲言之事，所最急者，莫如霸州縣官租最爲民累，竊以爲朝廷所當亟議以卹農者。夫欲知天下之安危，須視言路之通塞；欲知民間之苦樂，宜察人情之趨避。蓋小民雖屬無知，而趨利避害，人有同情。竊見霸州承佃官地之人，種之多苦，推之甚難，每年開徵後，爲此致訟者十之八九，紛紜擾攘，殆無虚日。一家佃種官地，逋欠受累，不待言矣，而且累及祖宗鄉黨，或累及交接産業之家，甚且累及於鄉鄰無干之人。蓋承佃者，自非家業蕩盡，積逋甚深，不能退佃，故身欠官租，輒與不欠官租者爲難，家無官地，不與少有官地者結親。其爲害也，一至於此。語云：屈死莫告狀，餓死莫作賊。誠以作賊者敗裂身名，干犯憲典；告狀者則蕩時失業，破産傾家耳。今爲官地官租，反日滋訟端，轇轕不休，使貧者無以聊生，富者亦難安枕，甚非國家重農務穡之所宜也。伏讀世祖章皇帝聖諭廣訓完錢糧以省催科篇，内有云：有司迫奏銷之限，不得不嚴追比；胥役受鞭撻之苦，不得不肆誅求。剥啄叩門，多方需索，無名之費或反浮於應納之數，究竟所未完者不能爲爾寬貸。聖諭煌煌，無須贅訴。此貧者之不得聊生也。凡貧者呈告富户，使其代完逋租，其意無非令富者售買其産業，接認其官地，而一經票諭差傳，卽難免無名之費。如再助納官租，接認官地，是又多受一番苦累。否則詞訟無時了結，卽或疏財仗義，忍氣吞聲，俱如其願，以期息事，無奈此家甫完，又被彼家呈舉，一案未結，又有一案牽連，是以富厚之家，勤儉守分，不敢妄爲，徒以官地、官租被人拖累，連年涉訟，妨工誤農，日不遑處，此富者之不得安枕也。其實田荒課懸，官民交困，爲害有難盡言者，若不及今變通章程，亟爲清理，竊恐貧者無術致富，富者亦難久支，輾轉株連，同歸於盡。霸州如此，他處可知矣。惟是官租之弊，委曲多端，誠難列諸簡奏。伏望天恩，於萬幾之暇，俯賜垂問，則民間一切疾苦，凡友龍所知者必能詳陳於陛下也。又曰：友龍乃區區草野之民，未嘗學問，亦並無言責，朝廷詔求直言，亦未曾下及庶人。中外文武大臣至於百官衆矣，友龍自揣何人，竟干朝議，冒瀆之罪，萬死奚辭。第念伊古以來，政事或有闕失，大臣或有姦詐，人君端處深宮，每難遍察周知，而在下臣工，率多容隱自全，苟且依順，草野黎庶知之雖明，而萬里君門，無由籲訴，此所以大臣作姦而墮國是，政事不善而毒民生也。然則言路壅蔽，乃姦佞權臣之幸，斷非朝廷天下之幸也。故堯舜置敢諫之鼓，使天下得盡其言，立誹謗之木，使天下得攻其過，慮事深遠，萬代堪型。至於隋文帝不罪邴紹之言，唐太宗不怒志冲之請，雖屬勉强，亦末世所希。欽惟皇帝追法堯舜，憲章祖宗，遠邁前朝，高出萬萬。友龍鼓舞休明，心悦誠服，不勝忠義之忱，感發莫制，故敢敬獻芻蕘，以副明詔。伏願皇上察其愚誠，赦其狂直，俯賜優容，不加誅僇，使天下以友龍爲法，不以友龍爲戒，則友龍幸甚，天下幸甚。疏奏，仁宗嘉納之。王因言其人沈練有膽識，必深知民間利弊，請召問之。諭日卽召見，上親問官租所以民累之故。友龍一一奏對，剖析甚詳，至有佃種官地之家、男不娶、女不嫁等語。帝爲動容。時朝議以事關州縣租賦，恐言有挾私，請付外臣按問。於是特命直隸總督胡季堂訊勘覆奏。命下，友龍義聲振海内，凡被累之民，莫不感其德。及赴省就訊時，沿途村民問知是言官租之孟公者，爭持酒食邀留。友龍弗停，復醵金以助其資用，亦不受，敬謝之。至省，大吏親鞫問。友龍曰：某無半畝公田，卽親族亦少受此累者，赴闕上陳，實由親見農民困苦，不忍坐視，出於惻怛之誠，非特無所挾私，卽朝廷有恩，亦毫無益於某也。大吏飭員會州牧查勘，果屬實，始覆奏焉。旋降旨，准於官租正額歲減十之四，並飭州縣省催科有不能完納者，不許攖及他人，永著爲令。於是畿輔數十州縣悉受其賜。事竣始得歸，時年已六十餘矣。未二年，病卒。李廷相孟友龍家傳。

駱六，寶坻人。幼爲編修陶樑僕。嘉慶十八年，六從主人在文潁館校書，時仁宗秋獮木蘭，逆賊林清勾結内監張泰、王福禄、劉得財作亂，京師震動，賊數人入文潁館。駱藏主人複室中，扃其户，而自索器謀拒之。苦無械，乃折棹足，持與鬭，賊削以刀，斷四指，暈而仆。賊入室，虛無人，遂去。時皂隸數人伏草中，乃出，閉館門。樑與諸人共守之。須臾，城内外兵勇雲集，賊鳥獸散。樑在館與隸數人日食糜一餐，已三日矣。聞有叩門者，乃出。而駱六殊未死，移歸寓，漸蘇，厚待之。後每陛見，成皇帝輒問：義僕駱六尚在否？陶養之終其身。或問當時形狀，述之如繪。復曰：我一細民，徒以一時報主之誠，遂忘其身，卽令畢命草莽，與螻蟻何殊！乃屢蒙天語垂詢，復蒙主人豢養恩，不以僕隸視，其榮多矣。其人誠樸無他長，不能爲一切機械變詐習，故臨難忠奮有古人風。年七十，卒於家。有田二頃，皆主人所賜也。蜨階外史一。

煤黑子，不知何許人。京師業煤者，面目手足皆如漆，因羣呼之曰黑子。黑子傭某家，地近東華門，内有國史館、會典諸館，黑子日送煤入出以爲常。嘉慶癸酉九月十五日之變，方晡時，諸禁軍多覓餐去，留數輩，或離立相與語。賊突起，如無人門焉者。迤西有橋，橋東北則國史館也。踰橋又北，始爲會典館。黑子是晨擔煤回，緩步將及橋，猝遇賊，見持刀洶涌狀，大驚。賊不暇顧，跳而往。黑子極聲呼。禁軍稍稍聚。門旋閉，後至者不得入。賊怒其呼也，斫之，中顱。黑子舉所挈擔與奮鬬移刻，又被創而踣。禁軍之來者，謂爲賊也，加刃焉，死於橋左側。當黑呼時，賊之奪橋而西者十纔二三。俄禁軍排牆上，有數賊蹲門闕作負嵎勢，莫敢前。一賊躍出，傷我兵，衆掩而捕之，餘者擊以火鎗，乃皆斃。朱珔煤黑子傳。

李鍾，大興人。以供事議敍，得官襄陽府司獄。家素貧，官於襄三年，日益困悴。性剛直，窮而益堅，甯署突無煙，忍饑終日，不屑向人乞憐求升斗。僚友聞其風，皆器重之。時襄陽郡屬邑南漳、穀城、均州，頻年有賊警。嘉慶庚申冬，奉檄督夫役轉糧均州，行至均屬自在菴，衆夫委糧菴中，各就村店覓食。鍾坐菴守視，留侍僅一役。俄有賊探過菴，呼道人亟洒埽，酋帥敬香，率大隊人馬且到矣。先是，賊衆每來，必先有賊探前導。衆夫聞信皆驚竄。侍役勸走菴旁隙地避賊鋒。鍾怒斥之曰：我去，糧誰守？身存而糧失，有何面目留人世耶！役遂走匿。道人復勸避廡内，且曰：賊遇有頂帶人，知是官員，無有不加戕害者；君縱不愛身，盍爲糧計，不如暫蒙道服守護之，即有問者，可權詞以答。又斥之，堅坐如故。道衆遷糧藏廡内，甫畢，賊數騎先至。問是解糧官，綑縛擁之行。鍾怒駡，僵立不肯動。賊酋繼至，厲聲曰：爾轉輸裕軍食，俾飽餮殺我衆耶！麾令速斬之。羣賊將裸剥，賊酋曰：是有剛氣，自是好漢子，勿去冠服，使親屬得認屍身。中數矛死。死時，怒氣坌湧，辭色不撓。維時糧置廡内，故不被掠。事聞，卹廕如例。此君軒漫筆。

高繼珩，字寄泉，寶坻人。藝談録六。嘉慶二十二年應試，放榜日揲蓍自卜，得豐之初，爻曰：遇其配。主人曰：子必售。配字合己酉，遇字謂已合考官意。是年主司汪文端廷珍、劉文恭鐶之，皆己酉進士。後謁本房袁給諫銑，袁曰：子卷劉所中。果與卜合。後爲欒城教諭，著欒城縣志餘數種，復爲大名教諭，奉檄防堵。咸豐四年三月，賊至冠縣，繼珩率兵勇禦之，擒獲數十名，兵民皆奮勇争出，格殺無算。大名城獲保全，繼珩與有力焉。聽松廬詩話。軍功保薦知縣，官廣東博茂場鹽課大使。藝談録六。著有培根齋詩集、養源堂文集、海天琴趣詞。聽松廬詩話。陶凫鄉、樑守大名，聘爲天雄書院主講，并襄校畿輔詩傳。正雅集六十五。嘗於茶餘酒半，朋友聚談，遇可傳可敬可喜可愕之事，歸輒籌鐙筆之，命曰蜨階外史。高寄泉自撰小引。簡而能達，敍事如繪，狀物如生，直能自成一家言者。孫肇修外史跋。而輔世牖民，勸善懲惡之意，卽隱存乎其間，蓋多聞而直諒兼之矣。龔莊外史跋。

劉毓崑，字貢林，號壽山，永清人，諸生。天性孝友，母嘗得驚悸症，惡聞聲，崑每省視，必解屨戶外，徐步榻前。有女弟適陳各莊張氏，爲父兄所淩虐，乃析居。毓崑爲購田宅，與己居無稍異。嘗曰：吾終鮮兄弟，何必異視吾妹！嘗於中夜起，涕泗不止。人問之，則曰：吾夢二親承歡如平時，醒則杳矣。時年已六旬，其孺慕如此。親黨張建基少有神童之目，崑最器之，知其貧，招至家，與其子伯壎共硯席。建基卒能掇巍科，登顯仕焉。每值賓興，力不能赴試者，助以贐，遇歲歉，輒出所蓄賑貧乏，凡喪葬婚嫁力難自給者，求輒應，無吝色，終身行之不倦。道光十二年大旱，請於知縣萬侯，勸捐賑卹，崑爲首唱，賴以全活者甚衆，善人之稱，遠近如出一口。子伯壎，道光乙巳進士；仲篪亦以孝聞，有父風云。永清吳志。

康懋敷，號勉齋，涿州人。道光元年副貢生，由教習官內邱縣教諭。俸滿，保知縣，選四川長甯縣知縣。履任，值滇匪竄蜀，陷筠連、高縣、慶符三邑，逼近長甯。懋敷激勸士民，移會鄰境，分守要隘，捕塗面行刼者三人斬之。內奸既鋤，外賊不敢犯境。集紳富，勸曰：吾邑城郭不完，不足以資捍衛，盍共捐築。時各省軍務借助川餉，民力已竭，乃申大府，寬各項輸助，俾專力城工。衆咸奮。六月，賊犯境，逼下場鄉。懋敷督紳團，急趨往堵截。賊知有備，引去。而應捐之款，羽檄交催，懋敷捧檄欷歔，謂不辦無以應餉糈，辦則將誰紓民力！公私交迫，日夜焦思，遂以致疾。易簀之日，猶力疾審結七案，歎曰：軍需未完，城工未竣，吾竟不起，何以謝長甯百姓乎！遂卒於署。卒之日，士民哀泣。涿州續志。

甯鴻音，字友鵠，密雲人。父彬，兄鴻烈，俱武生。鴻音讀書知大義，摯性過人。彬弟彩卒無嗣，彬憫彩之亡也，將以鴻音嗣，鴻音執不可，曰：禮爲人後者，輕其所生，吾不忍負所生也。卒不往。縣地爲古北之衝，山西富賈於縣城列廛，資轉運，置山西公所，每於此號召其衆，魚肉平民。鴻烈因民之切齒也，會西商集公所，攘臂呼從者數十百人噪而入。西商懼，鳥獸散。乃列西商爲暴事，訟之官。官固心慊商所爲，然莫敢爲左右袒。上其事於大吏。商故多金，乘夜易公所名曰三聖神祠，鴻烈遂以首禍律城旦。鴻烈慷慨請行，衆以其無辜，環而籌，無以爲計。鴻音告其母曰：姜江有言，兄年德在前，家之珍寶，今以罪行，毋乃戚母心乎！曩者父欲以我嗣叔父，我不忍，今事急矣，請前命之從。母韙其言，告於官，以鴻音出嗣，鴻烈以孤子律留養，不果行。鴻音既嗣彩補弟子員，母卒，哀痛莫能狀。既除喪，嘗忽忽不樂，或至廢寢食。三年乃如初。初，彬兄弟析居久，彩家中落，鴻音雖嗣彩，嘗日趨侍彬側，母既卒，慨然割産十分之一以畀之。鴻音曰：弟已爲人後，不能受所生者産。雖然，兄愛我，不受無以昭兄之義。乃受之。經營數年，産幾與兄埒。牛欄山者，順義一大聚落也，商賈自邊至者，古北口榷其貨，至此官稽之。道光時，司事者議重榷，申禁令，擅威福，行旅苦之，衆情洶洶，欲爲變。鴻音止之曰：毋譁。如是，禍且不測。乃馳見司事者曰：舊制不再榷，奈何易成法擾民！若有變，所失多矣。門以外之環而立者，皆欲甘心於君等者也。司事者懼，遂不重榷，如舊制。入資爲府經歷，分發安徽候補，旋乞假歸，遂不復出。道光二十四年卒，年四十六。密雲丁志。

李菡，字豐垣，號滋園，寶坻人。嘉慶二十三年舉人，道光二年進士，改庶吉士，習國書，散館授編修，十七年升贊善，十九年大考翰詹，得拜宫錦之賜，旋升侍講學士，充日講起居注官。二十二年，晋少詹事，簡安徽學政。菡嚴考經古以覘實學，親記號戳以杜槍冒。發案後，比對連卷，必親校閱，有不符者，立予扣除，恐贋鼎不祛，則真材屈抑，場規務極於嚴，而愛才之殷，待士之厚，出於夙性。少年寒畯，尤必力爲成就，期望殷拳。彼都人士，欽黜陟之公，仰培植之厚，凡應試入都，及以事至者，無不依戀門牆，望風恐後，其感激之意，有更深於鄉會座主者。鳳陽某生，以犯規應革，菡憐其少年績學，特予薄懲。臨行時，此生奔走數十里外，遮道泣送，述及過蒙矜恤，當益濯磨。菡愈勉以自新，力求補過。後其人旋膺薦擢巍科，罕有知其事者，菡亦不欲彰人之慝也。所得士，如孫侍郎家鼐、孫廉訪家穀、李制府瀚章、李伯相鴻章、林方伯之望、方觀察濬師，或名重藝林，或身膺疆寄，或宣命遐陬，尤爲青目所垂，極一時之選。任滿還京，改都察院左副都御史，署禮部左侍郎。時文宗顯皇帝登極，菡應詔陳四事：一、臣工因循之習宜振作；一、臣工欺飾之弊宜擴清；一、臣工玩法之漸宜預防；一、臣工偏執之私宜屏除。按切時弊，一以得人爲急務。奏入，得旨嘉納。咸豐四年，授兵部右侍郎兼署倉場，未幾實授。十年，再補工部左侍郎。十一年，調吏部左侍郎。同治元年，補工部尚書，專辦實録藁本。二年，薨於位，子謚文恪。采訪册。

劉源灝，字鑑泉，永清人。少穎悟，善讀書，家中落，讀益勤。道光三年進士，選庶吉士，散館，授編修。甲午，充山西鄉試正考官。乙未，出知揚州府，治獄如神，數十年積案皆清釐，多平反。揚俗浮靡，源灝首崇節儉，敦教化，召各屬高材生來郡讀書，勉以根柢之學，造就甚衆。王凱泰、蔣超伯其尤著者。江督陶文毅澍、蘇撫林文忠則徐，皆相倚重。署常鎮通海道，清江下游高郵設滚水壩，四河水漲至一丈二尺卽開壩洩水，河督張鵬翮舊制也。道光十六年秋，洪澤湖盛漲，大吏檄開壩急，源灝念壩開則下河數州縣田禾廬舍均被淹没，力持緩開之議。河帥怒，遣參將張某持令箭飛騎來，督視開壩。下河居民，沿隄數十萬，哭聲震地。源灝泣曰：吾力竭矣，奈水勢不落何！跪請於張：吾已徧諭鄉民徙高阜，願少待。遂以身禱。已而天氣開霽，湖水陡落。張驚異以爲神佑，兩岸民歡聲動，皆曰：生我者父母，活我者太守。比於陳鵬年云。九月，移任陝西督糧道。陝撫湯文端金釗委同臬司審理積案，釐剔倉糧款目，添置關中書院經費，延盩厔路德主講，黜浮華，崇實學，如任揚州時。調潼商道，清釐税務，裁減浮費，以潼久没湮，農人失灌溉利，捐金疏瀹，復其舊，民德之。累遷山東按察使，再遷布政使，攝鹽運使。運使陋規逾鉅萬，郤之。咸豐元年，代辦鄉試監臨，武闈主考，倡捐京餉，賞戴花翎。四年，粤匪竄陷臨清，巡撫張亮基督師防漕，源灝督辦省城團練，嚴紀律，均甘苦，巡防守禦，民賴以安。入爲光禄寺少卿，旋按察湖南，遷雲南布政使，升貴州巡撫。粤匪石達開由川犯黔，衆數十萬，直抵廣順，距省僅七十里。時兵單餉絀，源灝日夜籌防，守具皆備，復疏請提督田興恕來黔辦理軍務。興恕名將，源灝激以忠義，故屢戰皆有功，人咸謂源灝知人善任云。累遷雲貴總督，以年老乞休，同治三年卒，年七十。弟源濬。永清續志。

源濬，字曉川，善屬文，受學於源灝。道光十六年進士，改庶吉士，授編修，簡荆州府知府，抵楚，委辦隄工城工，深相倚重，舉卓異，加道銜，以勞瘁得目眚，乞休歸。咸豐三年，粵逆擾畿輔，踞静海獨流鎮，去邑百里，源濬首唱團練，經畫有方，民獲安堵。歲饑饉，輒出貲濟宗黨，不忘源灝所教云。永清續志。

王錫朋，字樵傭，甯河人。少雄武有豪氣，以武舉補兵部差官，援例得固原城守營游擊，遷慶陽營參將。梅曾亮王剛節公家傳。道光六年，從大軍征張格爾，自大河拐至回莊，力戰，矢殪其酋，賞戴花翎。進戰至阿瓦巴特，賊阻渾河沿，列陣亘二十餘里，恃衆氣盛，鼓角殷闐，以張聲勢。夜二鼓，西南風起，撼木揚沙，大霿晦。聖武記四。錫朋間道渡河，入喀什噶爾城，進攻英吉沙、葉爾羌、和闐，皆有功，別將獲賊目玉努斯。王剛節公家傳。十二年，猺民趙金龍亂湖南，殘常甯、新田，錫朋以臨武參將從提督羅思舉破賊羊泉街，先正事略。賊大呼乞降，仍鬭且逃，内外夾勦，連日殲猺六千，聖武記七。誅首逆。別將逐賊高家坪，大捷，回攻楊家園，圍賊殲之。賞鋭勇巴圖魯名號，擢寶慶協副將。時廣東猺亦煽動趙仔青進擾湖南。兩廣總督檄以兵控兩省適中地，王剛節公家傳。錫朋殺賊濠江口，又破賊銀匠衝，獲其酋旂仔青，反走，追獲之及其孥，湖南平。赴廣東，大軍戰連州大洪橋，乘勝入火燒排之蛇兒嶺，奪馬鞍山，遂平五排猺。先正事略。又從定蓮花汛、冷水衝、金竹銀、桃花衝、紅泥田各猺，及排後猺，亦就擒服，遷福建汀州鎮總兵。服闋，改壽春鎮總兵。英夷陷定海去之，命錫朋以壽春鎮兵駐其地。二十一年八月，夷再至，出守九安門。鄭國鴻駐竹山門，葛雲飛駐曉峰嶺，相去十餘里，三鎮且戰且守，飛書請兵，大帥不應，戒死守，毋望援。三鎮合兵四千，當夷人二萬餘。賊先犯九安門不利，退攻竹山、曉峰，錫朋馳救，兩營已先敗。賊争闘，錫朋憤甚，獨揮短刀陷陣，所親卒及身自盪殺賊數十百人，力竭死。錫朋自遊擊從楊忠武遇春定回疆知名，及平猺，功居最，嘗誡諭士卒曰：戰利呼人共之，獲倍多卽人不利，趨救之可兩全。故戰比有功，而定海事竟以無救敗。錫朋死尤烈，事聞，天子震悼，以提督禮賜卹謚剛節，建專祠。子承泗，襲騎都尉。王剛節公家傳。

李光涵，初名攀龍，號芸圃，大興人。幼而失怙，孤貧力學，甫弱冠，蜚聲郡庠。爲人記室，每歲館穀所入，藉以養母。道光元年舉人，考取國子監學正。九年成進士，改庶吉士，散館，授編修。歷充甲午科河南副考官，國史館協修、纂修、總纂，記名御史，京察一等。十七年丁酉，簡授山西太原遺缺知府，補甯武府知府。迎母於任所，養志承歡，十數年如一日。又撙節廉俸，爲兄攀桂暨弟雲納粟，俱銓得官。母常顧而喜曰：吾雖青年守志，賴汝孝養，無未亡之痛。汝兄弟均獲微官，俾資事蓄，吾從此無憂矣。母歿時，年已八十有五。光涵哀毁過情，因之遂歿，其天性孝友如此。在甯武任十二年，上游倚重，初膺密保，旋復保薦卓異，歷署河東、雁平、冀甯各道篆，慈惠及民，廉謹率屬，尤以培植人材爲己任。甯郡邊地，文風僻陋，自乾嘉以來，鮮有科第。光涵於書院肄業諸生，口講指畫，無異父兄之課子弟。越數年，人文蔚起，登賢書者繼踵不絕。庚戌會試，甯郡計偕者竟得八人。郡城學宫久圮，光涵慨然捐俸爲士民倡，親自督修，焕然一新。儲積倉廒，棟宇摧殘，亦修葺完繕。又郡有明周忠武公遇吉墓，墻垣俱廢，復捐廉興築完固，並建室於側，安置守冢者，使之灑掃，且資護衞焉。甯武領四縣，光涵時率邑令勸課農桑，民無游惰。道光十九年，所屬各縣相繼報災，光涵身自勘驗，緩催科，罷征役，發粟賑饑，親爲分授，不使吏胥舞文，民鮮實惠，四境災黎，全活者不可勝計。平時或遇亢旱，必齋戒步禱，精誠所感，甘霖迭沛。郡屬有蘆芽山者，自國初迄今封禁，有富商賄以數千金，禀請批准開山伐木，並按年納課。光涵峻拒之，曰：此時開山伐木，納税自有贏餘，不十年，取材已盡，而國課無著，豈不貽後人累！吾雖窮宦，決不受此不義財。遂將遞禀批駁立案。甯武之人至今猶感戴之。大興李芸圃觀察事略。

徐大勳，字成之，大興人。道光二年舉人，任江西貴溪縣知縣，創浮橋於江口，民不病涉，稱之曰徐公橋。有兄弟訟産，前令屢訊未決，大勳諭以至誠，引咎自責，訟者感泣請罷。以老致仕，貴溪人爲建生祠。采訪册。

李如珪，號梅坡，通州人。廩貢生，候選同知。性純孝，父殁，哀毁骨立，思慕無已，每晨昏潛往殯所竊聽，如聞愾息，由是有心疾，數年幾殆。兄早世，愛其孤如子。生平樂善好施，凡捐賑、掩胔、養老、育嬰，以至施衣捨藥諸義舉，力行不倦。尤不可及者，接待後學，殷殷奬借，凡真讀書堪上進者，無不物色與之接，殷勤通欵洽焉。同州人毛登賢，號玉書，增廣生，性孝友，以篤行式里閈，處己謙沖，待人和厚，遇貧乏，輒周恤，有以急難告者，傾囊無吝色。善醫，捨藥療疾，鄉里有善舉，罔弗以身倡。與同志者立惜字、放生兩社，著戒殺昆蟲論，見者曰：此善書所畧也。遂刊行。著有春雨草堂夢餘吟詩集，有日記録一卷，計四十餘年事，續修州志多採入焉。年八十六，無疾終。州之人於昏喪嫁娶隆禮由禮，不以奢易相誇耀者，皆用登賢教也。謝琯，字筠亭。躬耕嗜學，挂角帶經，嘗讀易不得其解，徹夜無眠。有客造廬，指説奥窔，心下了然，然後去。家居孝友，雍穆一庭。及教於家，從遊日衆，顔其堂曰養拙。道光八年舉人，丙戌大挑，以知縣分發江西，未仕告病，卒於家。弟子詹榮，字華峰，聞謝琯尊聞行知，日益勤奮，喟然曰：經師、人師，今兩遇矣。遂從游，顔其堂曰補拙。卒年四十六。

訃至，門人皆爲位而哭。采訪册。

徐有壬，字鈞卿，宛平人。生而敦敏，八歲解句股術。初就傅勤讀不倦，嘗覽族譜，得宋太學生贈秘閣修撰應鑣闔門死節事，歎曰：吾它日當如此。聞者駭之。師事刑部郎中姚學塽、欽天監博士陳杰。道光八年，舉順天鄉試。九年，成進士，廷試三甲，以主事用，分籤户部，旋補四川司主事。二十年，升山西司員外郎，充則例館提調，隨和碩鄭親王、尚書賽尚阿往福建、天津察辦事案。二十二年，轉陜西司郎中，京察一等，記名以道府用。二十三年，授四川成緜龍茂兵備道，歷充四川文武鄉試外監試官。二十七年，署四川按察使，時嘓匪滋事，有壬匹馬入賊巢諭之使降，而誅其渠魁倡亂者。二十八年，擢兩廣鹽運使，署廣東按察使。廣東俗惡，犯大辟者率以貨鬻人代死，曰頂凶，甘自誣伏，斷脰不悔。有壬知之，每鞫獄，肫肫然與囚對語，使自覺悟，開釋數十百人。是年冬授四川按察使。蜀人聞其至，喜曰：賢使者也。是年應詔求直言，密上封事，旋擢雲南布政使。雲南運銅經費，軍興以後，他省無復津貼，京銅不起運，廠丁坐困，謀作亂。有壬請於大府，就廠鑄錢，以蘇民困，亂始息。咸豐三年，調湖南布政使。於時賊氛大熾，烽火達湖湘，與督撫謀，使鄉大夫各力輸饟，子弟皆登陴守。賊攻長沙，四旬不克，退走。五年夏，丁憂歸里。六年，甯國告警，浙之大吏奏請命有壬理湖州防務。有壬見城惡，亟出財修葺。又疏通南湖，濬城濠。長興縣境與廣德、建平毘連，爲最衝，至是與太湖諸漊皆設禦備。賊犯高資，率民兵往援之。甯國告陷，又移書提督鄧紹良，責堅守廣德，毋縱賊入。八年春二月，服闋，引見，上命有壬往江南理糧饟。陛辭，賜御書福字。十二月，授江蘇巡撫。下車後，虛中納言，禁絶私謁，革除關税陋規。江南自江甯陷，罷鄉試者三科。及有壬至，縉紳先生皆請假浙闈舉行。有壬難之，而大學士彭蘊章已言於上前，不得已據實上聞。九年己未，遂有假浙闈舉行江南鄉試之舉。又慮都中糧匱，海運或不濟，請先撥藩庫銀買米三十萬石，由海船達京師，請於次年新漕扣抵。奉旨俞允。先是，江蘇糧税有加成完納之例，甚至正供一石，完四五石不能清積逋。有壬奏飭地方官遵定例，勿苛索，於時民困稍紓。十年二月，廣德陷於賊，遂下長興，徑趨湖州。有壬聞報，亟命兵往援，及杭州陷，總兵張玉良從太湖進攻，有壬資以軍糧器械，比至杭州，賊見其幟，以爲張國樑至，遂遁。事聞，時總督何桂清奏克復杭州，由布政司王有齡密授機宜，於是王擢浙江巡撫，而有壬交部議敘。未逾月，東壩、溧陽相繼失守，有壬命張玉良移師駐宜興，總督留之常州。閏三月十七日，江南大營復潰，欽差大臣和春率諸將退守丹陽，未幾，丹陽又陷，張國樑死之，和春退保常州。常州兵多，且團練可用，而總督何桂清先棄城走。常州士民遮道乞留，至不得行，發火鎗斃數人，而後出，和春亦自經死。有壬聞之，卽據實陳其狀。張玉良兵潰，至無錫入見，請助守蘇州。有壬與諸紳謀，令屯郭外。而前巡撫許乃釗力言杭州陷時，爲不信援兵所致，不可蹈其覆轍。有壬韙其言，使屯葑門，時四月十二日也。是夜張玉良潛遁。明日有壬方巡城，客軍已開門納賊，急集民兵巷戰，而賊突至，有壬厲聲叱之，賊環集攢刺，刃出於背而卒。子震翼赴池中死，妾施氏及女婉姑皆自經死。事聞，奉旨賜卹如例。先是，丹陽陷，常州危甚，有兩弟來，至蘇州相見，問以事，俱不答，但抗聲曰：吾終繼武修撰公矣。請攜子女出，皆不從，遂及於難。有壬爲學，宗尚程朱，又好李文貞公書，於陸、王、顏、李之説皆非所取。然不尚空譚，宦遊所至，必訪求土風民情及山川險要，命人繪爲巨册，以便觀覽。生平於算術最精，嘗自言：予幼而好此，乃天性所近。任郎中時，蒙成皇帝召見，垂詢諸法，一一具答。諭旨褒奬。高麗使臣及英吉利人聞而仰慕，賫書求教，則爲刊正其紕繆，皆説服而去。所著有弧矢細草、割圜密率、堆垜求積術、冬至權度考、日食九服里差校正、四畢術等書。戴望江蘇巡撫徐公行狀。

李嘉端，字吉臣，號鐵梅，大興人。道光八年舉人，次年聯捷成進士，改翰林院庶吉士，壬辰散館第一，授編修。癸巳大考，蒙恩賞大緞。甲午，充雲南正考官，旋典雲南學政，充日講起居注官，升詹事府左贊善、翰林院侍講、南書房行走，復放福建學政，晉内閣學士，補倉場侍郎，署兵部右侍郎，再典安徽學政，實授兵部右侍郎，調補刑部左侍郎，旋巡撫安徽兼提督，以事革職。乙卯，主講陝西關中書院。同治四年，移講直隸蓮池書院。庚午，移講天津問津、三取兩書院。光緒六年十二月卒於天津。嘉端一生正直，無所依傍，歷居清秩，疊荷殊恩，衡文則鎖院肅清，挽回風氣。奉派事件，無不洞鑒利弊，興革咸宜。權部務，則細推深究，惟恐或失。權倉儲，則秉正辦公，胥吏咸畏，人呼之曰鐵大人。及任巡撫，時正值粤寇亂後，户口流亡，所餘兵丁，不滿四千，而嘉端以一身兼辦兩司之事，書啟摺奏，一手爲之，不辭勞瘁，不避艱險。鳳陽失守，嘉端派兵赴援，僅餘兵二十四名駐紮省城，謂人曰：明知無濟，且近行險僥幸，然坐視不救，心終不安，惟有自盡，以期無負國恩耳。賊畏而去。後主講關中。同治初年，回逆滋事，維時陝省太平已久，人不知兵，自上官以及平民，莫不倉猝無計。執政者迭次問策，並請登城助守。嘉端慨然赴約，授以定民心，振軍志，審賊情諸計，而省垣卒賴以安。後移講保陽、天津，每值課日，其一切法度，若先年試士時，閲文必細心商推。人有勸者，則曰：講席之位，風氣所關，若草草了事，必致貽誤衆生。故近年天津得第者，率多肄業之人，文風丕振。臨終前夕，猶對客談文。客去後，書日記數行，遂無疾而逝。采訪冊。

崔侗，字同人，號葛民。先世由山西洪洞遷霸州。性沈毅，單懋謙崔公家傳。喜讀書，自其先家本寒素，無力延師，而攻苦自課。朱鳳標崔公墓誌。讀書務求實用，至是一字未安，輒廢寢食。治經時，每取先儒詁經之說，抉摘精審，融會貫通，擇其要者書於諸經之上。崔公家傳。道光十一年舉人，十二年進士，引見以主事用，簽分吏部考功司。每平旦黽勉趨公，不避風雨，案牘所不能徧閲者，攜至私寓考校，盡夜無倦容。嘗以蒞其官不習其事，一切仰成吏胥爲恥。爰取吏部則例，察其興廢，辨其沿革，比較而剖析之，講求切究，一如向日治經法。或例所未載，偶遇一事，必旁推曲暢，務與律相比附。一日，吏持牘上，稍未符，輒叱曰：是當取某案某例，何取此也？吏大驚，由是奉法，不敢上下其手。大學士陳官俊、尚書恩桂皆曰：吏部郎得人矣！旋升考功司員外郎，掌考功司印，題升文選司郎中，丁憂服闋，復補文選司郎中，掌文選司印。崔公家傳。銓曹所司，視考功尤叢雜難稽，缺分之榮枯，班次之進退，日月之後先，棼如治絲。侗一治以嚴。絶苞苴，杜請託，於科條之勒爲成書者，剖析其異同，比校其新舊，昕夕纂記，蠅頭細書，行間幾無隙地。故雖老姦巨蠹，但瑟縮奉行文書，無敢營私舞文者。意所不可，謇謇諤諤，執簡與同僚上官争，必得乃已。久之，所與争者轉相倚賴如左右手，遞相引重。崔公墓誌。是年司中空匱，累逋二千餘金，經費無所出。吏言於佀，佀曰：是無難，捐俸自給，一年後宿逋可豁矣。行之，果然。人咸服其裁斷。刑部郎中某，斃使女，投之井，事發，命佀隨尚書文慶赴提督衙門會訊。佀不深究其致死之由，祇以擅殺奴婢抵罪。尚書歎曰：上不虧國法，下不拂人情，矜慎、忠厚兩得之矣。以京察一等擢廣東南韶連兵備道。未抵任，旋授本省按察使。崔公家傳。於時，清遠、英德賊匪煽動，制府下檄督勦，佀運籌帷幄，一切調度悉合機宜，以屬吏爲難信，凡糧餉出入，必親爲句稽，文移往來，必手自指畫，焚膏繼晷，連夕不寐。事平，崔公墓誌。接辦善後事宜，奉旨賞戴花翎。咸豐四年，補授本省布政使。適賊匪復熾，直逼省垣。當是時，出則巡視城守，入則籌畫度支，檄調芻糧，崔公家傳。加以協撥鄰境，庫款空虛，費無所出。藩司爲錢糧總滙，支發皆取給焉。佀握算持籌，焦勞太甚，力疾從公，不能悉心靜攝，待賊蹤稍遠，遂卒於任。年六十二。崔公墓誌。

李右文，榜名佩文，字伯蘭，通州人。父如瑗，以孝友稱。右文道光十一年舉人，咸豐三年選湖南永州府東安縣知縣，適髮逆犯天津，奉旨留辦本籍團練。日以大義諭里人。四年冬，撤防，以功加知州銜。五年赴官，以弟季偉官浙江，迂道往視。抵浙，聞湘南道梗，其仲弟翰文，自天津差次馳書勸止，季亦挽留，皆不聽，毅然之任。至楚，檄署新甯。其邑已兩次被寇，户口多流亡。右文招集安定，加以撫循，凋敝以振。七年，以最調祁陽。時從弟載文守粵西，已殉難；仲弟又勸歸，慨然曰：死生命也，脱使捐頂踵報國，是得死所也，何慮爲！行復回東安任。遂行。八年春，湖南境賊退，右文謂衆曰：賊敗他竄耳，不可恃。訓練民團，置倉穀數千石備不虞。政聲日起。九年春，逆首石達開由江西竄湖南，所過皆望風遁，不數日抵永州界，逼近東安。新甯士庶數百人來迎，請避賊於新甯。右文曰：某去，誰爲守此土者？及賊至，復請護家口出境。又曰：是爲民望也。卻其請，並遣之。衆皆誓死相從，不忍去。三月初六日，賊麕至，城卑，四面皆山，賊環瞰之，勢岌岌。右文集文武與百姓登陴固守，新甯紳衆亦隨之。揮淚誓師，衆皆哭，矢死敵。右文親冒矢石，七晝夜目未交睫，轟斃城下賊甚夥。至十三日，東門陷，右文與賊巷戰於署東，身被重創，猶手刃數賊，力竭被害。長子傑，妻郝氏，子婦王氏，男女僕夫皆從死。新甯士庶數百人，亦先後戰死。賊銜轟殺讎，燔右文尸，僅得脊骨歸葬。卒年五十三。事聞，奉旨視道員例賜卹，令本籍建祠，春秋予祭，隨殉親丁紳勇並附祀。通州高志。

子傑，原名慶薉，字小蘭。幼好弄，廢學，及長，有幹略，侍父湖南，襄督練勇，能任艱鉅。父倚其力，爲納粟就縣丞，以其勇敢，改名傑。八年春，湘境肅清議奬，因傑團防出力，請以知縣候選。九年，石達開由江西回竄，逼近東安境。右文知不免，作書與兩弟訣，命傑賫往，蓋欲生之也。傑不忍去，又不敢逆父命，潛避於署之左右，以觀賊變。及賊至，率練勇登城，守南門，素與衆共甘苦，至此皆效死。賊環攻七晝夜，至三十日陷東門，傑聞，驚馳父所，未至，先遇害，尸同被焚。卒年三十有一。事聞，依同知例賜卹，附祀右文祠。通州高志。

載文，字潞帆。少力學，亦時時好馳馬擊劍。道光二十四年舉人，二試禮部不第，適粵亂且劇，選人畏之，載文慨然出謁選，李壯烈公墓表。發往廣西，以知縣用。國史列傳。廉直自矢，能耐勞，不解曲事大吏，大吏亦才之，多畀以難事。墓表。時粵逆洪秀全犯桂林，馬平逆賊李志信聚衆爲應。載文躬率兵勇殲之。三年，巡撫勞崇光上其功，得旨：俟補缺後，以同知用。尋調署平南縣知縣。國史列傳。平南郭濱江，爲梧州門户，毗連潯、藤，柳慶艇會各匪，更番出没，若大鯉魚、大頭羊，立名字者，不可勝數。墓表。五年，艇匪由梧州上竄，攻陷潯州郡城，分擾平南。載文禦之渡口，施礮轟沈其船，匪衆多死，餘船退泊三角觜，乘勢蹙之，殲斃無數。匪復由磐石、平田分撲南北兩岸，我兵抄襲環攻卻之。敘功，得旨：免補本班，以同知直隸州儘先補用。並賞戴花翎。六年五月至七月，匪復麕集，水陸環攻，城堞無一完者，礮臺十有二悉燬。載文嬰城固守，國史列傳。困重圍七十餘日，告急文數十上，乞援乞餉。大吏但空言相慰藉，後竟置不問。墓表。載文知事不可爲，遣親僕從間道以縣印繳送桂林省城，獨激厲兵勇，與賊相持。千總方源，開城私遁，賊乘隙竄入。載文率勇巷戰，國史列傳。手搏賊，右骰傷，忍痛力戰，復斃百餘人，力竭，自刎不殊被執，賊謂公好官，將生之。載文大罵不已。賊割其舌，猶含血噀賊面，乃死。士卒争赴賊，死者七十餘人，縣民皆巷哭。墓表。事聞，奉旨：視知府陣亡例從優議卹。尋追贈太僕寺卿銜，予謚壯烈，賜祭一壇，入祀粵西、京師昭忠祠，原籍建立專祠，地方官春秋致祭，賞雲騎尉世職。國史列傳。

張中寅，字古虔，大興人。張林古虔府君行述。道光十五年舉人，咸豐三年在火器營捐礮位，經柏葰等奏請以助教選用。旋遵籌餉例，報捐同知，分發四川。八年，補松潘直隸廳同知。國史忠義列傳。己未五月，到任視事後，案無留牘，時以整頓地方爲務。松城有江源書院，經費久乏，曠課兩任。中寅曰：强悍之地，何可少詩書涵濡耶！特捐俸倡集，得白金若干，權子母，以息爲修，延山長主講焉。城密邇番寨，夷情非昔，而又向隸鎮屬，前因武營徵糧啟釁，勢日岌岌。中寅憂之，於是亟籌款，修城垣，製器械，輯民與役之精壯者，勉以忠義，教之戰法，爲不虞之備。庚申九月，逆番果聚衆圍城。中寅親冒矢石，激勵義勇助戰守，逆番不得驟進。然以不足三千之兵，當數萬野番，且城居番地之中，形如釜底，時三面皆爲番踞，只有走龍安百八十里之小河汛，便運糧可資接濟，乃一城存亡所繫。中寅始謂迅集兵力，勦而後撫，計之上也。次則添兵扼守小河汛，庶食足而撫局尚可徐圖，不先扼此，則孤城難保，而議撫莫爲功矣。乃屢以事機稟陳，力乞援軍，皆寢不報。數月後，力漸不支，民役環跪曰：事不可爲矣，願早圖生計。中寅慨然曰：是何言也！朝廷命吾來守此土，撫此民，則吾身當與此土共存亡，與此民共安危，盡心力而爲之，濟則地方之福，不濟則有死而已，曷可言去！於是民役皆感泣，守益堅。逾年四月，逆番果踞小河汛，行述。阻絶糧道，忠義列傳。文報不通，又書告急文於木牌，以油塗之，由河順流下，乞沿途代申請援，仍不報。糧盡，至雜煮牛馬皮作糜度日。民間析骸易子，尚誓以死守。行述。逆番不得逞，邀請喇嘛代陳，情願投誠。總兵聯昌以腹地軍務緊急，乘機招撫，逆番因各喇嘛搬運犒賞茶包之隙，由東北兩門撲入焚殺。中寅於北門督隊堵禦，忠義列傳。顧謂民役曰：此吾授命時也。能從吾殺賊者，其悉來。於是躍馬直前，拔佩刀，力斫數賊。民役勇氣加倍，巷戰逾時，尋逆衆蜂擁至，中寅中數矛，落馬，民役拚死護衛，卒以衆寡不侔，行述。死之。忠義列傳。妻妾及妹均投池以殉。事聞，贈道銜，給雲騎尉世職，行述。於陣亡地方暨原籍建專祠。忠義列傳。

王萬齡，字嵩三，涿州人。道光十五年舉人，廿五年進士，以知縣簽分河南，代理涉縣。下車即擒獲境内巨盜陸某暨其姪，置於法，民賴以安。補獲嘉縣，有惠政，以父憂去。咸豐三年，粤匪北竄，奉檄防堵黄河之柳營口，以同知直隸州用。時值連莊會匪滋事，懷慶知府高映奎與議撫勦，萬齡曰：此皆愚民也，撫之易耳。或欲多其兵勇以爲衛，萬齡笑而謝之，乃單騎往，諭以禍福，登時解散。隨攝温縣篆。温民亦和，土匪歛戢。咸豐七年，捻匪竄入嵩縣，適萬齡在河南府查辦蝗災，奉委署嵩縣事。嵩蕞爾山城，乏兵餉，乃捐資募勇製械，迎擊賊於伊陽之田湖鎮、陸渾嶺等處，疊獲勝仗。次日追賊至閻莊，賊竄入山溝，四無出路。先是，萬齡與知府樊某定夾擊之計，謂賊不難一鼓殲也。至是而樊援不至，萬齡憤激出隊，衆寡不敵，身被重創，力竭陣亡。事聞，賜銀二百兩，加道銜，餘贈卹如例。涿州吴志。

趙儒，永清人。父早逝，獨與母居，以麥屑炙炭爲餅貨之，得微貲，易甘旨奉母。母病風痺，手足不能自運。儒爲潔清牀褥，扶掖溲便，朝夕不遠離。少暇，仍炙餅貨之，恐舍業則無以養也。有勸以娶妻者，儒曰：吾事母甚樂，娶妻來，未能得母心，且生齒繁，累增不如獨事母也。遂終身不娶。母殁，時已老，而號泣苫次，猶不改孺慕云。永清續志。

王應泰，字應泰，霸州人。幼貧，棄儒業，拮据家計。嘗嚴冬負小荆筐，持斧，柄長半尺許，侵晨樵採，丁丁風雪中，十指皸裂，血滲漉枝柯間，歸以供朝炊，無怨色。後稍長失恃，兄清泰謀食京師，應泰獨奉父家居，每歲飢餅罄，身所著外衣付質庫，得直市魚肉以歸，熟荐之。時天寒甚，家人爲飲泣，應泰歡然供匕箸，談笑祝噎，侍父醉飽而罷。值夜，躬執所用溲器置牀下。父就寢，覆蓋周密無罅隙，以手探衾中，遇摺疊處，舒之平貼方退。雖失學，然性明敏，喜書，日與諸儒遊，漸漬開悟，能明大義。遇古人忠孝節烈事，輒掀髯鼓掌，慨慷激昂，爲人論說不厭。及長子慶昇出賈，家稍裕時，兄清泰已老，命迎以歸里。迺於宅東偏闢室四楹奉兄，其中開北窗，置板扉其上，春秋啟之，則小橋跨水，魚艇估帆，隨波上下，緣隄楊柳芙蓉不絕，秋晚白蘋紅蓼，掩映斜陽間，望之如圖畫。室外地數弓，植以四時花木。復購古今傳奇稗史，鱗次左右，備兄游覽。歲悉召故人子弟奉觴上壽，或蹁躚起舞。應泰亦時學弋腔佐之，必兄極歡乃已，歲以爲常。里南一里，有市曰蘇橋，水陸交通，四時絃歌甚盛。應泰嘗與兄遊其間，兄先弟後，白髮飄然，路旁觀者皆歎羨爲悌弟云。應泰爲人，長身大頤，色微蒼，左眉上有肉微凸，長分許，善談論，聲音朗然傾四座。閨門雍肅，無勃谿聲。里人有鬬者，衆俟一言以解，爲徐剖其曲直，人人屈服，蓋鄉里推碩德焉。道光十七年卒，年六十八。子二。任瑞王處士家傳。

高静，字慎葊，霸河人。父天秩，績學，早卒，有獨樹齋詩行世。母陶以節聞。静年十三，始就外傅，性好動，自師命以名，卽確然自守，讀書目數行下，寒暑無間。道光廿四年舉人，同治元年大挑二等。於書靡不通，與諸生講學，輒爲條晰其源委，亹亹不倦，所教士多以純篤稱。性澹泊，不慕榮利，有司至三造其廬不肯見，投刺報之。處鄉里以謙謹自持，天真粹然，不假雕飾。家無儋石儲，幾微不以介意，日唯吟諷自適而已。年六十四卒，著有看詩隨録三十六卷、詩話二卷、看書隨録二十卷、周易參考二卷、慎菴古近體詩四卷、詩餘一卷。甯河丁志。

王繼庭，字筠軒，武清人。道光三十年進士，吏部文選司主事，記名御史。咸豐十年，授山東青州府知府。初蒞任，值歲饑，繼庭倡捐賑濟，於是官紳踴躍，存活居民數萬。巨匪李金鰲勾結捻賊，謀窺青州，繼庭捕獲之，張香圃撰傳。是夜卽斬於大堂下。遲明，金鰲餘黨團聚，欲篡取之，示以首，衆駭然散。李子樸撰傳。當是時，賊蹤飄忽無常，蔓延徧東省，青州雖幸解圍，而民心皇皇，常恐賊復至。適繼庭因公被議，既解篆，幕中人額手相慶，勸繼庭速離危城。繼庭曰：官之於民，猶父之於子也，焉有子將罹患難，而父託遠行以避之者乎？於是募勇丁、修城垣，軍械、勇糧，罔不備具，併捐千金，以助練勇之費。新任潘駿文未到時，意繼庭既解任，青州城守必空虛，馳至，覩繼庭所設施乃大驚。是年秋，賊果大至，其鋒更烈，而青州城奠如磐石，皆繼庭之力也。時撫臣悉繼庭賢能，奏留襄辦軍務，賊平始歸里，以勞績開復原官，保升道員。奉旨：仍歸知府本班，俟補缺後，以道員用。同治五年，繼庭已引疾家居，特旨授兖州府知府。繼庭仍以疾辭。十三年卒。青州人祀之宋十三賢祠。張傳。

侯邦典，字慎五，武清人。附貢生，官臨榆訓導。之任八月，即歸養。咸豐三年，粤匪逼津南，武清日警。邦典鳩貲，晨夕守禦。團練大臣桑文恪春榮奏賜學正銜。十年，暎咕唎薄我都城，蔡村適當其衝。邦典親至營，約以信義，遂無所犯，而土匪乘機煽亂，邦典擊之。暎咕唎大駭，執邦典於行間，一日始釋歸，而武清卒無恙。王承綱撰傳。同治六年，馬賊作亂，邦典謂團練辦在臨時，不可恃爲長久之策，乃審度地勢，濬池濠，修圩牆，爲綢繆未雨計。八年，建立義塾，鄉之子弟皆造焉。同治九年卒。侯學祈撰傳。

俞奎垣，字襲芸，大興人。父進麟，官甘肅涇州知州。奎垣讀書，喜談忠孝事，及長，有太常仙蜨隨之。平生務爲博通有用之學，旁及金石、醫卜、星相家言，無不洞曉。道光二十九年舉人，咸豐二年進士，改翰林院庶吉士，授編修。六年，充會试同考官，尋考取御史，奉旨記名。八年，充湖北副主考官，留學政。楚自粤匪屢陷，士氣不振，奎垣崇尚經術，加意栽植，應試生童倍於曩昔。辛酉春，逆酋陳玉成破黄州，奎垣方按臨漢陽，忽傳賊薄漢口，郡城爲空，人勸回省，艴然曰：吾雖無守土責，斷無他去理。諸君子請行，吾惟與守令共存亡耳。後賊竄棗、隨，迺試他郡。值省城戒嚴，官節相文請襄同守城。賊退，節相以聞。賞戴花翎。事竣受代，書篋外無一長物。將之甘肅省親，旅費無措，同官致賻二千金。以一千金畀鄂城書院，餘攜以行。至甘肅，悉呈其父彌官虧，未嘗有私蓄也。初，仙蜨之來也，其色黃，時或變色，大小無定形，凡所遇吉凶，嘗藉仙蜨驗之。由鄂之隴，過險灘，船觸石穿幾墮，奎垣談笑自若，童僕起視之，有蜨護焉，兩翅俱溼，形大如斗。在鄂，蜨忽粉白色，卽奉文宗賓天哀詔。至甘，蜨又粉白色，奎垣知有變，勸其父辭官。甫戒行，而平凉等處失守，行至涿州，以母病，親汲水和藥，失足墮井，卒。年三十有八，葬於廣渠門外楊家莊。蜨又盤旋於墓，數日乃去。

龔芸府君行狀。

任式坊，字亦春，密雲人。父元勳，官直隸開州副將。式坊以咸豐二年舉人，三年進士，授禮部主事，四年充實録館校對官，九年補儀制司主事，十年遷儀制司員外郎，十一年以軍功賞知府銜，旋赴山東軍營，攻克館陶、冠縣，得旨以知府選用。是年冬，授江西瑞州府知府。同治元年，以克復莘縣功，賞戴花翎。尋丁憂歸。四年，服闋，奉旨發往貴州，以知府留營差遣。明年，授貴州安順府知府。是年十一月，至貴州境，道經玉屏縣二岔河，適苗匪由思州下竄，猝相值，式坊提刀，率子家駿突前手刃數賊，力竭，父子並遇害。事聞，贈太僕寺卿銜，世襲雲騎尉。家駿亦贈卹如例。式坊性敦慤，尚風義，博極羣書，負經世略。官禮部時，鑾輿巡幸熱河，洋夷航海大至，衆心震懼，乃上書當事，其略曰：英人航海遠來，深入重地，已犯兵家大忌，今更舍舟登陸，離其巢穴，此真勦滅之機也。方今大兵雲集，直隸總督駐兵天津，倉場侍郎、通永道、通州協近在通州，宜使直隸督統帶兵勇，勦其屯據津郡之賊，募熟悉水性者，設法燒其船隻，復由城外軍營密派官兵，繞出其後，會合通州官兵，中路横截於阨要地方。又曰：英人不敢近逼者，以巴雅里就擒，無主謀之人。巴雅里朝以釋，夕進兵矣。和約詎可恃乎？又上書條陳機宜：一、請鑾輿回京。一、查驗旗營軍火器械，招集潰兵。一、於城内外扼要地方派官兵分駐。一、每城分設四局，雇勇夜巡。一、揀選習知武略者訓練士卒。一、圓明園派兵守護。一、派兵護防蹕路，並派兵截英人歸路，絶其外援。一、令商人勿得逃徙，設局城外，安撫流民，緝拿土匪。共列事十二條。當初上書，或謂非所宜言，勸其遠徙。式坊正色曰：臣之事君，事所當爲，力所能爲，卽勇於必爲，不可拘於職而不爲。言者愧謝去。其在山東軍營也，歷陳營伍弊略，曰：我軍之遇敵輒敗者，操練無裨實用，將士不相維持，逃兵肆無忌憚，總而言之，無節制故也。當事深韙其言。密雲丁志。

朱文錦，字郁齋，永清人。年十三，補邑諸生。性孝友，母嘗病瀕危，百計罔效，文錦迫切無措，焚香籲天，割股肉爲羹以進母，母良瘥。兄雲錦，號絅齋，有文名，著有皖省志略、豫乘識小録、蕉雨軒等集。文錦事之如父，凡進杖履，無不躬親，形影追隨，生平如一日。口吃，好施與於人，無少長必温語相接，望而知爲至行君子也。永清續志

張耀，字鑾坡，涿州人。父汝謙，嘉慶初，隨其祖玉田爲雲南州牧，生耀。耀數歲，玉田罷歸，旋卒。耀以貧故，不能習舉子業，考以內閣供事，議敘未入流，分發安徽，補霍邱縣典史。時父母皆老邁，耀以家無次丁，未能迎養，乃告終養。回籍數年，母李氏卒，父汝謙得癱瘓疾，動輒需人。耀日侍病榻，以肩承足而私焉。越二年，汝謙卒，營葬畢，乃告於戚黨，將往黔中，迎其所生母柩。至是，人始知其爲汝謙之孽子也。先是，其祖歸途，耀生母卒於旅店，遂藁葬之。耀甫數齡，即默識其處，預爲後來計。比耀如黔時，知交之在當路者，感其孝，爲函致中途津要，囑爲賙恤。耀悉拜受其書，比返，乃均未投謁。既葬母，凡予函者，皆詣門稽首還之。人以是愈愛敬焉。釋服，仍赴皖，坐補原缺。惟時髮逆已入長江，皖省處處戒嚴，移省垣於廬州。霍邱在廬之西北，縣令以中途賊阻，未能以時履任。耀以前後爲尉數年，與其士民相慊，乃羣奉之權城守

事。時粤捻張洛刑、四眼狗等，及苗逆之忽叛忽順者，潁、鳳一帶縣邑，無歲不被圍，無日不聞警。耀以微官，卒能和輯鄉團，激厲紳富，力保危城七年之久，而後爲賊所陷。耀巷戰死。妻、妾、子、女均死之。經各路大臣入奏，旌䘏如例。越十年，其幼子三元間道歸來，云被亂後，潛蹤巖谷，事定後始出。霍邱人感其父之有功於邑也，爲之醵貲，乃得歸。咸謂耀之忠孝克全，天不忍絶其後云。涿州續志。

俞昌烈，號鴻甫，宛平人。監生，書法學東坡酷似。黄岡縣志循良傳。道光時，鍾人傑之亂，從勞司馬光泰入通城，堵賊有功，鄂城表忠詩小序。擢知黄岡縣，聽斷明决。後宰江陵，以盗案削職。手輯兵書數萬言。鄂城表忠詩小序。去任後，寓鄂城，粤匪破城，死之。黄岡縣志循良傳。劉咸，大興人。嘉慶二十四年舉人，牧蘄州，既病去，旋被誣，檄返楚削職。勞司馬光泰屢勸二君出城鄉居，劉唯唯，俞則曰：予一家五口，城陷當死之，不能去也。後昌烈果遇害，其妻、女及少子自縊，咸亦自縊旅店中，蓋皆死職也。鄂城表忠詩並小序。

苑梅，永清人。苑，名臣之螟蛉子也。爲人誠樸，性至孝，父卒早，家貧，竭力奉母。母病，多方醫治無效，倉卒赴城隍廟炷香默禱，割股肉，燃脂爲鐙，比歸，母病漸瘥，梅亦未知所苦，數月，創已合，肉墳然高起，瘢若碗口，人人咸謂神佑。永清續志。

劉潛，永清人。父邦甸，爲邑諸生，娶焦氏，生潛及弟沛；繼娶王氏，生潭。邦甸愛少子，奉養之需，責成濳，家故貧而養必以肉，夜必以燭焚香瀹茗，日以爲常。或午夜蠟炬少昏，則訶譴立至。故濳恆侍父寢，未嘗安席。中年喪妻，竟不娶，終身之慕如一日焉。父殁，事繼母無稍衰。同治二年卒。永清續志。

朱兆發，通州人。事母至孝，平時負義氣。居小東各莊濱河，咸豐十年夷警，村人惶怯，朱隻身往説之。夷疑之，擊以火鎗，立殞。通州高志。

韓燿，永清人。武庠生，文楚子也。文楚四子，長烺，次然，次卽燿，又次煊。鄉無賴楊國順侵文楚及鄰田，植柳爲界，衆憚之莫敢發。文楚倡衆訴於官，責國順令盡伐侵界柳。文楚往視界，國順出不意斫以斧，文楚立死。官下國順獄，吏索賄於文楚兄，不遂，以誤殺論。國順得減死，既出獄，行益肆，數往駡韓氏門曰：楊國順固無恙也，將行再取，爾其奈何！燿時年九歲，與諸兄好偵國順之出，至是益謀復讐急。母聞之大駭，呼諸子曰：若輩其不欲生乎？若父死於是，何况諸孺子！能避而戒之，使破巢有完卵，幸矣。我已老寡婦，再令我見汝横死，不如我先死。諸子少不敢言。燿獨濳購利刃，日磨淬。久不得隙，藏刃於篋。兄然出爲伯父文檀嗣。文檀家稍裕，燿陰與然計曰：父讐不戴天，今幸兄所承業足養老母，嗣是養母，兄任之，復讐，弟任之。咸豐九年九月六日，燿之嫂請於姑曰：翁忌日，盍祀諸！姑流涕曰：若翁不幸死，未亡人及諸孽子淹淹若此，奚以祭！耀聞之，祭於墓而返。母於其潛出也，搜諸篋得利刃，令焌及煊伴之。往田中收禾稭，猝遇國順，欲擊之，恐株連兄弟而止。偵所之，見國順投樹下卧，乃走及家，索刃不得，見斧。是斧者，盜伐耀田邊柳所遺也。持斧去，斫國順，中顱，連斫之，國順死。距文楚之死已十年，耀適以是日復讐，且均死於斧。耀持斧歸告文檀曰：父讐雪矣，兒將首之官。文檀驚曰：勇哉兒！十年之讐，一旦而復，愧殺我矣。邑令蔣憫其孝，囑獄卒善遇之。解省，見者輒問：少年何獲重罪？具以告。皆曰：孝子也。醵金以助。在獄染疫幾殆，同獄敬其孝，多方調護，得不死。同治元年，遇赦出，家益落，事母益謹，鄉人呼耀爲韓孝子云。永清續志。史維基，字鏡堂，大興人。由刑部吏員知湖北黄梅縣。知縣政簡刑清，奸紳斂迹，尤善判决，收民辭有不待質訊而當經批銷者，時呼爲照妖鏡。有周姓局員，自溺身死。時小池口縣丞某與周有戚誼，以爲移屍至此，欲藉查拿凶犯牽累該地紳民。維基正色曰：史某卽凶犯也。令戚平日行爲不可知，但今日癲狂，兼爲鬼厲，吾已熟悉。僕役口供，有案可稽，下民易虐，上天難欺，吾不慣作平地風波也。亟封斂之。同治三年，大吏開訪聞例，鬼蜮射影，周内多人，奉檄者虎視之，鄰境遺累不少，維基獨寛既往，許自新，以一紙寢之。是年捻逆下竄，維基晝夜偵探，與民共休戚。麥連年一莖雙穗，幾徧郊原，士民作詩歌以紀其事。去任時，父老扳轅遮道，有涕泣者。采訪册。

葉福棠，字宜之，永清縣人。廩膳生。性果敢，勇於任事。同治六年，歲歉，梟匪乘機煽動，六月初，擾縣境，燬民居。奉縣檄舉行團練，爲保障計，推其兄貢生詠棠爲團長。福棠曰：兄年老，戰陣非所宜，團練事，弟任之。遂集鄉衆，修濠栅，製器械，籌經費，皆首倡焉。是年十月，賊大至，適邨濠東南隅爲霪雨衝陷，賊飛騎數十突入，守者皆鄉民，不習戰，驚怖卻走。福棠見衆潰不支，猶振臂大呼：毋退！羣賊攢刺之，遂遇害。御史馬相如以聞，贈雲騎尉世職，蔭一子，祀忠義祠。永清續志。

張耀崙，永清李家口人。性勇敢，當馬賊環集時，率鄉民嬰壕拒守。鄉民怯敵，耀崙獨嗔目大呼，持銃轟擊。賊中傷，不敢前，乃繞壕乘隙突入。耀崙與格鬬，遂被害。又有房廷貴者，巷戰傷數賊，賊大恨，羣圍之，力盡被殺。張春園，字小芳，世居永清小青垡。諸生，爲人樸誠，勇於赴義。當梟匪蠢動，鄉人推爲練長，與李家口聯團相犄角，賊趨李家口，春園協力堵禦，遂同時遇害。永清續志。

李文才，霸州人。父華，家綦貧。生十歲而父出游。時祖友梅年七十，伯父貴瞽廢，母有痼疾，惟恃文才以爲命。年十三，問父於母，鋭欲尋之。母曰：渠游無定所，小子何往？且如祖父何？泫然而止。嗣後每值歲旦，供飯於几，旋升屋抱竈突而號父者三，乃下，向几再拜，嗚嗚以泣。居數年，祖與母先卒，伯父亦逝，傭力以葬，稱其家。年三十三，娶婦，舉子、女各一，喟然歎曰：祖宗有後，吾將長往尋父矣。逢人卽問，狀若狂。久之，或告以熱河地界有一霸州人，賃屋以居。遂裹飯一囊，挈青錢二百，詰旦戒途。妻子含涕送之，弗顧也。由昌平州經大沙窩、大閣、黄旂喇麻廟，山行七百里，巖谷崎嶇，多鷙獸，屢瀕於危，而跡父所在，輾轉終弗得。繼至騾子溝，聞有霸州人寓於驛舍，乃長跪於門曰：我霸州李文才，尋父至此，仁人幸告我！其人驚而起，呼其小字曰：汝卽四閶耶？疾應曰：諾。遂相抱哭，果其父也。哀感途人。是時，華年六十九，文才四十九，蓋不相見者四十年矣。奉之而返。越十年而父卒，負土成墳，葬之以禮。同治壬申，總督合肥李鴻章以其事聞，旌表如例。周乃大孝子李文才傳。

高福，武庠生。事母堅氏孝。同治十一年四月間，母病危，醫藥罔效，懨懨一息。福憂泣不食，呼天禱祝，割左臂肉煎湯以進，母病頓瘳。鄉黨稱之。涿州續志。

吴士達，字通齋，大興人。援例捐光禄寺署正。性慈介，嗜善如飢渴。於民生利弊，講求洞悉，見顛連無告者，若疾痛之在躬，奔拯惟恐後。而持已廉潔，不肯私一錢，以故京師諸義舉，多延聘襄理焉。先是，士達與指揮程常憲善。同治十一年，永定河決，近畿罹水災，飢民流離轉徙，待哺嗸嗸。吴編修大澂首建分廠施粥之議，董理難其人，常憲以士達薦，於是使治榆垡一廠事。榆垡距河十數里，倉猝舉賑，衆以薪米不繼爲憂。士逵廉知近村之龐各莊有屯糧數千石，乃飾商賈，輕裝賫銀兩告糴；更於榆垡附近村莊，出榜收薪。災民之無業者，争負薪至，優價償之，不崇朝，薪積如阜。又擇高敞場地建兩棚，對四柵，分南北出入，男女東西爲别。舊時施賑，患夫役侵蝕，士達於夫役優其廪餼，使有贏餘，然後申令再三，躬親釐剔，諸弊悉除，饑民均受實惠。凡五閲月，炊米五萬二千餘斤，日食粥一千四五百口爲率，費銀一千一百五十餘兩。廣渠門内舊有育嬰堂一區，歲久失其籍，士達乃於附近坊巷賃屋十數間，收養嬰孩，命曰新堂。乃徐訪舊堂遺址，爲胥役所隱匿，請於府尹彭祖賢，蹋勘句稽，竟復其業，並募集銀三百七十餘兩，置涿州駐蹕村膏腴地二十餘畝，招佃墾種，歲收租銀四十餘兩，以充經費。又以收鞠口衆，新堂狹隘難容，言於府尹，添募銀幣，於舊堂基重建五十餘楹，移徙居之。凡養嬰有額，額溢則遣送他善堂，往往擯拒弗受，以至遺棄失所。士達迺增拓舊額，來者畢納。嬰兒入堂，撥乳婦哺養，每晨必令抱至堂省視，乳不充者黜之。嬰兒病，則别置一室，醫藥調護，以故傷亡甚鮮。堂之西偏有數室，兒稍長，則延師督教之。先是，吴大澂有慈幼堂之設，法視義學稍異。義學主於教，慈幼則教兼以養。初創之年，幼童寥寥，迨士達莅是堂，殫力營措，人樂其誠，聞風而來者，堂幾不能容焉。光緒三年，畿南大旱，饑民就食者益衆。於是官私添置各廠，收録丁口，不下數萬人，咸以士達董理之，凡書册、給牌、發米、散錢諸務，煩碎繁重，罔不躬親措置，形神交瘁。卒以積勞觸穢，薰染時疫，於是年三月遘疾瀕殆，展轉牀褥中，喃喃囈語，皆各堂各廠事也，遂卒。采訪册。

沈桂芬，字經笙，宛平人。祖籍江蘇。道光二十七年進士，改翰林院庶吉士。三十年授編修。咸豐元年，充浙江鄉試副考官。二年，大考一等三名，擢庶子，充日講起居注官，提督陝甘學政。三年，升翰林院侍講學士。五年，轉侍讀學士。六年三月，遷詹事府少詹事。七年，升内閣學士兼禮部侍郎銜。八年，丁父憂。十一年服闋，補原官，充廣東鄉試正考官，升禮部左侍郎。同治元年，調補户部左侍郎。二年三月，充會試副考官。十月，署山西巡撫。三年，實授山西巡撫。九月，上籌費移屯疏，略言：臣官京師時，親見旗民生齒繁庶，除仰食錢糧外，無生生之策。以今日安插旗人，上策無如移屯邊方，中策則聽往各省。其聽往各省之法，無論馬甲、養育、閑散，願赴各廳州縣謀生者，徑呈本旗都統前往，照商籍軍籍例，編爲旗籍，由地方官治之，並許以旗籍應文武試。其緑營戰守馬糧及各營將弁，亦一體考拔黜革，官弁及舉貢生監與各省駐防願徙者均聽之。其移屯邊方之法，請簡擇賢能爲屯田大臣，隨帶司員，於奉天、吉林及獨石口外之紅城子、開平、張家口外之興和、新平等處，昔年富俊、孫嘉淦所勘定舊地，建立房屋城堡，豫備農具、牛種，由八旗都统勸諭旗户，願移屯者，户部發治裝銀三十兩，沿途官給車馬。到屯後，每户量給房屋、農具、牛種，使之開墾耕種，所墾之田，限以十年升科，徵收之糧，運於口内，而積銀於屯所，即以屯糧所糶爲次年京旗移屯及屯所經費之用。由是而口北寒凍之地，人氣日聚，地氣日闢，天氣即爲日暖，旗人一遷徙之勞，永可以自謀衣食，而旗民恤矣。軍興以後，調遣旗兵，不聞得力，若移屯口外，練習風霜，耕牧營生，兼資勞苦，加以訓練，可復國初驍健之風。十數年後，環邊之地皆成勁旅，北肅强鄰，南衛京師，而邊防實矣。軍務既竣，請於定復八成兵餉之年暫給六成，酌留二成，歲可省銀百餘萬兩，治裝銀與房屋、種具，每户以八十兩計之，歲可移屯數千户。俟屯升科後，京旗兵餉仍復八成之舊。則目前經費，無庸另籌，日後正供，永無不足，而國用紓矣。疏入，詔所司會議，從之。四年正月，以籌解甘肅軍營餉需議敘。二月，疏稱：晉省山多地少，民食不敷。自洋藥弛禁，小民趨利若鶩，栽種罌粟，始而山坡地角，繼則沃壤肥田，以致米粟日缺，糧價踊增。設遇凶饑，購糴維艱，若不嚴禁罌粟，則煙土愈廣，糧米日稀，不知伊於胡底。臣思民爲邦本，食爲民天，亟應通飭各屬，一律禁栽罌粟，俾小民專務稼穡，雖於坐賈釐銀稍減，然所失者小，所全者大。現已議定條約，刊示各屬，總期令必行，而民不擾，下開養命之源，上裕敦龐之計。四月，以母疾疏請解任，旋丁母憂。六年，服闋，補禮部右侍郎，充經筵講官。七年三月，命在軍機大臣上行走，旋調補户部左侍郎，七月調吏部左侍郎，賜紫禁城騎馬。八年，升都察院左都御史，命在總理各國事務衙門大臣上行走。九年，遷兵部尚書。十一年，充國史館正總裁，九月，大婚禮成，加太子少保銜。十三年，管理國子監事務。光緒元年正月，命桂芬以兵部尚書協辦大學士。先是，國子監肄業生額四十名，由户部發銀六千兩，屢經折減，膏火僅存。至是，桂芬奏加額二十名，請按庫平實銀發給。詔從之。三年，充實録館正總裁。四年四月，編修何金壽奏雨澤愆期，請訓責樞臣。諭：交部嚴加議處。桂芬坐革職，特旨改爲革職留任。五月，充翰林院掌院學士。五年，開復革職處分。三月，恭題穆宗毅皇帝、孝哲毅皇后神主，賞加太子太保銜。十月，御史文鐍奏劾順天候補通判王堃、石賡臣，知縣蔣嘉泉等劣蹟。命桂芬查辦。覆奏順天本無通判員缺，嗣後不得以通判分順天候補，請著爲令。允之。七年正月，以疾終，年六十有四。贈太子太傅，謚文定。國史列傳。

桑春榮，字柏儕，宛平人。祖籍浙江山陰。父錦堂爲河南睢州吏目，有隱德，宦歸，傾貲贍族黨，負償者輒燔其券，貧如故。游京師，家焉。春榮，道光二年舉人，十二年進士，改翰林院庶吉士。十三年，散館，授編修。二十二年，補河南道監察御史，掌四川道監察御史，簡放雲南臨安府知府。丙午、丁未間，值漢、回互覺。時林文忠則徐方總督雲貴，所在虛衷諮度，鎮撫得宜，事平，調補雲南府，尋以卓異擢迤南道。咸豐元年，兼署鹽法道，督辦官錢局，靡廢不舉，商民便之。三年，授貴州按察使。四年，遷雲南布政使。綜稽吏事，黜陟以公。次年，升巡撫，兼署雲貴總督，督辦雲南軍務。時滇匪猖獗，羽檄交馳，寖以援絶餉窮，賊氛近逼省垣十閲月。春榮從容坐鎮，以忠義激士卒，誓勿去，人心益固，卒全其城。自以曠日墮功，貽誤全局陳劾，奉旨來京候簡。九年，補内閣學士兼禮部侍郎銜。十月，督辦順天直隸團練，所至撫尉百姓，令兵弁不得居城邑，民以安堵，畿輔軍聲益振。事定還朝。同治元年，署兵部右侍郎。五年，授刑部右侍郎，賜紫禁城騎馬。十年，兼署户部左侍郎。十一年，升都察院左都御史，旋擢刑部尚書。十二年，充經筵講官。先是，辛丑會試充同考官，至同治四年，暨光緒二年，兩充會試副考官，得人稱盛。光緒五年，以老病乞休，許之。春榮長刑部十餘年，案牘繁重，手自勘定，日昃不遑，越大寒暑，必單車入署無少間。平反大獄，務持情法之平，不動聲色，綱紀秩然，老吏毋敢欺。年踰耆耋，强識靡遺，援引律例，言之鑿鑿，同官皆翕服。凡所矜恤獄囚，施冬衣、夏藥，悉捐俸倡之。嘗誦歐陽求其生不得之語，以誠僚屬。謂獄者天下之大命，不得其平，中已負疚，何以董理庶獄？故遇事持大體，不爲赫赫名，亦不説衆同異。每奉派查辦磨勘事務，力求實際，懲骩法，如於雲南謝煥章覆試，復其舉人，亦一事也。八年壬午，重赴鹿鳴宴，賞加太子少保銜。是科孫寯亦中式，藝林榮之。其年十一月卒，遺疏入，上震悼，賜祭葬，謚曰文恪。生平公廉自矢，常推己以利物。任雲南府時，倉庾久虚，歲捐廉萬金實之。或曰：何不積帑？弗顧。它日總制雲貴，會運道絶，發倉食士卒，穀將盡而餉至矣，人服其先見。權鹽法道時，本任道督兵赴黔，計一年之久，凡道署所入，悉歸其家。上官諭上之，則云：彼出以公，例不得取耳。督辦團防暨諸差務，輿馬所資，皆自備，不取諸有司。奉身澹泊，迄老無一嗜欲，公暇惟覽書史自娱而已。身後無長物，門庭蕭然，子孫恂恂若寒素。京師言家法者必歸之。子三：長煃，刑部員外郎；次彬，分省補用知府；炳，兵部主事。煃、炳先卒，孫安，廕通判；寯，舉人；宷，縣學生，賞主事；賨，員外郎，賞郎中。桑文恪公家傳。

蔡兆極，字子京，大興人。少穎悟，喜讀書。年十七，流寇破都城，有繫其父兄，刑逼取資者，匍匐號泣，請以身代。賊爲感動，父兄得釋。國朝順治戊子舉人，歷淶水縣教諭，陞山西岳陽令。大興張志。

紀汝彝，文安人。一統志。由貢生任順天經歷、江甯通判，以文行自勵，廉介自持。文安楊志。母病篤，適身亦病，猶手掬便液嘗之。畿輔唐志八十。七十喪父，哀泣如嬰兒，一統志。撫從飲食，教誨終身無間，康熙四年祀鄉賢。楊志采訪册。劉祚永，寶坻人，畿輔唐志八十。邑庠生。生母早卒，事繼母一如所生。母病，日宛轉牀褥前，達旦不寐。母歿，思慕不已，於墓旁蓋一茅舍，朝夕上食如生時，泣拜極哀。行路人無不傷感。康熙二十二年旌表。其曾孫逵亦以孝名，人謂孝子之後，恆生孝子云。寶坻洪志。李中倫，大興人。有刼賊數十人，昏夜入室，執父廣生，拷逼財物，中倫聞父難，手無寸鐵，奮身奔救，與賊格鬪，徧體受傷，即日殞命。雍正二年旌表。畿輔唐志八十。邢雲霑，文安生員。生甫五歲，父所懷遠遊漢中，霑奉母李氏，課學入泮。迨母即世，而父訃亦至。雲霑大慟曰：生不能養，死不能葬，何以爲人！遂不謀於婦，獨往迎之。比到漢中，父歛已久，開棺視之，破中指，滴血入骨，以驗真僞。觀者無不泣下。遂負骸骨，徒步行數千里歸家合葬，鄉人稱之。文安楊志。邊溥，昌平州人。年十九，母值產難危急，溥哀慟籲天，願以身代，且許飲葶血數升。天仙祠去城五十里，時值天雨，五步一拜往禱，母遂獲安。年八十有三卒。雍正十年旌表。畿輔唐志八十。李廣發，密雲人。父寬，隸營伍，陣亡。母高氏，性卞急。每盛怒，輒長跪，母色和始起。母疾，禱於神，願減算益母壽。適弟廣富刲己肉五寸許，雜藥餌進。母尋愈。廣發遂茹蔬終其身。密雲丁志。康套，大城人。初爲傭，以美食奉母。後爲丐，每乞所得，必先供母，乞少則自枵腹。遇歲大飢，竟以餓死。采訪冊。王大，武清人。家貧，歲歉，父病方瘥，思肉食而不得，形於慨歎。大心不安，割右股肉以食其父，乾隆五年正月初九日事也。縣令給粟，以旌其孝。武清蔡志。任璽，文安人，歲貢生。繼母馬氏遇之虐，璽誠孝感動，母卒悔悟，遂母爲慈母，璽爲孝子。畿輔唐志八十。芮嘉瓚，寶坻人，業儒。天性純篤，父歿，號痛欲絕，廬墓於縣東門外祖塋側，茹荼飯蘗，骨立如柴。鄉黨族人勸之歸，皆不聽。後以母命召，乃還。然每念及，輒趨墓所長跪而泣。邑令旌焉。寶坻洪志。楊玉，大城農民也，少喪父。年十三，祖母病篤，玉禱於廟神，願以身代。回至姚家渡橋，自擲身水中。家人聞信奔救，而玉從他道得歸。云在水中似有負之出者，祖母病亦霍然。采訪冊。邊樹蕃，涿州人，邊鍘之孫。鍘歿於錦州，其子早卒，未能搬柩。樹蕃十五歲，其母得氣逆症，醫藥不效，蕃刲股以進，其母得愈。後往錦州，迎其祖柩，還葬於舊阡。母年八十六歲卒。涿州續志。王文輝，通州人，荷擔爲業。奉母至孝，凡遇時物，輒市歸以供甘旨。早出，暮必返，恐貽母倚閭憂。母疾，嘗糞，復刲股以進。州牧李以匾獎焉。通州高志。順治朝則有乙酉舉人王公擢，戊子舉人魏繼雲，鴻臚寺卿李含春，畿輔唐志八十。寶坻庠生芮維新，寶坻洪志。固安宋印奇，固安陳志。保定劉潭、焦壽，保定成志。大城李汝華、大城張志。王慎德，采訪冊。涿州馮廷棐，涿州吳志。密雲生員張鎮；密雲丁志。康熙朝則有文安邢澄，畿輔唐志八十。涿州陳鋐，一統志。保定劉餘澤，貢生岳毓粹，文安劉新第，庠生王國華，畿輔唐志八十。三河增生田沂、張鴻勳，武生劉建啓，三河陳志。霸州崔士瞻，畿輔唐志八十。東安邵豫新、劉縉，東安李志。甯河太學生杜恭睿，增廣生崔體忠，甯河關志。大城藺從哲、大城張志。王照乘，采訪册。固安李九祥、楊直政，固安陳志。涿州王璽，涿州吳志。通州劉正廉、張士瞟、劉正忠、馬呈瑞、范璋、徐文翰、劉聖、馬成龍、馬國武、羅錦、陶淑、陳可嘉、魏思明，通州高志。武清州同王光祖；武清蔡志。雍正朝則有涿州貢生趙植，畿輔唐志八十。拔貢趙清忠、解潤、高國棟與其妻王氏，太學生馮焯、楊琛，生員楊琨、劉光彝、胡連，貢生陳正心與其子監生秉信，歲貢生邁通，涿州吳志。通州諸生雷應禹，畿輔唐志八十。貢生劉召望、王永爵，通州高志。武清周之俊，武清蔡志。昌平屯雯，昌平宋志。東安張仲金、梁問孟，東安李志。薊州趙鎮，薊州沈志。甯河張以智，甯河丁志。保定宋一貫、何鈳、柴游洙，保定成志。固安隨宗印、孫延增；固安陳志。乾隆朝則有通州庠生陳體乾，通州高志。涿州張蕃、史澤遠，涿州吳志。武清汪懿瀾，武清蔡志。保定劉皋、柴葵、胡清、王威，保定成志。固安李思聰、張進寶，固安陳志。薊州增廣生侯實禄，貢生黄九錫，舉人王純，薊州沈志。昌平張奇，昌平宋志。甯河邵聯榜、于際盛，州同馬自誠，州同崔文鱗，貢生馬焕、常懷禮，甯河丁志。大城拔貢鄧日壎、按鄧日壎夫婦雙孝，其妻不知其姓氏。王夢熊、田錫華、孫冠賢、任奎英、大城采訪册。張企生，守備劉林，大城張志。昌平李某、劉殿培；采訪册。嘉慶朝則有保定王敏學，保定成志。涿州吳國棟，涿州吳志。昌平張某、吳繼述，采訪册。固安侯盡善，固安陳志。昌平鄭文學；

昌平宋志。道光朝則有密雲貢生任毓麒，密雲丁志通州總兵林雲漢，太學生李遇春，貢生李如瑾，通州高志。涿州庠生楊毓文與其妻曹氏，貢生王志勤、譚陞，涿州續志。昌平李慶昇、韓鋭；采訪册。咸豐朝則有通州通判劉淑、王銘、姚存信、劉之權，通州高志。永清張玉，永清續志。昌平康泰來、張大中、孟玉聲，采訪册。涿州李馨遠；涿州續志。同治朝則有永清劉連柱，永清續志。密雲歲貢生趙承烈、王國令、彭德元，密雲丁志。平谷孟玉聲；平谷續志。皆以孝行稱。采訪册。

華陽吴祖椿校

人物志十四

雜人上

南海廖廷相纂　江陰繆荃孫覆輯

戰國

蔡澤　田光秦舞陽 高漸離

漢

衛滿　王恢　陽球

三國魏

劉放

梁

張纘

後魏

皮豹子　公孫質 子邃　盧同 兄静

盧道虔　盧元明

北齊

盧文偉　平鑒　陽休之 陽昭

北周

寇洛

唐

盧藏用　劉怦 子濟　盧蕰

盧徵　高霞寓　盧攜

後梁

馬慎交　高邵

後唐

元行欽　王緘　周知裕

後晉

盧導　曹國珍

後漢

李殷　劉晞　劉在明

王保義

後周

盧損　王進

前蜀

盧延讓

經有雜記，子有雜家，雜者，駁而不純之謂。歐陽永叔撰五代史記，別立雜傳一門。今仿其例，於庸碌無能之輩而事蹟較多；於才猷自許之人而瑕瑜互見者，皆彙而存之，以別於先賢鑒誡云爾。志雜人。

秦

蔡澤，燕人也。游學干諸侯，小大甚衆，不遇而從唐舉相。舉孰視而笑曰：先生曷鼻、巨肩，（集解徐廣曰：曷一作偈，一作仰，巨一作渠。）魋顔、蹙齃、膝攣。（徐廣曰：一作率。）吾聞聖人不相，殆先生乎？澤知唐舉戲之，乃曰：富貴吾所自有，吾所不知者壽也，願聞之。舉曰：先生之壽，從今以往者四十三歲。澤笑謝而去。之趙，見逐；之韓、魏，遇奪釜鬲（史記列傳。）於涂。聞應侯任鄭安平、王稽皆負罪。應侯内慙，乃西入秦。（戰國策五。）應侯者，魏人范睢，先爲相，魏、齊僇辱，佯死得出。鄭安平操亡伏匿，秦使謁者王稽於魏，安平與約，載睢入秦，昭王拜爲相，封應侯。睢既相，言於昭王，拜王稽爲河東守，任鄭安平爲將軍。昭王後五年，用應侯謀，大破趙。已而與武安君有隙，言而殺之。任鄭安平擊趙，爲趙圍急，以二萬人降趙。王稽爲河東守，與諸侯通，坐法誅。應侯日以不懌。史記范雎傳。昭王臨朝而歎曰：今武安君死，而鄭安平、王稽等皆畔，内無良將，外多敵國，吾是以憂。應侯懼，不知所出。資治通鑑六。澤使人宣言，以感怒應侯曰：燕客蔡澤，天下駿雄，宏辯之士也。彼一見秦王，秦王必相之而奪君位。國策五。應侯使人召之。澤見應侯，禮又倨，應侯不快，因讓之曰：子宣言欲代我相，請聞其說。澤曰：吁！君何見之晚也？夫四時之序，成功者退，君獨不見夫秦之商君，楚之吴起，越之大夫種何足願與？應侯謬曰：何爲不可？此三子者，義之至，忠之盡，君子有殺身以成名，死無所恨。澤曰：夫人立功，豈不期於成全邪？名身俱全者上也；名可法而身死者次也；名僇辱而身全者下也。君之怨已讎，而德已報，意欲至矣，而無變計，竊爲君危之。資治通鑑六。君何不以此時歸相印，讓賢者授之？長爲應侯，孰與以禍終哉！國策。應侯曰：善。敬受命。乃延入，坐爲上客。後數日入朝，言於秦昭王曰：客新有從山東來者，曰蔡澤，其人辯士，明於三王之事，五霸之業，世俗之變，足以寄秦國之政，臣之見人甚衆莫及，臣不如也。史記列傳。昭王召見，與語，大悦之，拜爲客卿。應侯因謝病免相。昭王新悦澤計畫，拜爲相，東收周室。澤相秦王數月，人或惡之。懼誅，乃謝病歸相印，號爲剛史記作綱成君。成君，居秦十餘年。昭王、孝文王、莊襄王卒，事始皇帝。國策五。文信侯欲攻趙，以廣河間，使澤事燕，三年而燕太子質於秦。國策七。

燕

田光，燕處士。荆軻至燕，光善待之，知其非庸人也。會燕太子丹質秦亡歸，求報秦？問其傅鞠武。鞠武曰：有田光先生，其爲人智深而勇沈，可與謀。史記刺客傳。太子曰：願因太傅交於田先生。鞠武敬諾。出見田光，道太子願圖國事。田光乃造焉。太子跪而逢迎，卻行爲道，跪而拂席。國策三十一。坐定，太子曰：丹嘗質於秦，秦遇丹無禮，日夜焦心，思欲復之。論衆則秦多，計强則燕弱，欲合從心復不能常，願先生圖之。光曰：臣聞騏驥盛壯之時，一日而馳千里，及其衰也，駑馬先之。今太子聞光壯盛之時，不知吾精已消亡矣。國策。欲爲太子良謀，則太子不能，欲奮筋力，則臣不能。燕丹子。按：國策史記刺客列傳無此數語，然劫秦本出下策，光之爲丹畫，亦以丹之不能用其良謀，不得已而出此耳。不然，何以爲智深勇沈邪？故取燕丹子補之。雖然，光不敢以乏國事也。國策。竊觀太子客無可用者，夏扶血勇之人，怒而面赤；宋意脈勇之人，怒而面青；武陽骨勇之人，怒而面白。光所知，荆軻神勇之人，怒而色不變，爲人不拘小節，欲立大功。太子欲圖事，非此人莫可。燕丹子。太子曰：願因先生得交於荆軻。光敬諾，即起趨出。太子送至門，戒曰：丹所報，先生所言者，國之大事也，願先生勿泄也。光俛而笑曰：諾。僂行見荆軻，曰：光與子相善，燕國莫不知。今太子聞光壯盛之時，不知吾形已不逮也，幸而教之曰：燕、秦不兩立，願先生留意也。光竊不自外，言足下於太子，願足下過太子於宮。荆軻曰：謹奉教。光曰：光聞長者之行，不使人疑。今太子約曰：所言者國之大事，願勿泄。是疑光也。夫爲行使人疑之，非節俠士也。遂自刎而死。國策。按：燕丹子作吞舌。荆軻遂見太子，言田光已死，致光之言。太子再拜，流涕而言曰：丹所以戒田先生勿言者，欲以成大事也。今田先生以死明不言，豈丹之心哉！史記刺客傳。秦武陽，燕國勇士，年十二，史記作十三。殺人，人不敢忤視。荆軻使秦，武陽爲副。國策。荆軻愛燕之善擊筑者高漸離，日與飲於燕市，至易水，既祖道，高漸離擊筑，荆軻和而歌，爲變徵之聲，士皆垂涕泣。秦王既殺荆軻，高漸離變名姓爲庸保，匿作宋子久之作苦，聞其家堂上客擊筑，傍偟不能去。每出言曰：彼有善有不善。從者以告其主，曰：彼庸乃知音？竊言是非！家丈人召使前擊筑，一坐稱善。賜酒，高漸離乃退，出其匣中筑；與其善衣，更容貌而前，坐客皆驚，下與抗禮，以爲上客。使擊筑而歌，無不流涕而去者。宋子傳客之，聞於秦始皇。始皇召見，人有識者，乃曰：高漸離也。秦皇帝惜其善擊筑，重赦之。乃矐其目，使擊筑，未嘗不稱善。稍益近之，高漸離乃以鉛置筑中，復進，得近，舉筑朴秦皇帝不中，於是遂誅。史記刺客傳。

漢

衛滿，燕人。漢紀十四。史記朝鮮傳作期鮮王滿，不著其姓。索隱云：按漢書，滿燕人，姓衛。考漢書朝鮮傳，無姓衛之文。惟後漢書及三國志東夷傳有之，當本諸漢紀。高帝十二年，史記高紀。燕王盧綰反，入匈奴。滿亡命，聚黨千餘人，魋結、蠻夷服而東走出塞，渡浿水，史記朝鮮傳。詣朝鮮王準降。信寵之，拜爲博士，賜以圭，封之百里，令守西邊。滿誘亡黨，衆稍多，乃詐遣人告準，言漢兵十道至，求入宿衛，遂還，魏志東夷傳注引魏略。擊破準，後漢書東夷傳。居秦故空地上下障，稍役屬真番、朝鮮蠻夷及故燕、齊亡在者王之，都王險。會孝惠、高后時，天下初定，遼東太守卽約滿爲外臣，保塞外蠻夷，無使盜邊；蠻夷君長欲入見天子，勿得禁止。以聞，上許之，以故滿得以兵威財物侵奪其旁小邑，真番、臨屯皆來服屬，方數千里。傳子至右渠，所誘漢亡人滋多，又未嘗入見；漢書朝鮮傳。真番、辰國欲上書見天子，久擁閼不通。元封二年，漢使涉何譙諭右渠，終不肯奉詔。何去至界上，使御刺殺送何者朝鮮裨王長，卽渡入塞，歸報天子曰：殺朝鮮將。上拜何爲遼東東部都尉。朝鮮怨何，發兵襲，殺何。天子募罪人擊朝鮮。其秋，遣樓船將軍楊僕從齊浮勃海，兵五萬人，左將軍荀彘出遼東，討右渠。右渠發兵距險。天子爲兩將未有利，乃使衛山因兵威往諭右渠。右渠見使者，頓首謝：願降。遣太子謝。方渡浿水，疑復引歸。右渠遂堅守城，兩軍急擊朝鮮。元封三年夏，尼谿相參使人殺右渠降。王險城未下，右渠大臣成已復反。左將軍使右渠子長誅成已。遂定朝鮮，史記朝鮮傳。以其地爲樂浪、臨屯、元菟、真番郡。漢書武紀。封長史記漢書表作張䧳。爲幾侯。史記朝鮮傳。六年，使朝鮮謀反，格死。漢書孝武功臣表。

王恢，燕人。數爲邊吏，習知胡事。史記韓長孺傳。孝武建元五年，爲大行令。漢書百官公卿表。六年，閩越擊南越，南越守天子約，不敢擅發兵擊，而以聞。上遣恢出豫章，大農韓安國出會稽，皆爲將軍。兵未踰嶺，閩越王弟餘善殺王使，使奉其頭致大行。大行曰：所爲來者誅王。今王頭至，謝罪不戰而耘，利莫大焉。乃以便宜案兵告大農軍，而使使奉頭馳報。天子詔罷兩將兵。史記東越傳。匈奴來請和親，上下其議。恢曰：漢與匈奴和親，率不過數載卽背約，不如勿許，舉兵擊之。韓安國曰：千里而戰，卽兵，不獲利。今匈奴負戎馬足，懷鳥獸心，遷徙鳥集，難得而制，得其地不足爲廣，有其衆不足爲彊，自上古弗屬漢，數千里爭利，則人馬罷虜以全制其敝，勢必危殆。臣以爲不如和親。羣臣議多附安國，於是上許和親。漢書韓安國傳。其明年，馬邑豪聶翁壹索隱：聶，姓也，翁壹，名也。漢書云聶壹。因恢言上曰：匈奴初和親，親信邊可誘以利。史記韓長孺傳。上迺召問公卿。恢議：臣以爲因單于之欲誘而致之邊，選梟騎壯士陰伏而處，以爲之備，審遮阻險，以爲其戒，單于可禽，百全必取。上從恢議，漢書韓安國傳。陰使聶翁壹亡入匈奴，謂單于曰：吾能斬馬邑令丞吏以城降，財物可盡得。

史記韓長孺傳。單于愛信之，令歸爲間。壹乃詐斬死罪囚頭，懸邑城上，以示單于使者。使者還，單于乃歸，將十萬騎入武州塞。漢紀十一。是時漢伏兵車騎材官三十餘萬，匿馬邑旁谷中。恢爲將屯將軍，別從代主擊輜重。史記韓長孺傳。單于入漢塞，未至馬邑百餘里，見畜布野而無人牧者，怪之，乃攻亭。雁門尉史行徼見寇葆此亭，知漢兵謀單于得欲殺之，尉史乃告單于，漢兵所居，單于大驚，乃引兵還。史記匈奴傳。漢兵追至塞，度弗及，卽罷。恢聞單于不與漢合，度往擊輜重必與單于精兵戰，勢必敗，則以便宜罷兵。皆無功。史記韓長孺傳。上怒恢不出擊單于輜重也，恢曰：始約爲入馬邑城，兵與單于接，而臣擊其輜重，可得利，今單于不至而還，臣以三萬人，衆不敵，祇取辱。固知還而斬，然完陛下士三萬人。於是下恢廷尉。廷尉當恢逗橈當斬。漢書韓安國傳。時武安侯田蚡爲丞相，恢私行千金，蚡不敢言上，而言於太后曰：王恢首造馬邑事，今不成而誅恢，是爲匈奴報仇也。上朝太后，太后以丞相言告上。上曰：首爲馬邑事者恢也，故發天下兵數十萬，從其言爲此。且縱單于不可得，恢所部擊其輜重，猶可頗以慰士大夫心，今不誅恢，無以謝天下。於是恢聞之，乃自殺。史記韓長孺傳。自是之後，匈奴絶和親。史記匈奴傳。

陽球，字方正，漁陽泉州人也。家世大姓冠蓋。球能擊劍，習弓馬，性嚴厲，好申韓之學。郡吏有辱其母者，球合數十人殺吏，滅其家，由是知名。初舉孝廉，補尚書侍郎，閑達故事，其章奏處議，常爲臺閣所崇信。出爲高唐令，以嚴苛過理，郡守收舉。會赦見原，辟司徒劉寵府，舉高第。後漢書列傳。九江山賊起，切刺史，球以太尉掾按劉寵傳，言頻遷司徒太尉，球辟劉寵府，故并爲太尉掾也。爲九江太守，設方略，即時摧破，誅鋤豪强，郡中累足，後漢紀二十四。遷平原相。後漢紀作甘陵相。案球出教言，前莅高唐，爲貴郡所見枉舉云云，高唐屬平原郡，若甘陵則屬清河郡，紀誤，今從傳。出教糾愆，咸畏服焉。時天下大旱，司空張顥奏長吏苛酷、貪污者皆罷免。球坐嚴苦，徵詣廷尉，當免官。靈帝以球九江時有功，拜議郎，遷將作大匠，坐事論，頃之，拜尚書令。後漢書列傳。光和元年，置鴻都門學生。後漢靈帝紀。詔中尚方爲鴻都文學樂松、江覽等三十二人圖象立贊，以勸學者。通鑑五十七。球諫曰：臣案松、覽等皆出於微蔑斗筲小人，依憑世戚，附託權貴，俛眉承睫，徼進明時，或獻賦一篇，或鳥篆盈簡，而位升郎中，形圖丹青，亦有筆不點牘，詞不辯心，假手請字，妖僞百品，莫不被蒙殊恩，蟬蛻滓濁，是以有識掩口，天下嗟歎。臣聞圖象之設，以昭勸戒，欲令人君動鑒得失，未聞豎子小人詐作文頌而可妄竊。天官垂象，圖素者也，今太學東觀，足以宣明聖化，願罷鴻都之選，以消天下之謗。書奏，不省。初，黄門令王甫、大長秋曹節，專權任勢。後漢紀二十四。球嘗撫髀發憤曰：若陽球作司隸，此曹子安得容乎！光和二年，選爲司隸校尉。後漢書列傳。甫使門生王翹，楊彪傳注引華嶠書。於郡界辜榷官財物七千餘萬，京兆尹楊彪發其姦，言之司隸，後漢書楊彪傳。王甫休沐里舍，球詣闕謝恩，奏收甫及中常侍淳于登、袁赦、封䍐，中黃門劉毅，小黃門龐訓、朱禹、齊盛等，及子弟爲守令者，姦猾縱恣，罪合滅族。太尉段熲諂附佞倖，并宜誅戮。於是悉收甫、熲等送洛陽獄。及甫子長樂少府萌、沛相吉，球自臨考甫等，五毒備極，箠朴交至，甫、萌父子悉死杖下，熲亦自殺乃僵，磔甫屍於夏城門，大署牓曰：賊臣王甫。盡沒入財產，妻子皆徙比景。後漢書列傳。球勑都官從事曰：先舉權貴大猾，乃議其餘耳。公卿豪右若袁氏兒輩，從事自辦之，何須校尉邪！於是權門股慄，京師肅然。球誅甫後，欲收曹節，節不敢出沐。後漢紀二十四。時順帝虞貴人葬，百官會喪還，曹節見磔甫屍道次，慨然抆淚曰：我曹自可相食，何宜使犬舐其汁乎！語諸常侍：今且俱入，勿過里舍也。節直入省，白帝曰：陽球故酷暴吏，不宜使在司隸，以騁毒虐。帝乃徙球爲衛尉。時球出謁陵，節勑尚書令召拜，不得稽留尺一。球被召急，因求見帝，叩頭曰：臣無清高之行，橫蒙鷹犬之任，前雖糾誅王甫、段熲，蓋簡落狐狸，未足宣示天下，願假臣一月，必令豺狼鴟梟各服其辜。叩頭流血。殿上呵曰：衛尉扞詔邪？至於再三，乃受拜。後漢書列傳。長樂少府陳球以書，勸司徒劉郃表徙球爲司隸校尉，以次收節等誅之。尚書劉納亦深勸郃。郃結謀陽球，球小妻程璜之女，璜用事宮中，所謂程大人者也。節等頗聞知，乃重賂璜，且脅之。璜懼，迫以球謀告節。節因誣誣字據列傳補。白帝：郃等與藩國交通，謀議不軌。帝大怒，後漢書陳球傳。收球，送洛陽獄，誅死，妻徙邊。（後漢書列傳。）初，球爲將作大匠，與蔡邕叔父衛尉質有隙，會邕章奏洩露，程璜遂使人飛章言邕、質私事請託，欲從中下邕、質獄。詔減死，徙朔方，球使客追，路刺邕。客感其義，皆莫爲用。球又賂其部主，使加毒害，所賂者反以其情戒邕，故得免。（後漢書蔡邕傳。）重文横入，窮怒所遷，亦云酷矣。（後漢書酷吏傳論。）

三國魏

劉放，字子棄，（魏志列傳。）涿郡方城人，（通鑑七十四胡注。）漢廣陽順王子西鄉侯宏後也。歷郡綱紀，舉孝廉，遭世大亂。時漁陽王松據其土，放往依之。太祖克冀州，放説松投身委命，厚自結納。松然之。會太祖討袁譚於南皮，以書招松，松舉雍奴、泉州、安次以附之。放爲松答太祖書，其文甚麗。太祖既善之，又聞其説，由是遂辟放。建安十年，與松俱至，乃以放參司空軍事，歷主簿記室，出爲郃陽、祋祤贊令。魏國既建，爲祕書郎。文帝卽位，轉左丞。數月，徙爲令。黄初初，改祕書爲中書，以放爲監，加給事中，賜爵關內侯，遂掌機密。（魏志列傳。）事無不綜。（裴注。）三年，進爵魏壽亭侯。明帝卽位，加散騎常侍，進爵西鄉侯，尤見寵任。（魏志列傳。）每有大事，朝臣會議，常令決其是非。放善爲書檄，三祖詔命，多放所爲。青龍初，孫權與諸葛亮連和，候得其書，放乃改易其詞，與征東將軍滿寵，若欲歸化，封以示亮。亮騰於吳大將步隲，隲以見權，權懼亮自疑，深自解說。是歲，加侍中大夫。景初二年，遼東平定，以參謀功，進封本縣方城侯。其年帝寢疾，欲以燕王宇爲大將軍，及領軍將軍夏侯獻、武威將軍曹爽、屯騎校尉曹肇、驍騎將軍秦朗共輔政。魏志列傳。放久典機任，獻、肇心内不平。殿中有雞棲樹，二人相謂：此亦久矣，其能復幾？放懼，裴注引世語。因圖間之，舉爽代宇。又白召宣王使相參執帝手，强作詔，賫出，大言曰：詔免燕王等官，不得停省中。于是宇、肇、獻、朗相泣歸第。明帝紀注引漢晋春秋。通鑑考異曰：放傳曰：宇性恭良，陳誠固辭云云。陳壽當晉世，作魏志，若言效資本情則於時非美，故遷就爲之，諱也。今不取。裴松之云：放資稱贊曹爽，勸召宣王，魏室之亡，禍基於此。齊王卽位，以決定大謀，增邑三百，并前千一百户，封愛子一人亭侯，次子騎都尉，餘子皆郎中。正始元年，更加左光禄大夫，金印紫綬，儀同三司。六年，轉驃騎將軍，領監如故。七年，復封子一人亭侯。魏志列傳。九年，遜位，以列侯就第，位特進。魏志三少帝紀。嘉平二年薨，謚曰敬侯。子正嗣。魏志列傳。正弟許字文生，文詞可觀，意思詳序，晉惠帝世爲越騎校尉，與張華六人並稱。裴注。放善承主意，又未嘗顯言得失，抑辛毗而助王思，以是獲譏於世。辛毗傳：放見信於主，制斷時政，大臣莫不交好。毗不與往來。宂從僕射畢軌言，尚書僕射王思精勤舊吏，忠亮計畧不如辛毗，毗宜代思。帝以訪放，放對曰：陛下用思者，誠欲取其効力，不貴虚名也。毗實亮直，然性剛而專，聖慮所當深察也。遂不用。然時因羣臣諫諍扶贊其義，并時密陳損益，不專導諛言云。及咸熙中，開建五等，以放著勳前朝，改封正方城子。魏志列傳。

梁

張纘，字伯緒，（梁書附張緬傳。）車騎將軍宏策子，（張緬傳。）出後從伯宏籍。宏籍，高祖舅也。（梁書附傳。）宏籍字真藝，齊初爲鎮西參軍。高祖踐阼，追贈穆之光祿大夫，宏籍廷尉卿。（梁書張皇后傳。）纘年十一，尚高祖第四女富陽公主，拜駙馬都尉，封利亭侯，召補國子生。起家祕書郎，時年十七，身長七尺四寸，眉目疏朗，神采爽發。高祖異之，嘗曰：張壯武之後八葉，有逮吾者，其此子乎！（梁書附傳。）性愛山泉，頗樂閑曠。（藝文類聚六十五引謝東宮賚園啟。）時昭明尚幼，未與臣僚相接。高祖敕祕書郎，張纘親表英華，朝中髦俊，可以師友事之。（梁書王份附傳。）纘好學，兄緬有書萬餘卷，披讀不輟。祕書郎有四員，宋、齊以來爲甲族起家之選，待次入補，其居職例數十日便遷。纘固求不徙，欲遍觀閣內圖籍，嘗執四庫書目曰：若讀此畢，（南史列傳嘗作帝，若作君，疑誤。）可言優仕矣。如此三載，方遷太子舍人，轉洗馬、中舍人，兼掌管記。纘與琅邪王錫齊名。（梁書附傳。）普通初，魏使劉善明來聘，敕使中書舍人朱异接之。善明謂异曰：王錫、張纘北間所聞，云何可見？异具啟。敕卽使於南苑設宴，善明造席，遍論經史，兼以嘲謔。纘、錫隨方酬對，無所稽疑，未嘗訪彼一事。善明深相歎，揖曰：不有君子，安能爲國！（梁書王錫傳。）纘時年二（南史作三。）十三。累遷太尉諮議參軍、尚書吏部郎。俄爲長史兼侍中，時人以爲早達。河東裴子野曰：張吏部在喉舌之任，已恨其晚矣。子野性曠達，自云年出三十，未嘗詣人。初未與纘遇，便虛相推重。梁書附傳。每討論墳籍，咸折衷焉。梁書裴子野傳。大通元年，出爲甯遠華容公長史，行琅邪、彭城二郡國事。二年，仍遷華容公北中郎長史、南蘭陵太守，加貞威將軍，行府州事。三年，入爲度支尚書。母憂去職，服闋，出爲吳興太守。省煩苛，務清淨，民吏便之。梁書附傳。大同二年，梁書武紀。附傳作三年，誤。南史紀傳亦作二年。徵爲吏部尚書。後門寒素，皆見引拔，不爲貴要屈意，人士翕然稱之。梁書附傳。纘負其才氣，無所與讓。南史張宏策附傳。按南史此下載纘對太子湘東王語，言其忤物，所聞異辭，今不取。五年，爲尚書僕射。梁書武紀。初，纘與參軍何敬容意趣不協，敬容居權軸，賓客輻輳，有過詣纘者，輒拒不前，曰：吾不能對何敬容殘客。及是遷，爲讓表讓字據南史補。曰：自出守股肱，入尸衡尺，可以仰首伸眉，論列是非者矣。而寸衿所滯，近蔽耳目，淺深清濁，豈有能預加以矯心飾貌，酷非所閑，不喜俗人與之共事。此言以指敬容也。在職議南郊御乘素輦，適古今之衷。又議印綬官備朝服，宜並著綬。時並施行。九年，遷宣惠將軍、丹陽尹，未拜，改使持節都督湘桂東甯三州諸軍事，湘州刺史。南史：纘出湘，鎮邵陵，王綸餞之南浦，時人謂張纘一杯酒，殺吳氏三人云云。言其輕傲，事不近情。今不取。述職經途作南征賦。梁書附傳。至州務公平，南史附傳。停遣十郡尉勞解放老疾吏役，及關市戍邏，先所防人，一皆省併。州界零陵、衡陽等郡，有莫傜蠻者，依山險爲居，歷政不賓服，因此向化。在政四年，流人自歸，户口增十餘萬，州境大安。（梁書附傳。）晚頗好積聚多畜，圖書數萬卷，他物稱是。（南史附傳。）太清二年，徵爲領軍。（梁書附傳。）俄改雍州刺史。（南史附傳。按梁書言：改授使持節都督雍梁、北秦東益、郢州之竟陵、司州之隨州諸軍事，平北將軍，甯蠻校尉。考元帝紀：太清元年，徙爲使持節都督荆、雍、湘、司、郢、甯、梁、南北秦九州諸軍事，則雍、梁、北秦己爲湘東王所督，不得又令鑽督也。且下云，王索鑽部下，遣鑽向襄陽。則雍爲湘東所督無疑。南史衹言改雍州刺史，較確。）

初，聞邵陵王綸當代己爲湘州，其後更用河東王譽。鑽素輕少王，州府候迎及資待甚薄，王深銜之。及至州，遂託疾不見鑽，仍檢括州府庶事，留鑽不遣。（梁書附傳。）會聞侯景寇建鄴，湘東王與譽各率所領入援臺，湘東與鑽有舊，鑽將因之以斃譽兄弟，屬侯景請和。詔罷援軍。譽自江口將旋湘鎮，欲待湘東至，謁督府，方還州。鑽乃貽湘東書曰：河東戴檣上水，欲襲江陵；岳陽在雍，共謀不逞。湘東信之，乃鑿船沈米，斬纜而歸。荆、湘因搆嫌隙。鑽尋棄其部曲，單舸赴江陵。湘東遣使責讓譽，索鑽部下。（南史附傳。）既至，仍遣鑽向襄陽。前刺史岳陽王詧推遷未去鎮，但以城西白馬寺處之。（梁書附傳。）詧猶總軍府之政，聞臺城陷，遂不受代。（通鑑百六十二。）州助防杜岸紿鑽曰：觀岳陽不容使君，使君素得物情，若走入西山舉義，事無不濟。鑽以爲然。因與岸盟，乃要雍州人席引等於西山聚衆。乃服婦人衣，乘青衣布輿，與親信十餘人奔引等。（南史附傳。）岸反以告詧，仍遣岸帥軍追鑽。（南史言，詧令中兵參軍尹正等追討觀下赴期云云，則尹正等當爲岸所帥也。）鑽衆望岸軍大喜，謂是赴期。既至，即執鑽并其衆俘送之，始被囚縶。尋又逼鑽剃髮爲道人。（梁書附傳。）詧襲江陵，常載鑽隨後，逼使爲檄，固辭以疾。

南史附傳。及軍退敗，行至湕水南，防守者慮追兵至，遂害之，棄尸而去。時年五十一。梁書附傳。纘苟懷私怨，搆隙瀟湘，遂及禍於身，非由忠節。繼以江陵淪陷，實萌於此。梁書傳論。風格若此，而爲梁之亂階，惜乎！南史傳論。元帝承制，贈侍中，中衛將軍，開府儀同三司，諡簡獻公。纘有識鑒，自見元帝，便推誠委結。及元帝卽位，追思之，嘗爲詩序曰：簡獻之爲人也，不事王侯，負才任氣。見余則申旦達夕，不能已已。懷夫人之德，何日忘之！按南史傳末言：纘之往雍州，資産悉留江陵。性既貪婪，南中貲賄填積。及死，湘東王皆使收之，書二萬卷并摙還齊，珍寶財物悉付庫，以糉蜜之屬還其家云云。觀詩序，湘東於纘，眷眷不忘，豈忍爲之！況纘以單舸奔江陵，何得言資産悉留，貲賄填積？通鑑言湘東厚資，纘赴鎮，纘雖好積聚，亦可見其無餘矣。南史好采瑣言碎事，今皆不取。纘著鴻寶一百卷，文集二十卷。隋志著錄十一卷唐志著錄十卷次子希文，字子顔，早知名，選尚太宗第九女海鹽公主。承聖初，官至黃門侍郎。梁書附傳。

後魏

皮豹子，漁陽人，少有武畧。魏書列傳。沈勇篤實。魏書傳論。泰常中，爲中散。世祖時，爲散騎常侍，爵新安侯，加冠軍將軍。又拜選部尚書，出除使持節侍中，都督秦、雍、荆、梁四州諸軍事，安西將軍，開府儀同三司，進爵淮陽宋史索虜傳引作淮陰。公，鎮長安。加征西將軍。坐盜官財，徙於統萬。真君三年，宋遣將裴方明等侵南秦。魏書列傳。南秦王楊難當敗奔於上邽，（魏書世祖紀。）遂陷仇池。世祖徵豹子，復其爵位。拜使持節，（魏書列傳。）與琅邪王司馬楚之等督關中諸軍，從散關西入，（世祖紀。）引出斜谷，阨白馬之險，（宋書索虜傳。）俱會仇池。（世祖紀。）四年正月，豹子進擊樂鄉，大破之，擒宋將王奂之、王長鄉等，斬首二千餘級，俘獲二千人。進軍下辨，强元明、辛伯奮棄城遁走，追斬之，悉獲其衆。（魏書列傳。）宋遣其秦州刺史胡崇之屯仇池，與安公古弼與平西將軍元齊邀崇之於濁水，臨陣擒之，從祥郊山南入，與豹子等討仇池，諸將以道嶮雪深，遲留不進。弼使元齊、賀純攻塞狹道，守將姜道祖南走，仇池平。未幾，諸氏復推楊文德爲主，圍仇池，弼發兵討之，文德南走漢川，（魏書古弼傳。按：豹子傳言，豹子與司馬楚之至濁水，擊擒崇之。進至高平，姜道祖降，與弼傳互異。考宋書氐胡傳，以胡崇之守仇池，索虜遣弼齊等二萬人邀崇之。崇之至濁水，遇齊等敗没。魏書島夷傳説同。則弼傳所言較是。觀下文豹子軍次下辨，聞圍解欲還云云，則豹子實未與克仇池，故諸氏復反，惟弼平之。如謂豹子既克仇池，運軍至下辨，則古弼陳兵之説，何以俟其既去始遣人謂之乎？氐胡傳言，濁水去仇池八十里，豹之未至仇池，則濁水之擒，狹亭之攻，皆爲弼、齊，可知通鑑於仇池圍解之下，始言豹子督關中諸軍至下辨，亦從古弼傳也。然亦有可疑者，考本紀，正月擊樂鄉，二月克仇池，四月氐羌圍仇池，五月破氐解圍。豹子與古弼俱奉命會仇池，何以遲徊至此？意者豹子未至，而古弼已由别道先克仇池，故駐軍下辨以待之。弼傳所謂道嶮雪深，遲留不進者，然歟？）時豹子軍次下辨，聞圍解，欲還。弼遣使謂豹子曰：賊恥其負敗，必求報復，後舉爲難，不如陳兵待之。豹子以爲然。尋除都督秦、雍、荆、梁、益五州諸軍事，進號征西大將軍，開府、仇池鎮將、持節、公如故。十一月，宋遣楊文德率衆寇濁水，别遣將青陽顯伯守斧山以拒豹子。豹子至斧山，斬顯伯，俘其衆。與元齊會於濁水，賊衆夜遁。（魏書列傳。）文德奔守葭蘆。武都、陰平氐多歸之。（魏書氐羌傳。）九年，詔豹子討之。文德棄城南走，擒其妻子。寮屬宋白水太守郎啟元，列傳作郭啟元。率衆救文德。豹子逆擊，大破之。文德、啟元走還漢中。世祖紀。興安二年，宋遣蕭道成等入漢中，別令楊文德、楊顯等率諸氐羌圍武都。魏書列傳。豹子分兵將救之，聞宋人增兵益將，表狀求助。北史列傳。詔 高平鎮將苟莫于率突騎二千赴之。道成等乃退。徵豹子爲尚書，出爲内都大官。魏書列傳。太安四年，宋將殷孝祖修兩城於清水東，高祖紀。以逼南境。天水公封敕文擊之，不克，詔豹子與給事中周邱等助擊之。南齊書焦度傳：度領軍救援，刺豹皮公墮馬下，獲其具裝鎧矟。豹子以南寇城守，攻圍費日，遂畧地至高平，魏書列傳。大破孝祖，斬獲五千餘級。五年，督河西諸軍，南趨石樓，以討河西叛胡。高宗紀。與賊相對，不覺胡走，無捷而還，又坐免官。尋以前後戰功，復擢爲内都大官。和平五年卒。高宗追惜之，贈淮陽王，謚曰襄。子道明襲爵。道明弟喜，高宗紀、氐羌傳、吐谷渾傳作歡喜，北史作懷喜。高宗以其名臣子，擢爲侍御中散，遷侍御長。魏書列傳。延興三年，高祖紀。吐谷渾拾寅部落大饑，屢寇澆河。吐谷渾傳。詔假喜平西將軍、廣川公，魏書列傳。率敦煌、枹罕、高平諸軍爲前鋒，吐谷渾傳。與上黨王長孫觀討拾寅，魏書列傳。入境，芻其秋稼。拾寅窘怖，遣子詣軍，表求改過。吐谷渾傳。拜使持節，侍中，都督秦、雍、荆、梁、益五州諸軍事，開府、仇池鎮將。以其父昔鎮仇池有威信故也。喜至，申威布惠，夷民大悦。酋帥强奴子等各率户歸附。於是置廣業、固道二郡居之。地形志：廣業、固道二郡，延興四年置。徵爲南部尚書，賜爵南康侯，加左將軍。太和元年，宋葭蘆戍主楊文度遣弟鼠竊據仇池，喜率衆四萬討鼠。軍到建安，鼠棄城南走。魏書列傳。進次濁水，遂軍於覆津。文度將强大黑固守津道，喜擊大黑，走之；追奔，攻拔葭蘆城，斬文度，傳首京師。詔慰勉之。又詔於駱谷築城。喜表求待來年，詔責之曰：若不時築，築而不成，成而不固，以軍法繩之。北史列傳。南天水郡民柳旃，據險不順。喜率衆討滅。轉散騎常侍、安南將軍、豫州刺史。詔讓其在州寬待，怠以飲酒廢威，不禁下遣使者就州，決以杖罰。七年卒，贈以本官，謚曰恭公。魏書列傳。

公孫質，字元直，燕郡廣陽人，平南將軍軌之弟。有經義，頗屬文。初爲中書學生，稍遷博士。魏書附公孫表傳。太延五年，車駕西討沮渠，牧犍侍中宜都王穆壽輔皇太子決留臺事。魏書世祖紀。世祖謂壽曰：蠕蠕吴提聞朕征涼州，必來犯塞，莫若伏兵漠南，殄之爲易。魏書穆崇附傳。壽雅信任質，以爲謀主。質性好卜筮。卜筮者咸云，寇必不來，故不謀備。魏書列傳。而吴提果至，侵及善無。蠕蠕傳作至七介山。京師大駭。壽不知所爲，穆崇附傳。由質幾致敗國。質後深自督厲，屢進讜言，超遷尚書。真君九年卒，追贈中護軍將軍、光禄勳、幽州刺史、廣陽侯，謚曰恭。子邃。魏書附傳。

邃字文慶，初爲選部吏，以積勤稍遷南部長。敷奏有稱，遷南部尚書，賜爵范陽侯，加左將軍。魏書附公孫表傳。太和十一年，魏書高祖紀。高祖詔邃與内都幢將上谷公張儵率衆討齊舞陰戍，魏書附傳。不克。通鑑目録十四。後高祖與文明太后引見王公以下，高祖曰：比年方割畿内及京城三部，於百姓頗有益否？邃對曰：先者人民離散，主司猥多，至於督察，實難齊整。自方割以來，衆賊易辨，實有大益。太后曰：諸多言無益，卿言可謂識治機矣。魏書附傳。十二年，齊將陳顯達攻陷醴陽，北史魏紀三。詔被掠之兵，有得還者，賜絹二十匹。邃奏爲貴賤等級，高祖稱善。依例降侯，改襄平伯，出爲使持節、安東將軍、青州刺史。以邃在公，遺跡可紀，下詔褒述。加鎮東將軍，領東夷校尉。十九年卒於官。高祖在鄴宫，爲之舉哀。時百度維新，青州佐吏疑爲所服，詔準諸境内之民，爲齊衰三月。魏書附傳。

盧同，字叔倫，范陽涿人。盧元之族孫。父輔，字顯元，北史作顯光。本州别駕。同身長八尺，容貌魁偉，魏書列傳。質器洪厚，魏書傳論。善於處世。太和中，起家北海王詳國常侍。稍遷司空祭酒、昌黎太守、營州長史。入除河南尹丞，遷太尉屬。魏書列傳。永平元年，豫州彭城人白早生殺刺史司馬悦，據城南叛。魏書世宗紀。都督中山王英、尚書邢巒等討之，詔同爲軍司。事平，除冀州鎮東府長史。延昌中，秦州民反，詔同兼通直常侍，持節慰諭，多所降下。還，轉尚書右丞，進號龍驤將軍。熙平初，轉左丞，加征虜將軍。相州刺史奚康生徵民歲調，皆七八十尺，以邀奉公之譽。同於歲禄，官給長絹。部内患之。同乃舉按康生度外徵調。書奏，詔科康生罪，兼褒同在公之績。肅宗世，朝政稍衰，人多竊冒軍功。同閲吏部勳書，因加檢覆，覈得竊階者三百餘人。魏書列傳。乃奏乞集吏部、中兵二局，勳簿對勾奏案，更造兩通，一關吏部，一留兵局。又在軍斬首成一階以上者，即令行臺軍司給券，當中豎裂，一支付勳人，一支送門下，以防巧僞。通鑑百四十八。詔依行。元乂之廢靈太后也，相州刺史中山王熙起兵於鄴。熙敗，以同爲持節、兼黄門侍郎、慰勞使，就州，魏書列傳。斬熙於鄴街，傳首京師，魏書南安王附傳。并其子弟。通鑑百四十九。還，授平東將軍，正黄門。同善事在位，爲乂所親。戮熙之日，深窮黨與，魏書列傳。鑠濟陰内史楊昱赴鄴，魏書楊播附傳。以希乂旨。論者非之。又給同羽林二十人，以自防衛。同兄琇少多大言，常云公侯可致。至此，始爲都水使者。同啟求回身二階，以加琇。琇遂除安州刺史。魏書列傳。正光五年，營州城人就德興據城反。肅宗紀。除同度支尚書，持節，使營州慰勞。德興降而復反。詔同以爲幽州刺史兼尚書行臺，慰勞之。同慮德興難信，勒衆而往，爲德興所擊，大敗而還。靈太后反政，以同乂黨除名。莊帝踐阼，詔復本秩，除都官尚書，復兼七兵。以前慰勞德興功，封章武縣開國伯，邑四百户。正除七兵，轉殿中，加征西南將軍。普泰初，除侍中，進號驃騎將軍、左光禄大夫。同時久病，彊牽從務，啟求儀同。初，同之爲黄門也，與前廢帝俱在門下，同異其爲人，素相款託。廢帝以舊恩許之，除儀同三司。魏書列傳。同卷舒兼濟，趨捨深沈。魏書傳論。永熙初薨，年五十六。贈侍中，都督冀、滄、瀛三州諸軍事，驃騎大將軍，司空，公，冀州刺史，開國伯如故，謚曰穆。三年復加贈尚書右僕射。同兄靜，魏書列傳。好學，有風度，飲酒至數斗不亂，終於太常丞。大統初，贈太僕卿，平州刺史。北史列傳。

盧道虔，字慶祖，范陽涿人，涇州刺史道裕弟也。粗閑經史，兼通算術。尚高祖女濟南長公主，魏書盧元附傳。拜駙馬都尉。公主驕淫，北史盧元附傳。暴薨。時云道虔所害，世宗祕不窮治。魏書附傳。延昌四年，著作郎崔光表治曆，求取道虔，日集祕書與史官同檢疏密，擇其善者奏聞施用。魏書律曆志。尚書嘗奏道虔爲國子博士，靈太后追公主薨事，乃黜道虔爲民。魏書附傳。道虔好禮樂學，難齊尚書王儉喪服集記七十餘條。北史附傳。孝昌末，按魏書肅宗紀：臨淮王彧以孝昌元年五月討徐州，十二月討魯陽蠻，其後無征討之事，末疑當作初。臨淮王彧因將出征，啟除道虔奉車都尉。道虔外甥李彧，尚莊帝姊豐亭公主，因相藉託。永安中除輔國將軍，通直常侍，尋加征虜將軍，以議曆勳，賜爵臨淄伯，遷散騎常侍。天平初，征南將軍轉都官尚書，本州大中正，出除驃騎將軍，幽州刺史，尋加衞大將軍。卒於官，贈尚書右僕射、司空公、瀛州刺史。謚曰恭文。魏書附傳。北史作文恭。

道虔爲尚書，同寮於草屋下設雞黍之膳，談者以爲高。昧旦將上省，必見其弟然後去。奴在馬上彈琵琶，道虔聞之，杖奴一百。北史附傳。

盧元明，字幼章，范陽涿人，散騎常侍昶之子也。涉歷羣書，兼有文義，風采閒潤，進退可觀。永安初，兼尚書令。臨淮王彧欽愛之。及彧開府，引爲兼屬，仍領部曲。出帝登阼，以郎任行禮，封城陽縣子。魏書附盧元傳。崔㥄爲常侍，求人修起居注，以元明代魏收爲中書郎。㥄每以籍地自矜，謂元明曰：天下盛門，惟我與爾。北齊書崔㥄傳。天平末，原作中。按靜帝紀，元明使梁在四年，明年卽改元元象。故改從北史李諧傳。兼吏部郎中，副李諧使梁。魏書附傳。二人才器，並爲鄰國所重。北齊書魏收傳。梁武使朱异覘客，异言諧、元明之美。諧等見，及出，梁武目送之，謂左右曰：朕今日遇勍敵。卿輩常言北間無人物，此等何處來？北史李崇附傳。稱曰：盧李命世。北齊書魏收傳。是時，鄴下言風流者，以諧、元明及李神儁、王元景、楊遵彥、崔瞻爲首。北史李諧傳。還，拜尚書右丞，轉散騎常侍，監起居。積年在史館，了不厝意。又兼黄門郎，本州大中正。元明善自標置，不妄交遊，飲酒賦詩，遇興忘返。性好元理，作史子新論數十篇，文筆別有集録。隋志著録集十七卷。唐志著録集六卷。少時，常從鄉還洛，途遇相州刺史中山王熙，熙博識之士，見而歎曰：盧郎有如此風神，唯須誦離騷，飲美酒，自爲佳器。遂留之數日，贈帛及馬而別。魏書附傳。初，李神儁欲娶鄭嚴祖妹，元明亦將爲婚，遂至紛競。二家鬩於嚴祖之門，鄭卒歸元明，魏書李寶附傳。與元明兄子淫汙，元明不能離絕，又好以世地自矜，時論卽以此貶之。魏書附傳。

北齊

盧文偉，字休族，范陽涿人也，爲北州冠族。父敞出後伯，假（北齊書列傳。）位議郎，後以文偉勳，贈幽州刺史。（北史盧觀附傳。）文偉少孤，有志尚，頗涉經史，篤於交遊，少爲鄉閭所敬。州辟主簿。年三十八始舉秀才，除本州平北府長流參軍。説刺史裴延儁，（原作裴儁，今據魏書裴延儁傳補正。）按舊迹修督亢陂，溉田萬餘頃，民賴其利，修立之功，多以委文偉。文偉既善營理，兼展私力，家素貧儉，因此致富。孝昌中，詔兼尚書郎中，時行臺常景啟留爲行臺郎中，及北方將亂，文偉積稻穀於范陽城，時經荒儉，多所賑贍，彌爲鄉里所歸。（北齊書列傳。）柔元鎮人杜洛周，反於上谷，攻陷幽州。（魏書肅宗紀。）文偉爲所虜。洛周敗，復入葛榮。榮敗，歸家。時韓樓據薊城，文偉率鄉閭屯守范陽，與賊相抗，乃以文偉行范陽郡事。防守二年，與士卒同勞苦，分散家財，拯救貧乏，人人感悦。尒朱榮遣將侯淵（北齊書、北史避作深，今從魏書。）討樓，平之。文偉以功封大夏縣男，除范陽太守。（北齊書列傳。）淵爲平州刺史、大都督，留鎮范陽。（魏書侯淵傳。）及榮誅，文偉知淵難信，乃誘之出獵，閉門拒之。淵失據，遂赴中山。莊帝崩，文偉與幽州刺史劉靈助同謀起義。靈助克瀛州，留文偉行州事，自率兵起定州，爲侯淵所敗。文偉棄州，走還本郡，仍與高乾邕兄弟共相影響，屬神武至信都，文偉遣子懷道奉啟陳誠。（北齊書列傳。）中興初，除安州刺史，不之官。尋轉幽州刺史。（北史附傳。）時安州刺史盧曹，（北史作盧胄。）亦從靈助舉兵。靈助敗，因據幽州。文偉不得入。（北齊書列傳。）後除青州刺史。文偉輕身愛客，善於撫接，（北史附傳。）好行小惠。是以所在頗得人情，雖有受納，吏民不甚苦之。經紀生資，常若不足。致財積聚，承候寵要，餉遺不絕。興和三年，卒於州，年六十。贈使持節侍中，都督定、瀛、殷三州軍事，司徒，尚書左僕射，定州刺史。謚曰孝威。（北齊書列傳。）

平鑒，字明達，燕郡薊人也。（北齊書列傳。）祖延，魏安平太守。父勝，安州刺史。（北史列傳。）鑒少聰敏，有志力，受學於徐遵明，（北齊書列傳。）受詩禮於宏農楊文懿。通大義，不爲章句；（北史列傳。）雖崇儒業，而有豪俠氣。孝昌末，盜賊蜂起，見天下將亂，乃至洛陽，與慕容儼騎馬爲友，（北齊書列傳。）兼習弓矢。鑒性巧，夜則胡畫以供衣食。（北史列傳。）謂其宗親曰：運有污隆，亂極則治。并州戎馬之地，尒朱王命世之雄，仗義建旗，奉辭問罪，勞忠竭力，今也其時。遂相率奔尒朱榮於晉陽，因陳靜亂安民之策。榮大奇之，卽署參軍前鋒，從平鞏密，每陳先登，除撫軍，襄州刺史。（北齊書列傳。）普泰元年，高祖建義於信都。（北齊書神武紀。）鑒棄州自歸，卽授本官。（北史列傳。）高祖謂鑒曰：日者皇綱中弛，公已早竭忠誠。今尒朱披猖，又能去逆從善。搖落之時，方識松筠。（北齊書列傳。）文襄輔政，封平西縣伯，遷懷州刺史。（北史列傳。）鑒奏請於州西故軹道築城以防遏西寇，朝廷從之。（北齊書列傳。）尋而西魏將楊摽來攻。時新築之城，糧仗未集，素乏水，北史列傳。衆情大懼。南門内有一井，隨汲卽竭。鑒乃具衣冠俯井而祝，至旦，而井泉涌溢，有異於常，合城取足。摽示敵人，將士既覩非常，勇氣自倍。北齊書列傳。北史列傳。魏師敗還。以功進位，開府儀同三司，北齊書列傳。累遷揚州刺史。其妻生男，鑒因喜酣醉，擅免境内囚，誤免關中細作二人，醒而知之，上表自劾。文宣特原其罪，賜犢百頭、羊二百口、酒百石，令作樂。河清二年，重拜懷州刺史。北史列傳。時和士開以佞幸勢傾朝列，令人求鑒愛妾劉氏，鑒卽送之。乃謂人曰：老公失阿劉，與死何異！要自爲身計，不得不然。由是除齊州刺史。北齊書列傳。鑒文武馳驅，盡其知力。北史傳論。歷牧八州，爲吏所思，立碑頌德。入爲都官尚書令，北齊書列傳。卒，贈司空，謚曰文。北史列傳。

陽休之，字子烈，右北平無終人也。父固，魏洛陽令，贈太常少卿。休之儁爽有風槩，少勤學，愛文藻，北齊書列傳。習於儀禮，隋書禮儀志論。弱冠善聲，爲後來之秀。北齊書列傳。時人爲之語曰：能賦能詩陽休之。北史陽尼附傳。幽州刺史常景、王延年並召爲主簿。魏孝昌中，杜洛周破薊城，休之與宗室及鄉人數千家南奔章武，轉至青州。時葛榮寇亂，河北流民多湊青部。休之知將有變，請其族叔伯彦等潛歸京師避之。多不能從。休之垂涕别去。俄而北齊書列傳。平北主簿河間邢杲率流民十餘萬户反於青州之北海，魏書孝莊紀。伯彦等咸爲土人所殺，諸陽死者數十人，唯休之兄弟免。北史附傳。莊帝立，解褐員外散騎侍郎，北齊書列傳。累遷太尉記室參軍。北史附傳。李神儁監起居注，啟休之入撰次。永安末，洛州刺史李海啟除冠軍長史。普泰中，爲太保長孫稚府屬，尋勑與魏收、李同軌等修國史。太昌初，除尚書祠部郎中。北齊書列傳。後行臺賀拔勝經畧樊、沔，請爲南道軍司。北史附傳。俄而魏武帝入關，勝令休之奉表詣長安參謁。時高祖亦啟休之太常少卿。尋屬勝南奔，仍隨至建業。休之聞高祖推奉靜帝，乃白勝啟梁武求還。以天平二年達鄴，仍奉高祖，令赴晉陽。世宗引爲行臺郎中。四年，高祖幸汾陽之天池，於池邊得一石，上有隱起，其文曰：六王三川。北齊書列傳。問休之曰：此文字何義？對曰：六者，大王字；河、洛、伊爲三川。大王若受天命，終應統有關右。北史列傳。高祖曰：世人無事常道我欲反，今聞此，更致紛紜，慎勿妄言也。元象初，録荆州軍功，封新泰縣伯，除尚書左民郎中。興和二年，兼通直散騎常侍，使於梁。武定二年，除中書侍郎。北齊書列傳。先是，中書專主綸言，魏宣武已來，事移門下，至是發詔依舊，任遇甚顯。時魏收爲散騎常侍，領兼侍郎，與休之參掌詔命，世論以爲中興。北史附傳。五年，兼尚食典御。七年，除太子中庶子，遷給事黃門侍郎，進號中軍將軍、幽州大中正。八年，兼侍中，持節奉璽書詣并州，敦喻顯祖爲相國、齊王。時顯祖將受魏禪，發晉陽，至平陽郡，爲人心未一，且還并州，恐泄漏，仍斷行人。休之性疏放，使還，遂説其事，鄴中悉知。後高德政以聞，顯祖忿之而未發。齊受禪，除散騎常侍，修起居注。頃之，坐詔書脱誤，左遷驃騎將軍，積前事也。北齊書列傳。時郊天，百寮咸從。休之衣兩襠甲，手持白棓。魏收爲中書令，嘲之。休之曰：我昔爲常伯，首戴蟬冕，今處驍游，身被衫甲，允文允武，何必減卿！談笑晏然，議者服其夷曠。北史附傳。尋以禪讓之際，定禮儀，别封始平縣男。後除都水使者，歷司徒掾、中書侍郎，尋除中山太守。北齊書列傳。先是，韋道建、宋欽道代爲定州長史，帶太山太守，並立制，監臨官不得過百姓飲食，有者，即數錢酬之。休之常以爲非。及至郡，復相因循。人問其故，休之曰：吾昔非之者，爲其失仁義；今日行之者，自欲避嫌疑。在郡三年，再致甘露之瑞。北史附傳。顯祖崩，徵至晉陽，經紀喪禮。乾明元年，兼侍中，巡省京邑。仍拜大鴻臚卿，領中書侍郎，北齊書列傳。在晉陽典詔誥。北齊書魏收傳。皇建初，以本官兼度支尚書侍郎，加驃騎大將軍，領幽州大中正。肅宗留心政道，每訪休之治術。休之答以明賞罰、慎官方、禁淫侈、恤民患，爲政治之先。帝深納之，北齊書列傳。因敕休之，每日本職務罷，入東廊。舉録歷代廢禮墜樂，職司廢置，朝饗異同，輿服增損，或道德高儁，久在沈淪，或巧言眩俗，妖邪害政，爰及田市舟車，徵税通塞，婚葬儀軌，貴賤等差，有不便於時而古今行用不已者，或自古利用而當今毁棄者，悉令詳思，以漸條奏。北史王憲附傳。太甯中，除都官尚書，轉七兵祠部。河清三年，出爲西兖州刺史。北齊書列傳。諸朝士各有詩言贈。北齊書孫靈暉傳。天統初，徵爲光禄卿，監國史。休之在中山及治西兗，俱有惠政，爲吏民所懷，去官之日，百姓樹碑頌德。尋除吏部尚書。休之多識古事，諳悉民族，凡所選用，莫不才地俱允。北齊書列傳。國子助教熊安生，當時碩儒，因喪解職，久不見調。休之引爲國子博士。儒者以此歸之。北史列傳。武平元年，除中書監。三年，加特進。六年，除正尚書，右僕射，領中書監。休之本懷平坦，爲士友所稱。晚節説祖珽撰御覽，北齊書列傳。詔休之監撰。北齊書文苑傳論。書成，加特進，令其子辟强預修。北史附傳。及珽黜，便布言於朝廷云，先有嫌隙。及鄧長顒、顔之推奏立文林館，之推本意不欲令耆舊貴人居之，休之便相附會，與少年朝請參軍之徒，同入待詔。又魏收修史之日，立高祖本紀，取平四胡之歲爲齊元，收在齊州，恐史官改奪其意，上表論之。武平中，魏收還朝，敕集朝賢議其事。休之立議從天保爲限斷。魏收存日，猶兩議未決，收死後，便諷動内外，發詔從其議。後領中書監，便謂人曰：我已三爲中書監，用此何爲！隆化還鄴，舉朝多有遷授，封休之燕郡王，又謂其所親云：我非蠻奴，何意忽有此授！凡此諸事，深爲時論所鄙。休之好學不倦，博綜經史，文章雖不華靡，亦爲典正；北齊書列傳。位高望重，鬱爲時宗。北齊書傳論。少年頗以峻急爲累，晚節以通美見稱。重矜期，好遊賞。太常卿盧元明，人地華重，罕所交接，非一時名士不得與之遊。休之始爲行臺郎，便坦然投分，文酒會同，相得甚款。太子中庶子平原明少遐，風流名士也，梁亡奔鄴，昔因通聘，與休之同遊，及少遐卒，其妻窮敝，休之經紀振恤，恩分甚厚。尚書僕射崔暹，爲文襄所親任，勢傾朝列。休之未嘗請謁。暹子達拏，幼而聰敏，年十五，已作五言詩。時梁使在館，暹持達拏詩示諸朝士，又欲示梁客。餘人畏暹，皆隨宜應對。休之獨正言：郎子聰明，方成偉器，但小兒文藻，未可以示遠人。其方直如此。元景每云：當今直諫，陽子烈其有焉。北史附傳。邢、邵。魏收。殂後，以先達見推，虛懷接物，爲搢紳所愛重。北齊書列傳。周武平齊，與袁聿修等十八人同敕入京，北齊書源彪傳。尋除開府儀同，北齊書列傳。依例封臨澤縣男，歷納言、中大夫、太子少保、進位上開府，除和州刺史。隋開皇二年罷任，終於洛陽。北史附傳。年七十四。所著文集三十卷，北齊書列傳。唐志、舊唐志作二十二。韻略一卷，隋書經籍志。又撰幽州人物志，并行於世。北齊書列傳。固從弟昭。北史附傳。

昭字元景，學涉經史，尤嫻案牘，爲齊文襄府墨曹參軍，甚見親委，與陳元康、崔暹等參謀機密。北史陽尼附傳。高祖葬後，崔悛竊言：黄頷小兒堪當重任否？北齊書崔悛傳。爲崔先所告。元景劾成其獄，賴邢子才證白以免。時以元景爲告而順旨，文襄將受魏禪，令元景等定儀注，草詔册，并授官，未畢而文襄遇盗二字據北齊書文襄紀補。而殂，罷府。天保初，除給事黄門侍郎，後出除青州高陽内史，卒於郡。文集十卷。北史附傳。

北周

寇洛，上谷昌平人也，累世爲將吏。父延壽，和平中以良家子鎮武川，因家焉。洛性明辨，不拘小節。正光末，以北邊賊起，遂率鄉親避地於并肆，因從尒朱榮征討。周書列傳。建義元年，魏書尒朱天光傳。賀拔岳西征，洛與之鄉里，乃募從入關破赤水蜀，以功拜中堅將軍，屯騎校尉，別將，封臨邑縣男。又從岳獲賊帥尉遲菩薩於渭水，破侯伏、侯元進於百里細川，擒万俟醜奴於長坑。洛每力戰，并有功，加龍驤將軍、都督，進爵安鄉縣子，累遷征北將軍，衛將軍。周書列傳。及岳爲大行臺，以洛爲大都督。北史列傳。永熙三年，岳爲侯莫、陳悦所害，周書文帝紀。時變起倉卒，周書傳論。軍中惶擾，周書列傳。洛於諸將中最爲舊齒，衆所素信，周書列傳。乃撫緝散亂，抗禦仇讎，周書傳論。遂全衆而返。既至原州，衆咸推洛爲盟主。周書列傳。洛素無雄略，威令不行，乃謂諸將曰：洛智能本闕，不宜統御，近者迫於羣議，推相攝令，今請避位，更推賢材。文帝紀。乃與趙貴等議迎太祖。魏帝以洛有全師之功，除武衛將軍。太祖至平涼，以洛爲右大都督，從討侯莫、陳悦，平之，拜涇州刺史。周書列傳。齊神武既有異志，聲言欲西，意在入洛。太祖令洛率馬步萬餘自涇州東引。文帝紀。魏孝武西遷，進爵臨邑縣伯，邑五百户。尋進位驃騎大將軍，儀同三司，進爵爲公，增邑五百户。大統初，魏文帝詔：洛忠款自心，勳誠早立，可加開府，進爵京兆郡公。封洛母宋氏爲襄城郡君。三年，出爲華州刺史，加侍中，與獨孤信復洛陽，移鎮弘農。四年，從太祖與東魏戰於河橋，軍還，洛率所部鎮東雍。五年，卒於鎮。時年五十三。贈太尉尚書令，謚曰武。子和嗣。世宗二年，録勳舊，以洛配享太祖廟庭，賜和姓若口引氏，改封松陽郡公，後至開府儀同三司，賓部中大夫。洛弟紹位至上柱國，北平郡公。周書列傳。

唐

盧藏用，字子潛，幽州范陽人，新書列傳。度支尚書承慶之姪孫也。少以辭學著稱，舊書列傳。博物多能。唐摭言。舉進士，不得調，與兄徵明偕隱終南、少室二山，練氣爲辟穀，新書列傳。習静閑局，世事多捐，尤精道意，唐摭言。有高尚致。大唐新語。長安中，徵拜左拾遺。舊書列傳。武后作興泰宫於萬安山，新書列傳。武三思建議，請每歲臨幸，功費甚廣，百姓苦之。通鑑二百七。藏用上疏諫曰：陛下離宫別觀固多矣，又窮人力以事土木，臣恐議者以陛下爲不愛人而奉己也。且頃歲穀雖頗登，而百姓未有儲，陛下巡幸，訖靡休息，斤斧之役，歲月不空，不因此時施德布化，而又廣宫苑，臣恐下未易堪。今左右近臣，以諛意爲忠，犯忤爲患，至令陛下不知百姓失業，百姓亦不知左右傷陛下之仁也。陛下誠能發明制，以勞人爲辭，則天下必以爲愛力而苦己也。不從。姚元崇持節靈武，道奏爲管記。還，應縣令舉甲科，爲濟陽令。新書列傳。神龍中，累轉起居舍人，兼知制誥。俄轉中書舍人。景龍中，爲吏部侍郎。藏用性無挺特，多爲權要所逼，頗隳公道，新書言：藏用爲中書舍人，數糾駁僞官。下又言其狥權利。豈有狥權利之人而能糾駁僞官者？舊書所言，較得其實。遷黄門侍郎兼昭文館學士，轉工部侍郎、尚書右丞。先天中，坐託附太平公主，配流嶺表。舊書列傳。會交趾叛，藏用有捍禦勞，改昭州司户參軍。新書列傳。開元初，起爲黔州都督府長史兼判都督事，未行而卒，年五十餘。有集二十卷，舊書列傳。新書藝文志作三十卷。春秋後語十卷，子書要略一卷，又注老子二卷，注莊子内外篇十二卷。新書藝文志。藏用善蓍龜九宫術、工草、隸、大小篆、八分，善奕，思精遠，嘗以俗狥陰陽拘畏，乖至理，泥變通，乃爲折滯論，以暢其方，世謂知言。新書列傳。少與陳子昂、趙貞固友善，二人并早卒，藏用厚撫其子，爲時所稱。舊書列傳。李邕文名天下，藏用謂：如干將、莫邪，難與争鋒，但虞傷缺耳。後卒如言。新書李邕傳。始隱山中時，有意當世，人目爲隨駕隱士。晚乃狥權利，務驕縱，素節盡矣。新書列傳。文雖堪尚，義無可則。舊書傳論。有道士司馬承禎者，睿宗遣至京，將還，藏用指終南山謂之曰：此中大有佳處，何必在遠？承禎徐答曰：以僕所觀，乃仕宦捷徑耳。藏用有慚色。大唐新語。

劉怦，幽州昌平人也。父貢常，爲廣邊大斗軍使。怦卽朱滔姑之子。舊書列傳。少爲范陽裨將，以親老疾，去職。李懷仙爲節度，檄召不應。朱滔時，積功至雄武軍使，廣墾田，節用度，以辦治稱。稍遷涿州刺史。新書列傳。大曆十年，通鑑二百二十五。滔將兵討田承嗣，奏署怦領留府事，以寬緩得衆心。時李寶臣爲承嗣間說，與之通謀，及以兵劫滔於瓦橋關，滔脱身走，舊書列傳。寶臣乘勝欲襲幽州。怦設方畧，勒兵完守，寶臣不敢謀，擢御史中丞。新書列傳。寶臣死，子惟岳拒命。德宗令滔討之。惟岳平，滔怨朝廷違約，不與深州，含怒不已。會王武俊亦怨割地深趙相謀叛，欲救田悦，怦時知幽州留後事，舊書列傳。以書諫曰：司徒身節制太尉，位宰相，恩遇極矣。今昌平有太尉鄉、司徒里，不朽業也，能以忠順自將，則無不濟。比忘上樂戰，不顧成敗，如安、史者，今復何有？司徒圖之，無貽後悔！新書朱滔傳。滔雖不用，亦嘉其盡言，卒無疑貳。舊書列傳。滔將起兵，恐張孝忠爲後患，使怦將兵屯要害以備之。通鑑二百二十七。及僭稱大冀王，僞署怦爲右僕射、范陽留守。及朱泚據京邑，召滔南犯，至貝州，挫敗而還，兵甲盡喪。怦聞滔至，悉蒐范陽兵甲，夾道排列二十餘里以迎，滔歸於府，人皆嘉怦忠義。舊書列傳。滔被病，政事一委怦。新書朱滔傳。及滔死，軍中推怦總軍事。俄詔爲節度副大使、彭城郡公。居鎮纔三月，新書列傳。貞元元年九月卒，年五十九。贈兵部尚書，舊書列傳。謚曰恭。子濟。新書列傳。

濟，字濟之。之字據權德輿劉公墓誌補。游學京師，第進士，歷莫州刺史。怦病，詔濟假州事。及怦卒，嗣節度，累遷檢校尚書。（新書劉怦附傳。）貞元五年，遷左僕射。時烏桓、鮮卑數寇邊，濟帥師擊走之，深入千餘里，虜獲不可勝紀。（舊書劉怦附傳。）登山斵石，著北伐銘以見志，（劉公墓誌。）東北晏然。貞元中，朝廷優容藩鎮，兩河擅自繼襲者，尤驕蹇不奉法。（舊書附傳。）德宗患之，以濟方納忠於朝，密詔壽州刺史張建封，擇縱横士往説濟。建封署温造節度參謀，使幽州，造與濟語未訖，濟俯伏流涕曰：僻陋不知天子神聖，大臣盡忠，願率先諸侯效死節。建封以聞。（新書温大雅附傳。）濟務恭順，朝獻相繼。德宗以恩禮接之，加同中書門下平章事。順宗卽位，再遷檢校司徒。元和初，加兼侍中。（舊書附傳。）濟與王士真、張茂昭争私隙，迭相表請加罪，以給事中房式爲幽州成德義武宣慰使和解之。（通鑑二百三十七。）王承宗叛，濟合諸將曰：天子知我怨趙，必命我伐之，趙且大備我，奈何？裨將譚忠欲激濟伐承宗，遂疾言曰：天子不使我伐趙，趙亦不備燕。濟怒，繫之使視，趙果不設備。數日，詔書許濟無出師。濟釋忠，謝而問之，忠曰：昭義盧從史外親燕，内實忌之；外絶趙，内實與之。此爲趙畫曰：燕倚趙自固，雖宿怨，必不殘趙，故不足虞也。趙既不備燕，從史則告天子曰：燕、趙宿怨也，今趙見伐而不備燕，是燕反與趙。此所以知天子不使君伐趙，趙亦不備燕。濟曰：計安出？曰：今天子誅承宗，而燕無一卒濟易水者，正使潞人賣恩於趙，販忠於上，是君貯忠誼心，而染私趙之名，卒不見德於趙，惡聲嘈嘈於天下。濟然之，（新書附傳。）乃下令軍中曰：五日畢出，後者醢以狗。五年春正月，濟自將兵七萬人擊承宗。時諸軍皆未進，濟獨前奮擊，拔宜陽、束鹿、河東、河中，通鑑二百三十八。又拔饒陽，屯瀛州。進攻安平，拔其城。新書附傳。承宗懼，遣其屬崔遂上書謝罪。新書王武俊附傳。會赦承宗，録功拜兼中書令。舊書附傳。濟之出，以長子緄攝留務，次子總爲行營都知兵馬使。新書附傳。及濟疾，總與濟親吏唐宏實通謀，酖殺濟，時年五十九。舊書列傳。追緄至涿州，殺之，乃發喪。贈太師，謚曰莊武。新書列傳。濟初産，侍者見濟是一大蛇，黑氣勃勃，莫不驚走。及長，頗異常童。所居室焚，人皆驚救，濟從容而走，衆異之。在鎮二十餘年，雖輸忠欵，竟不入覲。弟源初爲涿州刺史，不受兄教令，濟奏貶漠州參軍，復不受詔。濟帥師至涿州，源出兵拒之，未合而潰。濟擒源，至幽州，上言請令入覲，故授官以懲之，又謀殺其弟澭。舊書列傳。澭涉書史，有材武，好施愛士，能得人死力。始事朱滔，常陳君臣大分，裁抑其凶。及怦得幽州，不三月，病且死。澭侍湯液未嘗離，輒以父命召濟於莫州。濟嗣，總軍事，故德澭之讓，以爲瀛州刺史，新書列傳。許代已任。後濟乃以其子爲副大使。舊書劉怦附傳。澭怨之，擅通表朝廷，遣兵千人防秋。濟怒，發兵擊澭，破之，澭爲濟所逼，通鑑二百三十四。遂請西捍隴塞，拔所部兵千五百人，男女萬餘口，直趨京師，在道無一人敢犯令者。舊書附傳。德宗甚寵之，拜秦州刺史，屯普潤。軍中不設音樂，士卒病，親存問所欲，不幸死，哭之。憲宗立，方士羅令則詣營，妄言廢立以動澭，澭命繫之，辭曰：吾黨甚衆，公無因我，約大行梓宮發兵無不濟。澭械送闕下。殺之。録功，號其軍曰保義，新書列傳。以澭爲節度使。舊書憲宗紀。澭號令嚴整，通鑑二百三十四。蕃戎畏懾，不敢入寇。常慨然有復河湟志，屢爲朝廷言之，未見省，新書列傳。議者壯之。舊書附傳。劉闢作亂，杜黄裳奏委高崇文討之。崇文素憚澭，黄裳使人謂曰：若不奮命，當以澭代。由是得崇文死力。舊書杜黄裳傳。累封彭城郡公。及病，籍士馬求代。新書列傳。元和二年，舊書附傳。還，卒於道，年四十九。贈尚書右僕射，謚曰景。新書列傳。

盧萏，幽州范陽人也。父子騫，潁王府諮議參軍。萏少以門蔭入仕，在職以幹局稱。累授閬州録事參軍、監察殿中御史、侍御史、金州刺史。宰相楊炎遇之頗厚，召入左司郎中、京兆少尹，遷大尹。萏無學術，善事權要，爲政苛躁。盧杞甚惡之，諷有司彈奏，坐貶撫州司馬同正，改饒州刺史。舊書列傳。貞元元年遷遷字據舊傳易。福州刺史、福建觀察使。二年卒。舊書德宗紀。

盧徵，范陽人也。家於鄭之中牟。少涉獵書記，永泰中，江淮轉運使劉晏辟爲從事，委以腹心之任，累授殿中侍御史。舊書列傳。建中元年，新書德宗紀。晏得罪，貶珍州司户參軍。新書劉晏附傳。興元中，晏門人元琇爲户部侍郎，判度支，徵爲京兆司録度支員外，舊書列傳。有名於時。舊書劉晏傳。琇得罪，坐貶信州長史，新書劉晏傳作秀州。按唐地理志有信州。無秀州，五代史職方考，秀州，吴越王錢元瓘置。新書誤。遷信州刺史，入爲右司郎中，驟遷給事中。舊書列傳。權德輿祭盧華州文云：兄時左遷，屈佐乘軺。俄奏郡課，復升郎位。左掖斯密，教官已貴。户部侍郎竇參善之，方倚以代己，新書附傳。貞元八年，同州刺史闕，舊書列傳。參請用尚書左丞趙憬。德宗惡參，欲間其腹心，更用徵爲之。久乃徙華州。華地迫而貧，所獻嘗觳陋，新書附傳。徵冀復入用，舊書列傳。厚斂貨賄，結託中人，舊書列傳。人不堪命，疾病卧理者數年，貞元十六年卒，時年六十四。舊書列傳。按權德輿祭盧華州文云：華州刺史御史大夫。則徵又嘗加御史大夫也。

高霞寓，幽州范陽人。新書列傳。祖仙，父栖鶴，皆以孝聞，凡五代同爨。德宗朝採訪使洪經綸奏旌表門閭，鄉黨稱美。舊書列傳。霞寓能讀春秋及兵法，頗以感槩自尚。狡譎多變，往見長武城使高崇文。崇文異其才，檄任軍職。新書列傳。元和初，詔兼御史大夫，從崇文將兵擊劉闢，連戰皆克。舊書列傳。闢城鹿頭關，置栅於關東萬勝堆，通鑑二百三十七。霞寓親鼓，士扳緣上，矢石如雨，命敢死奪堆焚栅，栅中之賊殲焉。舊書高崇文傳。下鹿頭城，降李文悦、仇良輔等。新書列傳。闢率餘黨奔西山。霞寓以輕騎追捕，及於陽灌田，遂擒送闕下。韋貫之南平郡王神道碑。以功拜彭州刺史，尋繼崇文爲長武城使，封感義郡王。元和五年，隨吐突承璀擊王承宗，舊書列傳。諸將多覆軍，獨霞寓有功，詔藏所獲鎧仗於神策庫以旌之。承璀已執盧從史，其軍相驚，乃遣霞寓諭之，麾而大呼曰：元惡縛矣，公等宜自安！卽脱鎧揖而前，衆遂定，欲留爲帥，霞寓間道去。拜豐州刺史、三城都團練防禦使。新書列傳。六遷至檢校工部尚書。十年，朝廷討吳元濟，舊書列傳。析山南東道爲兩鎮，以霞寓宿將，拜唐、鄧、隨節度使，新書列傳。按新書德宗紀，作唐鄧節度。考舊書地理志，山南東道節度使，元和中淮蔡用兵，析唐、鄧二州，別立一節度。而新書方鎮表又云：元和十年，置唐、隨、鄧三州節度。十二年廢，還隸山南東道。彼此互異，未詳孰是。唐州刺史。舊書德宗傳紀。唐與蔡接，故使霞寓專事攻戰，通鑑二百三十九。遏賊南衝。霞寓雖悍，而寡謀，統制尤非所善，始引兵趨蕭陂，戰小勝，進至文城柵，賊僞北，逐之，爲伏所掩，遂大敗，按新書吳少誠附傳，霞寓戰朗山，斬首千餘級，焚其壁，次鐵城，賊僞奔，霞寓窮追，伏發，死傷畧盡。通鑑同。胡三省注云：鐵城卽文城柵，以其堅不可破，故謂之鐵城耳。才以身免，新書列傳。退保新興。新書吳少誠附傳。詔貶歸州刺史。乃厚賂權宦，召爲右衞大將軍，拜振武節度使。會吐蕃攻鹽、豐二州，霞寓以兵五千屯拂雲堆，虜引去。浚金河，溉鹵地數千頃。改左武衞大將軍，又節度邠甯，位檢校司徒。新書列傳。寶曆二年，疽發首，不能理事，求歸闕下。舊書列傳。以右金吾衞大將軍召，卒於道。新書列傳。年五十五。贈太保。舊書列傳。霞寓位既高，言多不遜。帝欲罷其兵，益自憂，乃上私第爲佛祠，請署曰懷恩，以塞帝疑。俄又嘲侮僚屬，作謾語，斥詘大臣。其反覆自任類此。新書列傳。

盧攜，字子升，范陽人，舊書列傳。世居鄭。新書列傳。才辨詞藻，闕史。風貌不揚，語亦不正。尚書韋岫謂曰：盧雖人物甚陋，其文章有首尾，他日必爲大用。北夢瑣言。大中九年進士，擢第，授集賢校理，出佐使府，舊書列傳。入朝爲右拾遺，歷臺省，累進户部侍郎、翰林學士承旨。新書列傳。乾符元年上言，民飢困，宜加賑恤。通鑑目録二十四上字據通鑑補。敕從其言，以本官同平章事。通鑑二百五十二。按：同平章，舊傳言四年，新傳言五年，新舊紀俱載在元年，宰相表同，五年攜已罷爲太子賓客，傳誤。俄拜中書侍郎、刑部尚書、宏文館大學士。新書列傳。攜清苦律身，剸斷無滯。闕史。與鄭畋俱李翺甥，同位宰相，然所處議多駁。初，王仙芝起河南，攜表宋威、齊克讓、曾衮皆善將爲招討使，及威殺尚君長賊熾結，益不制，乃以王鐸鎮荆南，爲諸道都統。攜不悦。新書列傳。五年，黄巢陷廣州，舊書列傳。勢張甚，表求天平節度使。詔宰相百官議。新書列傳。鄭畋欲許之。新書黄巢傳。攜素厚高駢，屬令立功，新書列傳。執不可。黄巢傳。又欲激巢使戰而敗，鐸因授率府率。又徇駢與南詔和親，與畋爭相恨詈。新書列傳。攜怒，拂衣去裾巇於硯，因抵之。帝以大臣爭口語無以示百官，乃俱罷爲太子賓客，新書鄭畋傳。分司東都。俄爲兵部尚書。會駢將張璘破賊，帝復召攜以門下侍郎同平章事。及鐸失守，以駢代之，卽按關東。諸將爲鐸、畋所任者，悉易置。内倚田令孜，外寄戎政於駢，與奪惟所愛惡。後病風蹇，神智暝塞，事多決於親吏楊温、李脩，賄賂顯行。及巢破淮南，璘戰死，忠武兵亂，天下危懼，人皆咎攜。始下詔以巢爲天平節度使。詔下，賊已破潼關，明日以太子賓客罷分司東都。是夜攜仰藥而死。巢入京，斲棺磔尸於長安市。新書列傳。

後梁

馬慎交，燕人也，素有膽辨，舊五代史梁末帝紀。燕帥劉仁恭將。唐光化三年梁太祖遣葛從周攻浮陽，與仁恭戰於乾甯，軍老鴉隄，大破之，俘慎交。舊史梁太祖紀。太祖遇弒，友珪自立。新五代史梁紀三。末帝謀討友珪，問於趙巖。巖曰：此事成敗在招討楊公，得其一言諭禁軍，吾事立辨。帝乃遣慎交新史楊師厚傳。之魏州，見師厚計事。新史梁紀三。慎交說師厚曰：郢王殺君害父，篡居大位，宮中荒淫，靡所不至，洛下人情已去，東京物望所歸，公若因而成之，則有輔立之功，討賊之効。師厚猶豫未決。慎交曰：郢王以子弒父，是曰元兇；均王爲君爲親，正名仗義，彼若一朝事成，令公何情自處？舊史梁末帝紀。師厚悟，乃遣將至洛陽計事，以兵屯滑州，卒殺友珪。新史楊師厚傳。

高邵，字子將，范陽潞人。四字據韋貫之高崇文神道碑補。父泰，黔中觀察使。唐僖宗避敵在蜀，駢鎮淮南爲都統兼諸道鹽鐵使，兵、賦在己，朝廷優假之，以故邵幸而早官，年十四，遥領華州刺史。舊書列傳。中和後，寓圃田，爲蔡寇縶之，得脱後去投汴。南部新書舊傳言：光啟中，以駢命遏晉公王鐸于鄭，俄而州陷于蔡，邵爲賊所得，佯爲乞食，出東郊門，疾趨至中牟，遂達於汴。按新書舊紀，中和元年，士鐸爲鄭滑觀察行營都統。三年罷，四年爲盜所殺。明年爲光啟元年，考之鐸傳，其爲行營都統，亦僅壁盩厔，未嘗至鄭滑。至蔡賊之陷鄭州，舊紀在光啟二年，新紀在光啟三年，時高駢已爲畢師鐸所執。舊傳年月事實皆誤，今不取。太祖以客禮遇之，尋表爲亳州團練副使、知州事。又數年，辟爲宣武節度判官，在幕下，頗以氣直自許。後監鄭州事，復權知徐州留後。唐昭宗之幸此字據梁太祖紀補。鳳翔，太祖奉迎未出，劭有疑謀，遂令赴華州，詣丞相府議事。行至高陵，爲盜所害。舊書列傳。南部新書作後駕在岐，使致書回，入至三原，行十里遇害。

後唐

元行欽，幽州人也，爲劉守光裨將。守光篡其父仁恭，使行欽以兵攻仁恭於大安山而囚之，又使行欽害諸兄弟。其後晉攻幽州，守光使行欽募兵雲、朔，新五代史列傳。以高行珪爲武州刺史。明宗諭以逆順之理，行珪乃降。行欽在山北聞變，卽率部下以攻行珪。行珪遣弟行周告急於周德威。德威命明宗援之，舊史高行珪傳。通鑑考異曰：太祖實録云：燕城危蹙，甲士亡散，劉守光召元行欽。行欽部下諸將以守光必敗，赴召無益，乃請行欽爲燕帥，稱留後。行欽以行珪在武州，慮爲後患，乃於懷戎掠得其子縶之，至武州，謂行珪曰：將士立我爲留後，共汝父子同行，先定軍府，然後降太原。行珪不從，城守月餘，食盡，乃夜縋其弟行周於晉軍乞援。莊宗實録、薛史紀及元行欽傳、明宗實録皆云：行欽聞行珪降晉，帥兵攻之。惟周太祖實録、高行周傳云：行欽稱留後，行珪城守不從。然恐行周卒時，去燕亡已久。行周名位尊顯，門生故吏虚美其兄弟，故與諸説特異，今從衆書。與行欽相拒廣邊軍，凡八戰，明宗七射中行欽，行欽拔矢而戰，亦射明宗中股。行欽屢敗，乃降。明宗撫其背而飲以酒曰：壯士也。因養以爲子。常從戰立功。莊宗已下魏，益選驍騎將自衞，聞行欽驍勇，取爲散員都部署，賜姓名曰李紹榮。莊宗好戰而輕敵，與梁軍戰潘張，軍敗而潰，莊宗得三四騎馳去，梁兵數百追及，攢矟圍之。行欽望其旗而識之，馳一騎，奮劍斷其二矛，斬首一級，梁兵解去。莊宗還營，持行欽泣曰：富貴與卿共之！由是寵絶諸將。新史列傳。官至檢校太傅、忻州刺史。及莊宗平梁，授武甯節度使。舊史列傳。莊宗宴羣臣於内殿，酒酣樂作，道平生戰陣事以爲笑樂，而怪行欽不在，因左右顧視曰：紹榮安在？所司奏曰：奉敕宴使相，紹榮散官，不得與也。莊宗罷會不樂。明日即拜行欽同中書門下平章事。自此不召羣臣入内殿，但宴武臣而已。新史列傳。行欽喪婦，莊宗勞之。劉皇后指宮人謂莊宗曰：可使爲婦。許之。舊史列傳。同光四年，趙在禮反，陷鄴。新史唐紀五。莊宗方選大將擊之，劉皇后曰：此小事，可趣紹榮指揮。乃以行欽爲鄴都行營招撫使，將二千人討之。行欽攻鄴南門，以詔書招在禮。在禮送羊酒犒軍，新史列傳。拜于城上曰：將士思家擅歸，相公誠善爲敷奏，得免於死，敢不自新！遂以敕徧諭軍士。史彦瓊戟手罵曰：羣死賊，城破萬段。皇甫暉謂其衆曰：觀史武德之言，上不赦我矣。因聚譟，掠敕書，手壞之，守陴拒戰，攻之不利。以狀聞。通鑑二百七十四。莊宗大怒，敕行欽：破城之日，無遺種！乃益召諸鎮兵，皆屬行欽。行欽屯澶州，分諸鎮兵爲五道，毁民車輪、門扉、屋椽爲筏，渡長慶河攻冠氏門，不克。是時，邢、洺諸州相繼叛，而行欽攻鄴無功。莊宗欲自將以往，羣臣皆諫止，乃遣明宗討之。新史列傳。明宗至鄴，營于城西，行欽營于城南。夜，明宗爲亂軍所迫，入于魏，三字據新傳補。密令張虔釗至行欽營，戒之曰：且堅壁勿動，計會同殺亂軍。行欽不聽，將步騎萬人退保衛州，舊史列傳。以明宗反聞。新史列傳。明宗既劫出鄴城，令人走馬上章，申理其事，言：臣且于近郊聽進止。莊宗覽奏，釋然曰：吾知紹滎妄矣。因令明宗子繼璟至軍前，欲令見明宗。行欽縶繼璟於路，明宗凡奏，拘留不達，舊史列傳。由是疑懼。通鑑二百七十四。按舊傳所言，則明宗之反，半由行欽激成，而新史傳論謂方明宗兵變于魏，諸將未知去就，而行欽獨以反聞，又殺其子從璟，至于斷髮自誓，其誠節足嘉，其說又異。竊謂明宗被刦，詭說出城，其初未必有心反。通鑑亦從舊史，今本之。明宗自魏縣引兵南，行欽率兵趨還京師，從莊宗幸汴州，行至滎澤，聞明宗已渡黎陽。莊宗復遣從璟通問于明宗。行欽因擊殺從璟。明宗入汴州，莊宗至萬勝鎮不得進，與行欽登道旁冢，置酒相顧泣。西至石橋野次，莊宗謂行欽曰：卿等從我久，富貴、急難無不同也。我至滎澤，欲單騎渡河，自求總管，卿等各陳利害，今日俾我至此，卿等何如？行欽泣對曰：臣本小人，蒙陛下撫養，位至將相，危難之時，不能報國，雖死無以塞責。因與諸將百餘人，解髻斷髮，誓以死報，相持慟哭。莊宗還洛陽，數日，復幸氾水，郭從謙反，莊宗崩。新史列傳。行欽引皇后存渥，得七百騎出師子門，將之河中就存霸，沿路部下解散，從者數騎而已。舊史列傳。至平陸，爲野人所執，送虢州刺史石潭，折其兩足，載以檻車送京師。明宗罵曰：我兒何負于爾！行欽瞋目直視曰：先皇帝何負于爾！乃斬于洛陽市。市人皆爲流涕。新史列傳。

王緘，史不言何郡人，據列傳，言燕薊多文士，緘後生，未知名，則必燕薊人也。幽州劉仁恭故吏也。以幕職，令使鳳翔。還，經太原，屬仁恭阻命，武皇留之。緘辭復命，武皇怒，下獄詰之，謝罪聽命，乃署爲推官，歷掌書記。舊五代史列傳。韓延徽自契丹奔晉，晉王欲置之幕府，緘嫉之。延徽不自安，求東歸省母，復入契丹。寓書晉王曰：懼緘之譏。契丹國志。從莊宗經略山東，承制授檢校司空、魏博節度副使。緘博學，善屬文，燕薊多文士，緘後生，未知名。及在太原，名位驟達。燕人馬郁謂曰：公在此作文士，所謂避風鳥，受賜於魯人也。每于公宴，但呼王緘而已。十年，從征幽州，既獲劉仁恭父子，莊宗命緘爲露布，觀其旨趣。緘起草無所辭避，舊史列傳。不知故事書之於帛，遣人曳之，爲識者所笑。容齋四筆。胡柳之役，緘隨輜重前行，歿於亂兵。凶問至，莊宗流涕久之，得其喪，歸葬太原。舊史列傳。

周知裕，字好問，幽州人也。少事燕將劉仁恭，爲騎將，表爲媯州刺史，移德州。舊五代史列傳。仁恭爲其子守光所囚，知裕去事守光兄守文，守光攻殺守文，乃與張萬進立守文子延祚而事之。守光又殺延祚，以其子繼威代之。新五代史列傳。繼威兇虐，嘗淫亂於萬進家，萬進怒而殺之。舊史張萬進傳。詰旦，召知裕告其故，萬進自稱留後，署知裕景州刺史。萬進納欵於梁，舊史列傳。亦遣使降於晉。晉王命周德威撫之。知裕心不自安，通鑑二百六十八。奔汴，梁主厚待之，特置歸化軍，以知裕爲旨揮使，凡軍士自河朔歸梁者，皆隸部下。舊史列傳。梁、晉相距河上十餘年，其摧堅陷陣，歸化一軍爲最。新史列傳。同光初，莊宗入汴，舊史列傳。知裕與段凝軍河上，聞梁已亡，欲自殺，爲賓客故人止之，乃降。新史列傳。明宗時爲總管，受降郊外，見知裕甚喜，謂曰：周歸化今爲吾人，何樂如之！因令諸子以兄事之。舊史列傳。莊宗尤寵待。諸將嫉其寵，新史列傳。有壯士唐從益，因獵射之，知裕遁而免。莊宗遂誅從益，出知裕爲房州刺史。舊史列傳。三年，大舉伐蜀，魏王繼岌充西川四面行營都統，舊史莊宗紀。召爲前鋒。舊史列傳。明宗時，歷絳、淄二州刺史，遷宿州團練使、安州留後。所居皆有善政。安州近淮，俗惡病者，父母有疾，置之他室，以竹竿繫飲食委之，至死不近。知裕深患之，加以教道，由是稍革。新史列傳。長興末，入爲右莊紀作左。神武統軍。清泰初，卒于官。贈太尉。舊史列傳。

後晉

盧導，字熙化，范陽人也。新五代史列傳。少而儒雅，美詞翰，善談論。舊五代史列傳。唐末舉進士，爲監察御史。唐亡，事梁，累遷左司郎中，侍御史，知雜事，以病免。唐明宗時，召拜右諫議大夫，遷中書舍人。新史列傳。應順元年，潞王從珂反，新史唐紀七。自鳳翔以兵犯京師，愍帝出奔衛州，宰相李愚、馮道集百官于天宮寺，將出迎潞王于郊。京師大恐，都人藏竄，百官久而不集。惟導與舍人張昭先至。新史列傳。馮道請導草牋勸進。導曰：潞王入朝，百官班迎新舊史作郊迎。可也；設有廢立，當俟太后教令，豈可遽擬勸進乎？道曰：事當務實，通鑑二百七十九。勸進其可已乎？導曰：今天子蒙塵於外，遽以大位勸人，若潞王守節不回，以忠義見責，其將何辭以對？且上與潞王，皆太后子也，不如率百官詣宮門，取太后進止。新史列傳。

道未及對，會京城巡檢安從進報曰：潞王至矣，安得百寮無班？卽紛然而去。是日，潞王未至，馮道等止于上陽門外，又令導草勸進牋，導執之如初。（新史言：潞王止于上陽門外，道又促導草牋，導對如初。與舊史異。通鑑取舊史，今從之。）李愚曰：舍人之言是也，（舊史列傳。）吾輩之罪，擢髮不足數。（通鑑二百七十九。）導後事晉爲吏部侍郎，天福六年卒。年七十六。（新史列傳。）

曹國珍，字彥輔，幽州固安人也。曾祖藹，祖蟾，父絢，代襲儒素。國珍少值燕薊亂離，因落髮被緇，客于河西延州，高萬興兄弟皆好文辭，（新舊史高萬興傳，祇言萬興兄弟驍勇有武幹，與此異。）爲從事。國珍常以文章自許，求貢禮闈，且掌書奏，期年，入爲左拾遺，累遷至尚書郎。每與人交，傾財無悋，性頗剛僻。經藝史學，非其所長，好自矜衒，多上章疏，文字差誤，數數有之，爲搢紳所誚。高祖在藩時，常通私謁，以兄事之。及卽位，國珍自比嚴陵，上表敍舊，由是自吏部郎中拜左諫議大夫、給事中。（舊五代史列傳。）彰義節度使張彥澤欲殺其子，掌書記張式諫止之。（通鑑二百八十二。）彥澤怒，剖心、決口、斷手足而斬之。式父詣闕訴。國珍伏闕上疏，論彥澤殺式之寃。（新五代史張彥澤傳。）不省。李崧之母薨，遣諸弟護喪，歸葬深州。崧既起復，乃出北郊路隅設奠，公卿大夫皆送喪而出，國珍固爭不行，衆咸推其讜直。高祖晏駕，朝廷以宰臣馮道爲山陵使，及靈輴既發，國珍上疏言：馮道既爲山陵使，不得復入都城，請除外佐，以桑維翰入輔。李崧請罷相位，俾持喪制。少帝覽奏，以所言侵越，出爲陝州行軍司馬。至任悒怏，遘疾，卒。舊史列傳。

後漢

李殷，薊州人也。自後唐莊宗、明宗，晉高祖朝，以偏將遞遷，歷官至檢校司徒，累爲郡守。性沈厚，所莅無苛暴之名。晉少帝禦契丹于澶州，舊五代史列傳。殷率諸軍進發，充步軍左右廂都指揮使。舊史晉少帝紀。還，授鄜州留後，俄加檢校太保。開運中，授定州節度使，將行，啟少帝曰：臣之此行，破敵必矣。左右壯其言。及至郡，威略無聞。敵再至，首納降款。後隨契丹至常山，舊史列傳。麻答舊史作耶律嘉哩。遣其將楊安及殷將千騎攻薛懷讓於洺州。懷讓嬰城自守。安等縱兵大掠。會契丹北遁，麻答被逐，楊安亦遁去，殷以其衆降。通鑑二百八十七。高祖嘉其首赴朝闕，及魏州平，以甘陵乏帥，乃命殷爲貝州節度使，加檢校太傅。乾祐初，卒于鎮。詔贈太師。舊史列傳。

劉晞，涿州人也。父濟雍，累爲本郡諸邑令長。晞少以儒學稱于鄉里，嘗爲唐將周德威從事，後陷于契丹，契丹以漢職縻之。天福中，契丹命晞爲燕京留守，嘗三知貢舉，歷官至同平章事，兼侍中。隨契丹入汴，授洛京留守。舊五代史列傳。會羣盜攻洛陽，晞棄城奔許州。蕭翰遣高謨翰授送晞自許還洛陽，帝發北京，告諭諸道，晞棄洛陽奔大梁，通鑑二百八十七。

舊史漢紀，敘奔東京于還洛之前。列傳于還洛前後，皆言奔東京。按通鑑，還洛在四月，奔大梁在五月。今從之。隨蕭翰北歸，遂留鎮州。漢初，與滿達勒同奔定州，後卒於北蕃。舊史列傳。

劉在明，幽州人，少有膽氣。本州節度使劉守光用爲親信，出爲平塞軍使。守光敗，歸太原，唐莊宗收爲列校。明宗時，爲捧聖左都指揮使、領和州刺史，從幸汴州，至滎陽，聞朱守殷叛，用爲前鋒，至汴城，率先登城。新史朱守殷傳言：守殷反，遣范延光馳兵，傅其城，汴人開門納延光。范延光傳亦言守殷反，延光請騎兵五百，自暮疾馳，至半夜行二百里，戰于城下，遲明，明宗亦馳至，汴兵望見乘輿，乃開門，而延光先入。與此異。賊平，授汴州馬步軍都指揮使。應順初，爲貝州刺史。明年，移趙州，兼北面行營都指揮使，以軍戍易州。清泰末，幽州節度使趙德鈞引軍赴團柏谷，路由易州，取在明軍從。及德鈞敗，在明奔懷州。唐末帝令與萇從簡同守河陽。晉祖至，舊五代史列傳。從簡迎降。新史萇從簡傳。彰聖軍執在明以降。帝釋之，使復其所。通鑑二百八十。事定，出爲單州刺史。天福中，李金全以安州叛，在明從李守貞攻之，大破淮賊，以功授安州防禦使，明年移絳州。楊光遠據青州叛，召爲行營馬步軍都指揮使，領齊州防禦使。青州平，遷相州留後，歷邢州、晉州留後。舊史列傳。通鑑作建雄留後，考新史職方志，晉州唐改曰建雄。天福十二年，契丹入汴，在明朝于契丹，以節度副使駱從朗知州事。通鑑二百八十七。高帝踐阼，舊史列傳。知成德留後，白再榮非將帥才，以在明代之。通鑑二百八十七。乾祐元年，以爲幽州道馬步都部署使。通鑑二百八十八。時契丹守中山，在明出師經略，契丹乃棄城去，遂授鎮州留後。五年，授節度使。以疾卒。贈侍中。舊史列傳。

王保義，本姓劉，名去非，幽州人。少爲縣吏，粗暴無行，習騎射，敢鬬擊。劉仁恭之子守奇善射，惟去非許以爲能。守奇以兄守光奪父位，亡入契丹，又自契丹奔太原，去非皆從之。舊五代史高從誨傳。天祐九年，舊史莊宗紀。莊宗伐燕，守奇從周德威引軍前進，師次涿州，舊史從誨傳。刺史劉知温舊傳作姜行敢。按舊紀：天祐九年，周德威自飛狐東下，會鎮定之師，進營祁溝，次涿州，刺史劉知温以城歸順。與通鑑同。今從之。城守，去非大呼於城下，謂知温曰：河東小劉郎來，爲父討賊，何豫汝事而堅守邪？守奇免胄勞之，知温拜於城上，遂降。通鑑二百六十八。德威害其功，密告莊宗，言守奇心不可保。莊宗召守奇還，行次土門，去非説守奇曰：公不施一兵下涿郡，周公以得非己力，必有如簧之閒，太原不宜往也。公家于梁，素有君臣之分，宜往依之。守奇乃奔梁，梁以守奇爲滄州留後，以去非爲河陽軍司馬。時謝彦章移去非爲郢州刺史。及莊宗平河、洛，去非棄郡歸高季興，爲行軍司馬，新史高季興傳言以爲賓客。仍改姓名。自是季興父子倚爲腹心，凡守藩規畫，出兵方略，言必從之。乾祐元年，高從誨奏爲武泰軍節度留後，依前荆南行軍司馬，加檢校太尉。後卒于江陵。舊史從誨傳。

後周

盧損，其先范陽人也。少學爲文，梁開平初，舉進士，性剛介，以高遠自許，與任贊、劉昌素、薛鈞、高總同年擢第，所在相詬，時人謂之相罵牓。左丞李琪常善待損。琪有女弟眇，長年婚對不售，乃以妻損。損慕琪聲，稱納之。及琪爲輔相，致損仕進。梁貞明中，累遷右司員外郎。舊五代史列傳。唐同光二年，以吏部員外郎同詳定選司長定格循資格十道圖，時有損人吴延皓，取舊名告身求仕，事發，損貶府州司户。舊史莊宗紀。天成初，由兵部郎中、史館修撰轉諫議大夫，屢上書言事，詞理淺陋，不爲名流所知。唐末帝鎮河中，損爲加恩使副，及卽位，用爲御史中丞。拜命之日，以前憲司不能振舉綱領，俾風俗頹壞，乃大爲條奏，有平明放鑰，日出守端之語，爲士人嗤鄙。舊史列傳。清泰元年，奏請以月首入閤五日，起居依舊。又節度使歲薦寮屬，乞行釐革。州縣佐差官充馬步判官，依舊銜前選補。詔從之。舊史唐末帝紀。有頃，誤詳赦書，失出罪人，停任。晉天福中，復爲右散騎常侍，轉祕書監，卽拜章辭位，乃授户部尚書。致仕，退居潁川，慕少保李鏻，服氣導引，乃卜居陽翟，誅茅種藥，山衣野服，逍遥林圃之間。出則柴車鶴氅，自稱具茨山人。晚與同輩五六人于大隗山下疏泉鑿坏爲隱，誓不復出。舊史列傳。周廣順元年，以爲太子少保，依前致仕。舊史周太祖紀。三年卒，年八十餘。贈太子少傅。舊史列傳。

王進，幽州良鄉人也。爲人勇悍，走及奔馬。新五代史列傳。少落魄，不事生業，舊五代史列傳。聚徒爲盜，鄉里患之。新史列傳。符彥超爲河朔郡守，舊史列傳。以賂招置麾下。彥超鎮安遠軍，軍中有變，遣進馳奏京師。新史列傳。明宗賞其捷足，詔隸軍中。洎契丹内寇，戰于膠口，進獨擒六十七人，時漢祖總侍衛親軍，知其驍果，擢爲馬前親校。舊史列傳。漢祖鎮河東，因以之從。每有急遣，進馳至京師，往返不過五六日，由是愈親愛之，累遷奉國軍都指揮使。從周太祖起魏，遷虎捷右廂都指揮使，歷汝、鄭二州防禦使，新史列傳。亦有政聲。俄授相州節度使，爲政之道，頓減于前，議者惜之。顯德元年卒于任，贈檢校太師。舊史列傳。

前蜀

盧延讓，談苑作延遜，漁洋詩話云：宋避讓字故也。字子善，范陽人。唐光化中進士，受朗陵雷滿之辟。滿敗，歸高祖，授水部員外郎，俄遷給事中、十國春秋列傳。翰林、北夢瑣言：盧嘗有詩云：不同文賦易，爲是者之乎。復入翰林，閣筆而已。同列戲之曰：不同文賦易，爲是者之乎。竟以不稱職，數日而罷。學士。避暑録話：唐御膳以紅綾餅餤爲重，昭宗光化中，放進士榜，得裴格等二十八人，以爲得人，會燕曲江，乃令大官特作二十八餅餤賜之，盧延讓在其間。後入蜀爲學士，既老，頗爲蜀人所易，乃作詩云：莫欺零落殘牙齒，曾喫紅綾餅餤來。獻高祖原作王建，今從十國春秋改。詩卷中，有栗爆燒氈破，貓跳觸鼎翻之句。後高祖與潘峭在内殿平章邊事，令宫人於鑪中煨栗，栗爆出，燒損繡褥。高祖多疑，每於鑪中燒金鼎子，惟徐妃二姊妹侍茶湯而已。是夜宫貓誤觸鼎翻。高祖曰：栗爆燒氈破，貓跳觸鼎翻。憶延讓詩有此一聯，先輩裁詩，信無虛境。何光遠鑒戒録。明日超拜工部侍郎，轉刑部侍郎，卒。（十國春秋列傳。）延讓師薛能，爲詩詞，意入癖，吴融大奇之，於公卿間稱譽不已。（唐摭言。）二十五舉，（北夢瑣言。詩話總龜作五舉，十國春秋作三十五舉。）以賦卷擢第。（唐摭言。）卷中有句云：狐衝官道過，狗觸（一作判。）店門開。張濬每稱賞之。又有餓貓臨鼠穴，饞犬舓魚砧之句，爲成汭所賞。（北夢瑣言。）及高祖時，復以詩語巧合擢用。（十國春秋列傳。）延讓嘗謂人曰：平生投謁公卿，不意得力於貓兒狗子。人聞而笑之。（北夢瑣言。）

定遠方孝傑校

人物志十五

雜人下

黃岡洪良品纂 江陰繆荃孫覆輯

宋

趙安易 劉審瓊 劉廷讓

楊崇勳 劉重進

遼

趙徽 楊遵勗 耶律儼

金

韓常 劉筈 劉樞

馬諷 王蔚 孫卽康

劉頍　完顏霆　李蹊

宋珪

元

王實喇

明

楊善　張敏　殷謙

周壽子琰　弟彧　弟吉祥　鄧璋　施純

張綸　史道　趙錦

李偉子文全　文貴　文進　文全子銘誠　銘誠子國　冉興讓梁邦瑞

方從哲　馮三元　張維孫隆　金忠

李壽

國朝

馬光遠　馮銓　孫承澤
劉餘祐

宋

趙安易，字季和，普弟。初爲府州録事參軍，遷河南推官。折德扆言其清。（宋史附趙普傳。）會普居相位，十年不赴調。（宋史列傳。）太平興國中，拜監察御史，知興元府，轉殿中侍御史，賜緋魚袋。（宏簡録。）先是，兩川民輸税者以鐵錢易銅錢，（宋史列傳。）鐵錢十納銅錢一。時銅錢已竭，民甚苦之。商賈争以銅錢入川界，與民互市。銅錢一，得鐵錢十四，物價滋長，鐵錢彌賤。（宋食貨志。）安易言其非便，請許納鐵錢。詔從之。九年，起拜宗正少卿，知定州。會以曹璨知州，徙安易爲通判，未幾代歸，又表外任，命知耀州，留不遣，命按視北邊事。（宋史列傳。）淳化二年，安易言：嘗使蜀，見所用鐵錢至輕，市羅一匹，爲錢二萬，堅請改鑄一當十大錢。御書錢式，遣詣川陝路諸州冶鑄，所在並爲御書錢監。諸州舊貯小鐵錢，悉輦送官，民間小錢，許送監計數，給以大錢，若改鑄未集，許民大小兼用。（宋食貨志。）下都省集議。（宋史列傳。）衆皆以爲不便。（宋食貨志。）而安易論請不已。仍募工鑄大錢百餘進之，極其精好。俄墜殿階，皆碎。太宗不之詰，猶嘉其用心，賜以金紫，且遣其典鑄。既而大有虧耗，（宋史列傳。）一歲纔成三千餘貫，（宋食貨志。）衆議喧然，（宋史列傳。）遂罷冶鑄。五年，安易復請，不許。（宋食貨志。）歷知襄、廬二州，遷宗正卿。時屬籍未備，奏請纂録命，與梁周翰同修。（宏簡録。）安易略涉書傳，性强狠，好談世務，而疏濶不可用。初，太祖嘗問農政。安易請復井田之制。又以其家本燕薊，多訪以邊事。景德初，（宋史列傳。）詳定明德皇太后立主升祔，與判院孫何議論往復。（宏簡録。）何等上言：安易荒唐庸昧，妄有援引，以大功之親，比三年之制，欺罔君上，乃至於斯。况安易以訐直自負，所詆者無非良善。以清要自高，所尚者無非鄙俗。名宦之志，老而益堅，詩書之文，懵而不習。本院所議，並明稱典故，旁考時宜，雖曰從權，粗亦稽古，請依元議施行。從之。安易又屢言陵廟事，詞多鄙俚。（宋史列傳。）晚歲進趨不已，時論嗤之。卒，年七十六。子承度，國子博士。孫從政，奉禮郎。（宏簡録。案宋史作太常寺奉禮郎。）

劉審瓊，涿州范陽人。家素貧。漢乾祐中，（宋史劉審瓊傳。）湘陰公贇爲徐州節度使。（舊五代史湘陰公贇傳。）審瓊始隸帳下。周祖受命，遁去，依永興軍節度使劉詞，頗委任之。詞卒，屬太祖節鎮，給事左右。及受周禪，補殿直，從平澤潞，改供奉官。開寶中，累遷至軍器庫使。（宋史列傳。）樞密使李崇矩與宰相趙普厚相交結，有鄭伸者，客崇矩門下。崇矩知其險詖無行，待之漸薄。伸怨恨，撃登聞鼓，告崇矩受太原人席羲叟黃金，私託翰林學士扈蒙與羲叟甲科，續資治通鑑四。引審瓊爲證。宋史列傳。帝大怒，召審瓊詰問。審瓊具言其誣。帝怒稍解，續資治通鑑。遂出知鎮州。宋史列傳。太平興國四年，續資治通鑑。按：宋史作七年。考太宗征河東，係四年事，今依資治通鑑、稽古録改正。正月庚寅，詔先遣潘美將兵伐河東。三月庚辰朔，至真定，稽古録。駐蹕月餘。審瓊儲偫無闕，遷領檀州刺史，知潭州。州素多火，日調民積水爲防，民甚勞之。審瓊至，悉罷之，以爲民便。宋史列傳。徙知河陽，遷坊州刺史。涿州吴志。年八十餘，筋力不衰，鬚髮黳黑，至道三年卒於官。宋史列傳。

劉廷讓，字光乂，其先涿州范陽人。宋史列傳。滄州節度守文之孫。一統志。按：宋史本紀，太祖伐蜀，有劉光義。太祖拒遼，有劉廷讓。又考列傳，劉廷讓本名光義，後避太宗諱，更名，因即以原名爲字，而改義從乂，史特未之詳耳。薛應旂以光義、廷讓爲兩人，殊失考核。父延進，避守光之亂，與廷讓皆南奔。廷讓少有膂力，隸周祖帳下。宏簡録百二十二。廣順初，補内殿直押班，累遷龍捷都校。從世宗征淮南，以功領雷州刺史，再遷浩州團練使，領鐵騎右廂。宋初，轉江州防禦使，領龍捷右廂。從征李筠，爲行營先鋒使。宋史列傳。建隆二年，改侍衛馬軍都指揮，領江甯軍節度使。宏簡録。乾德二年，興師伐蜀，命王全斌爲西州行營都部署，廷讓副之。按：原作光義，今改。將步騎六萬，分道伐蜀。通鑑輯覽七十二。廷讓及彬等由歸州進，入境連破松木、三會、巫山等砦，獲蜀將南光海，擒戰櫂指揮袁德宏，奪戰艦三百餘艘，俘水軍三千人。因渡南岸，復斬首三千餘級。宏簡録。初，夔州有鏁江爲浮梁，上設敵棚三重，夾江列礮具，廷讓等行，帝示以地圖，指鏁江曰：我軍泝流至此，慎勿以舟師爭勝，當先以步騎陸行襲擊之，俟其勢却，卽以戰櫂夾攻，取之必矣。及師至夔，距鏁江三十里，舍舟步進，先奪浮梁，復牽舟而上。宋史紀事本末。守將高彥儔宋史列傳。謂監軍武守謙曰：北軍涉遠而來，利在速戰，不如堅壁以待之。彥儔力戰，不勝，自焚死。後數日，廷讓得其骨於灰燼中，以禮葬之。宋史紀事本末。遂進克萬、施、開、忠四州，峽中郡縣悉下。次遂州，守將陳愈率吏民來降，遵命出府庫金帛以犒將士。宏簡錄。初，出師，太祖命之曰：所得郡縣，當傾帑藏爲朕賞戰士，國家所收唯土疆爾。故人皆効命，所至成功。蜀平，王全斌等皆坐縱部下掠奪子女玉帛，及納賄賂左降，惟廷讓秋毫無犯。宋史列傳。及全師雄作亂，郡縣爭應，崔彥進、高彥暉等爲師雄所敗。通鑑輯覽。廷讓又與曹彬破之，以功改領鎮安軍節度，宋史列傳。征太原，拜鎮甯軍節度使。太宗召爲右驍衞上將軍。北征失律，罷節鎮，居環列。既而契丹擾邊，議遣將，因擢知雄州，徙瀛州，爲兵馬都部署。宏簡錄。是冬，契丹數萬騎來侵，廷讓與戰君子館，時天大寒，兵士弓弩皆不能彀。契丹圍廷讓數重。宋史列傳。初，廷讓分精兵屬李繼隆爲後殿，令緩急相援，及是繼隆退保樂壽，廷讓一軍皆没，僅以數騎獲免，詣闕待罪。上知爲繼隆所誤，不之責，復命知雄州。有疾，求歸京師，不俟報，遽離屯所。帝怒，下臺按問，削秩配隷商州，遂怏怏不食，終于華州。年五十九。宏簡錄。帝録其舊勳。贈太師。（宋史列傳。）

楊崇勳，字寶臣，薊州人。（按東都事略五十，作蘇州人，而宋史、宏簡録、薊州志，皆作薊州人，今從之。）祖守斌，事太祖爲龍捷指揮使。父全美，事太宗爲殿前指揮使。（宋史列傳。）崇勳初蔭爲東西班承旨，事真宗於東宮。（宏簡録百二十八。）真宗爲開封尹，呼通衢中鐵盤寺一瞽者，令張耆、夏守斌及崇勳左右數輩，揣聽聲骨，因以爲娱。（玉壺清話六。）帝嘗曰：聞若嗜學，吾授若書。崇勳自是稍通兵法，及前代廢興之事。（宋史列傳。）真宗卽位，授左侍禁、（東都事略五十。）西頭供奉官、寄班祇候。（宏簡録。）雷有終討王均，（宋史列傳。）斬其首，獲僭僞法物旌旗、甲馬甚衆，擒其黨六十餘人。賊既平，遣崇勳乘傳告捷，賜崇勳錦袍、銀帶、器幣，（宋史雷有終傳。）擢内殿崇班，累遷西上閤門使、羣牧都監，改副使，以左衛大將軍、恩州刺史爲樞密都承旨，尋提舉樞密諸房、通進銀臺司事。（宋史列傳。）未幾，領英州防禦使。（宏簡録。）寇準罷相，真宗寢疾，仁宗在東宮。（東都事略。）宦者周懷政，東宮官也，陰謀奉帝爲太上皇，而傳位太子，殺丁謂而復相準。崇勳以其謀告謂，謂卽微服夜乘犢車，挾崇勳詣曹利用議，明日以聞。（通鑑輯覽。）遂誅懷政，擢崇勳鄧州觀察使，辭不拜，以内客省使、桂州觀察使兼羣牧使屬。天下久罷兵，有言鬻廐馬者，崇勳曰：馬者兵之用，而戰之備也，雖無事，其可去耶！議遂格。（東都事略。）仁宗卽位，歷馬軍副都指揮使、殿前都指揮使、振武軍節度使，拜宣徽南院兼樞密副使。宮中火，爲修葺副使。（宋史列傳。）

嘗詣中書白事，而崇勳穿泥鞾登政事堂。宰相王曾劾其失。詔送宣徽院問狀。翼日，曾請傳詔釋其罪。章獻后問其故。曾曰：崇勳武臣，不知朝廷之儀，舉奏者，宰相所以振紀綱，寬釋者，人君所以示恩德，如此則仁愛歸於上，而威令肅於下矣。東都事略。章獻與仁宗言：先帝最稱崇勳質信，可任大事，乃進樞密使。宋史列傳。坐上章懿后册，邀宰相張士遜過園亭飲酒，中丞范諷劾罷，以同平章事領節河陽三城判許州，改陳州。宏簡錄。崇勳性貪鄙，在藩鎮日，嘗役兵工作木偶戲人，塗以丹白，舟載鬻於京師。宋史列傳。喜中傷人，每對上，輒肆言中外事，人以是畏之。宏簡錄。既加使相，而論者以爲寵太過。周懷政之弟懷信訟崇勳誣其兄，乃罷平章事，知壽州。東都事略。契丹將渝盟，朝廷選將備邊，復拜同平章事，判定州。以老不任事，徙成德軍，又徙鄭州。宏簡錄。坐其子宗誨納賕枉法，以左衛上將軍致仕，改太子太保，卒。宋史列傳。年七十，贈太尉，有司謚曰恭密，詔更爲恭毅。崇勳口給狡桀，而於御軍頗有法。東都事略。

劉重進，幽州人，本名晏僧。梁末隸軍籍，善譯語，無他才能。值契丹入中原，宋史列傳。晉主事契丹甚謹，奉表稱臣，吉凶慶弔，歲時贈遺玩好珍異，相繼於道。通鑑二百八十四。重進以習契丹語，應募使北邊，改右班殿直，因賜是名。遷西頭供奉官。再使契丹，契丹主以其敏慧，留爲帳前通事。宋史列傳。契丹滅晉，新五代史晉出帝紀。署重進忠武軍節度。漢初，移鎮鄧州。

漢法禁牛革甚，嚴州民崔彥、陳寶選八人自本鎮持革詣漢祖廟鞔鼓，重進杖遣之，判官史在德謂重進不善用法，宜置極典。及大理刑部詳覆，重進所斷爲是，在德坐故入，杖死之。乾祐末，罷鎮來朝。（宋史列傳。）漢主聞郭威舉兵南向，議發兵拒之。聞郭威已至河上，復遣重進帥禁軍與侯益等會屯赤岡。（通鑑二百八十五。）威至封邱，人情洶懼，稍稍降於北軍。重進潛往，見郭威，威各遣還營。（通鑑紀事本末。）周廣順初，從征兗州，（宋史列傳。）設長圍。慕容彥超屢出戰，皆擊敗之，（通鑑紀事本末。）封薛國公。俄召爲右神武統軍，累加檢校太師。世宗南征，爲右廂排陣使。顯德三年，（宋史列傳。）帝詷知揚州無備，（通鑑二百八十六。）遣韓令坤與重進（宋史列傳。）將兵襲之，（通鑑二百八十六。）以數騎馳入城，城中不之覺。（通鑑紀事本末。）又爲先鋒都部署，（宋史列傳。）攻唐泰州，拔之，刺史方訥奔金陵。（通鑑紀事本末。）初，楊行密子孫居海陵，號永寧宮。周師渡淮，盡爲李景所殺。重進入其家，得玉硯、玉杯盤、水晶盞、碼碯椀、翡翠瓶以獻。俄命判廬州，行府事，兼行營都部署。敗淮人千餘於州境。及世宗再巡，（宋史列傳。）渡淮抵壽春城下，軍於紫金山，南擊唐先鋒寨及山北一寨，皆破之。（通鑑二百八十七。）重進殺三千餘衆。（宋史列傳。）由是唐兵首尾不能相救。（通鑑二百八十七。）及下壽州，以功授武勝軍節度使。淮南平，改鎮邠州。世宗北征，爲先鋒都指揮使。關南既復，宴諸將於行宮，議取幽州。諸將以爲虜騎皆聚幽州之北，未宜深入。上不悅，是日趣重進先發，據固安。宋初封燕國公，建隆二年，授右羽林統軍。乾德五年，改左領軍衛上將軍。嘗從幸玉津園，太祖召與語，既退，謂左右曰：觀重進應對，不逮常人，前朝以爲將帥，何足重耶！六年，卒。年七十。宋史列傳。

遼

趙徽，南京人。遼史列傳。重熙五年，興宗親試進士，賦以日射三十六熊爲題，賜徽及第，授右補闕，累遷大理正。宏簡録二百十。清甯二年，銅州人妄毁三教，徽按鞫之，以狀聞，稱旨。歷煩劇，有能名，累遷翰林學士承旨。咸雍初，爲度支使。三年，拜參知政事，出爲武定軍節度使。及代，軍民請留。遼史列傳。太康元年，由樞密院同知進南府宰相，兼門下侍郎平章事。二年，致仕，卒。追贈中書令，謚文憲。宏簡録。

楊遵勖，字益誠，涿州范陽人。重熙十九年登進士第，調儒州軍事判官，累遷樞密院副承旨。咸雍三年，爲宋國賀正使，還，遷都承旨。遼史列傳。簿書叢委，遵勖一目五行俱下，剖決如流，敷奏詳敏。上嘉之，奉詔徵户部逋錢，得四十餘萬緡。拜樞密直學士，改樞密副使。宏簡録百二十。太康初，參知政事，徙知樞密院事兼門下侍郎平章事，拜南府宰相。耶律伊遜原作乙辛。誣太子，詔遵勖與雅克，原作燕哥。案其事，遵勖不敢正言，時議短之。尋拜北府宰相，遼史列傳。大安中，暴卒。年五十六。贈守司空，謚康懿。子晦，終昭文館學士。宏簡録。

耶律儼，字若思，析津人，本姓李氏。父仲僖，重熙中始仕，清甯初，同知南院宣徽使事。四年，城鴨子、混同二水閒，拜北院宣徽使。咸雍初，坐誤奏事，出爲榆州刺史。俄詔復舊職，遷漢人行宮都部署，遼史列傳。賜姓耶律，封韓國公。九年，改南院樞密使。宏簡録二百十。時樞臣伊遜原作乙辛。等遼史列傳。以事誣皇后，皇后既死，伊遜不自安，又欲害太子。遼史姦臣傳。詔與仲僖同鞫，蔓引無辜，未嘗雪正，遂得薦拔，拜廣德軍節度使。尋卒。謚欽惠。宏簡録。儼儀觀秀整，好學，有詩名，登咸雍進士第，守著作佐郎，補中書省令史，以勤敏稱。太康初，歷都部署判官、將作少監。後兩府奏事，論羣臣優劣，唯稱儼才俊，改少府少監，知大理正，賜紫。六年，遷大理少卿，奏讞詳平。明年，升大理卿。丁父憂，奪服，同僉部署司事。遼史列傳。大安初，爲景州刺史，繩胥徒，禁豪猾，善政流播，郡人刻石頌德。畿輔唐志七十一。二年，改御史中丞，詔案上京滯獄，多所平反。擢宣徽院事，仍提點大理寺。六年冬，改山西路都轉運使，刮剔垢弊，奏定課額，益州縣俸，給事皆施行。壽隆初，以母憂去。召復舊職。宋攻夏，李乾順遣使求和解，帝命儼如宋，平之。還，拜參知政事。六年，駕幸鴛鴦濼，召至内殿，訪以政事。道宗晚年倦勤，用人不能自擇，令各擲骰子，以采勝者官之。宏簡録。儼嘗得勝采。上曰：上相之徵也。遷知樞密院事，賜經邦佐運功臣，封越國公，修皇朝實録七十卷。帝大漸，儼與北院樞密使阿蘇（原作阿思。）同受顧命。乾統三年，徙封秦國。六年，封漆水郡王。天慶中，以疾，命乘小車入朝。疾甚，遣太醫視之。薨，贈尚父，謚曰忠懿。（遼史列傳。）儼爲人性素廉潔，一介不取於人，經籍一覽成誦。然專務逢迎，善伺人主意，固結上心，他勿恤也。（宏簡録。）妻邢氏，有美色，嘗出入禁中。儼教之曰：慎勿失上意。由是權寵益固。（遼史列傳。）人以是薄之。從子處温，（宏簡録。）自有傳。

金

韓常，字元吉，燕山人也。父慶和，在遼爲統軍。太祖入燕，常隨父降，俱受千户。慶和入侵江南，累戰有功，後授副統，屯真定，正授雄州觀察使。（大金國志列傳。）常善射，以挽强見稱，射必入鐵。（大金國志列傳。）守慶源，見小民有衣犢鼻者，亦責以漢服，斬之。（大金國志本紀五。）宗弼渡江，常爲先鋒，至湖南，與向子諲戰。子諲不能敵，攻圍八日，城破。宗弼自江黄南渡，令常竟趨衢信，以爲援兵。宗弼攻明州，常以兵從，與張俊戰于高橋，俊遁。宗弼自江南歸，論功仍陞爲萬户都統，屯河中府。未幾隨之陜西，（大金國志列傳。）與張浚戰于富平。宗弼陷重圍中。流矢中常目，怒拔去，其矢血淋漓，以土塞創，躍馬奮呼搏戰，遂解圍。金史宗弼傳。以此受知於宗弼。首尾陝西凡數年，必隨從。其後順昌之戰，常在白龍洲渦下寨，距城三十里。宋劉錡以千餘騎擊之，衆頗死傷。宗弼既敗，大金國志列傳。至陳州，數諸將之罪，自常以下皆鞭之，于是復以常守許州。大金國志本紀十一。按列傳作以常守潁昌府，微異。方宗弼未南征之先，常爲濬州守。一日與其判官宮茵論南北兵戰之事，茵曰：此非南之所能敵。蓋諛之也。常曰：不然。今昔事異，昔我强彼弱，今我弱彼强，所幸者南人未知北間事耳。至順昌之敗，其言果驗。大金國志列傳。

劉筈，大興宛平人，彦宗次子。幼時以廕隸閤門，不就，去，從學。遼末調兵，而筈在選中。遼兵敗，左右多散亡，乃選筈爲扈從，授左承制。遼主西奔，蕭妃攝政，賜筈進士第，授尚書左司員外郎，寄班閤門。天輔七年，太祖取燕，筈從其父兄出降，遷尚書左司郎中，金史列傳。至殿中少監。太祖崩，宋、夏遣使弔慰，凡館見禮儀，皆筈詳定。遷衛尉少卿、西上閤門使，仍從事元帥府，得便宜從事。凡約束、廢置，及四方號令，多從經畫焉。天會二年，遷太常少卿、東上閤門使。宏簡録二百二十八。從宗翰伐宋，圍太原，遷衛尉卿，權簽宣徽院事。四年，授左諫議大夫。秋，復南征，權中書省樞密院事。金史列傳。父憂，起復，直樞密院，加給事中。七年，爲禮部侍郎。十年，改彰信軍節度使。天眷二年，轉左宣徽使。熙宗幸燕，法駕儀仗，討論爲多。宏簡録。皇統二年三月，遣筈以袞、冕、圭、册，册宋康王爲帝。金史熙宗紀。按列傳作六年充江南封册使。既至臨安，而宋人牓其居曰行宮。筈曰：未受命而名行宮，非也，請去牓而後行禮。金史列傳。宋人欲結以厚賄，不顧。五年，爲行臺右丞相，兼判左宣徽事，留京師。宏簡録。或請釐革河南官吏之濫雜者，筈曰：廢齊用兵江表，求一切近效，其所用人，不必皆以章程，故有不由科目而爲大吏，不試弓馬而握兵柄者。今撫定未久，姑收人心，奈何爲是紛更也！遂仍其舊。七年，帥府議於館陶築三城，金史列傳。有警，即令北軍入居之。筈曰：今天下一家，孰爲南北？設或有變，軍人入城，獨能安無恙耶？惟當嚴示武備，以察奸宄，無徒分別彼此之間。時秦人在夏國者數千，皆願來歸。諸將約以河外三州賜之。宏簡録。筈曰：三小州不足爲輕重，恐失朝廷大信。且秦人之在蜀者，倍多於此，何獨捨彼而取此乎？遂從筈議。陝西邊帥請完沿邊城郭，以備南寇。筈曰：我利車騎，而不利城守，今城之，則勞民而結怨，況盟已定，豈可妄動！遂罷之。九年八月，金史列傳。以筈爲司空行臺右丞相如故。金史熙宗紀。九月，拜平章政事，封吳國公。天德元年，改封滕王。二年，拜右丞相兼中書令，進封鄭王。宏簡録。以疾求解政務。授燕京留守，進封曹王。筈自爲宣徽使，以能得悼后意，致位宰相。海陵即位，意頗鄙之。金史列傳。居數月，乞致仕。詔曰：不爲暗於臨事，不爲諂於事君，未許告歸，姑從解職。筈因是慚懼，卒。宏簡録。年五十八。金史列傳。

劉樞，字居中，通州三河人。少以良家子從軍，屯河間，同輩皆騎射，樞獨刻意經史。金史列傳。天眷二年，成進士，仕唐山縣主簿，轉飛狐令。三河陳志。時蔚州刺史恃功貪汙，無所顧忌，屬邑皆厭苦之。樞一無所應，乃摭以他事繫獄，將致之死。金史列傳。會廉察使至，得直抵刺史并卒以下罪。宏簡録二百三十六。獨樞録治狀，入優等，躐遷奉直大夫。金史列傳。張浩營建燕京宮室，選樞分治工役，遷刑部員外郎，鞫治太原尹圖克坦額呼楚克原作徒單阿里虎出。反狀，旬日獄具。轉工部郎中，宏簡録。進本部侍郎。正隆末，從軍還自江上。大定初，出爲西京路轉運使事。初，世宗欲復用樞等，御史臺奏：樞等在正隆時，皆以巧進敗法、蠹政，人多怨嫉之。上以樞等頗幹濟，猶用之。戒之曰：能悛心改過，必加升擢，不然則斥汝等矣。是時珠勒根彦忠爲南京轉運，不嫺吏事，故用樞以佐之，遷山東路轉運使，金史列傳。又轉中都路轉運使。大定四年卒於官。三河陳志。

馬諷，字良弼，大興漷陰人。一統志。隨燕入宋，游學汴梁，登宣和六年進士。宗翰克汴京，諷來歸。宏簡録二百三十七。皇統初，復登進士，一統志。調蔚州廣靈丞，遷雄州歸信令。境有河曰八尺口，每秋潦漲溢，害民田。諷視地高下，疏決之，其患遂息。召爲尚書省令史，除獻州刺史。天德初，改甯州。民有告謀不軌者，株連數十百人。諷察其無狀，乃究問告者。告者具伏其誣。衆歡呼感泣。再遷南京副留守，入爲大理少卿。是時高禎爲御史大夫，金史列傳。久在臺，彈劾無所避，每對必以區別流品、進善退惡爲言，當路者忌之。金史高禎傳。乃以諷及張忠輔爲中丞。金史列傳。二人皆險詖深刻，欲令以事中禎，金史高禎傳。與禎不能絲髮相假借。禎畏其害己，因訴於海陵。海陵以禎太祖舊臣，每慰安之。諷改大理卿，歲餘，出爲順天軍節度使。大定二年，復爲大理卿，遷刑部尚書，改忠順軍節度使。致仕，卒。金史列傳。

王蔚，字叔文，香河人。一統志。登皇統二年進士第。金史列傳。性通敏，曉析吏事，調良鄉丞，治績優等。宏簡録二百三十六。補尚書省令史，知管差除。尋授都事，以喪去。起復，行左司員外郎，遷郎中。金史列傳。世宗卽位，御史劾奏：蔚與工部侍郎劉樞、右司員外郎王全，在正隆時，皆以巧進敗法蠹政，人多怨疾。宏簡録。大定二年，起受河東北路轉運使。上猶欲用，使諭旨曰：汝在海陵時，行事多不法，然朕素知爾才幹，欲授以内除，而憲臺有言，以是補外，如能澡心易行，必當升擢，否則勿望再用。既而廉察爲第一，授中都路都轉運使。金史列傳。入爲吏部尚書，以斷護衛出職事不當，奪官一階。復出，知河中府事，遷南京留守。宏簡録。十五年，拜參知政事，蔚懇辭不任負荷。敕諭之曰：卿但履正奉公，無或阿順，何以辭爲！十六年，出知真定府事，累轉知河中府。明昌元年，召拜尚書右丞，致仕，卒。金史列傳。

孫卽康，字安伯，先世滄州，當石晉末，占籍析津。卽康登大定十年進士，累除尚書省令史。章宗爲相，識之；卽位，遷户部員外郎。宏簡録二百二十八。明昌三年，同鹽司官議：軍民犯私鹽，三百里内者鹽司按罪，遠者付提點所，皆徵捕獲之，賞於販造者。明安穆昆部人煎販及盗者，所管官論贖，三犯杖之，能捕獲則免罪。又濱州渤海縣永和鎮去州遠，恐藏盗及私鹽，可改爲永豐鎮與曹子山村各創設巡檢，山東、寶坻、滄州鹽司判官乞陞爲從七品，用進士。上命明安穆昆杖者再議，餘皆從之。金史食貨志。除耀州刺史，入爲吏部左司郎中。上謂宰臣曰：孫卽康向爲省掾，言語拙訥，今才力大進，非向時比也。宰臣因曰：卽康年已高，幸及早用之。上問：年幾何矣？對曰：五十六歲。上復問：其才何如張萬公守貞？對曰：卽康過之。金史列傳。上曰：視萬公稍爲通耳。乃遷御史中丞。鞫問鎬王永中事，宏簡録。永中父子皆死，時論冤之。金史列傳。頃之，遷泰甯軍節度使，改知延安府事。承安五年，上問司空襄：今漢官誰可用者？因舉卽康。宏簡録。上乃復召爲御史中丞。泰和三年，除參知政事。明年，進尚書右丞。六年，宋渝盟有端，大臣猶以小盗竊發不足恤，卽康以爲必當用兵。上以爲然。金史列傳。復進左丞。上問：本朝太宗廟諱同音字，有讀作成字者，既非同音，便不當缺點畫。唐太宗諱世民，偏傍犯如葉字作菜字，泯字作氓字，今太祖諸子避睿宗廟諱，名上皆加山爲崇字，其下却有本文。卽康乃擬熙宗廟諱，從面、從且。睿宗廟諱上字依蘭亭帖示作未字。世宗廟諱從系。顯宗廟諱，如統傍之充，正犯字形，止書斜畫。沇字、銃字各從口爲兊、悦，自此不勝曲避矣。與宋議和，進官一階。在任無所救正。宏簡錄。舊制，尚書令史考滿優調，次任同降。會崔建昌已優調興平軍節度副使，未同降，卽除大理司直。詔知除郭邦傑、李蹊杖七十，勒停左司員外郎；高庭玉決四十，解職；卽康待罪，有詔勿問。金史列傳。衛紹王卽位，進拜平章政事，封崇國公。時論病其阿諛詭隨，驟取相位，以斗筲目之。大安三年致仕，卒，遣使致祭。宏簡錄。

劉頍，字元矩，金史列傳。大興宛平人。金史劉彥宗傳。以大臣子孫充閤門祇候，調莘縣令，召爲承奉班都知，遷西上閤門副使，兼宮苑令。金史列傳。由西上閤門副使遷閤門使。泰和二年，宋盱眙軍，報明年賀正旦使魯館、楊明輝。及過界，副使乃王處久。入見，魯館上殿，又不雙跪。詔頍就閤詰問。先報名銜。楊明輝後改王處久，故不及報。館拜時並雙跪，因足有疾，似單跪者。宏簡錄二百二十八。初，南苑有唐舊碑，書貞元十年御史大夫劉怦葬。上見之，曰：苑中不宜有墓。頍家本怦後，詔賜頍錢三百貫改葬之。三遷右宣徽使。貞祐二年，轉左宣徽使。明年致仕，遷一官。上曰：卿舊人也，今朝廷多故，豈宜去位？朕自東宮薨後，思慮不周，俟稍甯息，卽以上郡處卿。金史列傳。頃乃起知開封，再請老。未半歲，復爲御史中丞，詔安撫河南路。捕盜賊，坐叢飲解職。復起爲太子詹事，遷太子少師。宏簡録。詹事院欲闢廣東宮周牆，頻請於皇太子曰：師旅饑饉之際，何爲興此役？遂止。尋卒。金史列傳。

完顔霆，本姓李，名二措，中都寶坻人。粗知書，善騎射，輕財好施，得鄉曲之譽。貞祐初，縣人共推爲四鄉部頭，招集離散，糾合義兵，衆賴以安。招撫司奏其事，遷霆兩官。與弟雲率衆數千，巡邏固安、永清間。遥授寶坻縣丞。光義軍都統劉璋説霆使出降，霆縛送經略司。遷三階，攝寶坻令，陞都提控，遥授同知通州軍州事。宏簡録二百三十二。中都食盡，霆遣軍分護清滄河路，召募賈船，通餉道，遥授同知清州防禦事。從河北路宣撫使完顔仲元保清滄，遥授通州刺史，河北東路行軍提控，佩金牌。金史列傳。金牌，舊制：非宣撫副使不得佩，蓋特典也。寶坻洪志。仲元奏：臣軍三萬，管軍官三人皆至五品，乞各賜金牌。金史列傳。廷議霆輩忠勇絶人，遂與之。宏簡録。改大名路提控，復取玉田、三河、香河三縣。金史列傳。副將孫江以滄州降於王檝，將兵圍觀州。寶坻洪志。霆乃詐作書與孫江，約同取滄州者。王檝得其書，果疑孫江與霆有謀，召江還，殺之。霆乃定觀州而還。進官三階，充濱棣行軍都提控。未幾，遥授同知益都府事，知宣差都提控，遷棣州防禦使，賜姓完顔氏，屯海州。俄權單州經略司事，充宣差總領提控。金史列傳。興定元年四月，濟南、泰安、滕、兗等州土寇蠭起，肆行剽掠，（宏簡錄。）東平行省侯摯，遣霆率兵討之，（金史列傳。）招降石花五、夏全餘黨二萬人，老幼五萬口。兗權海州經略副使。紅襖賊于忙兒寇海州，霆擊走之。二年，宋高太尉兵二萬駐朐山，霆軍乏糧，采野菜麥苗雜食之。宋兵柵朐山下，隔湖港，霆就港中作暗橋，遣萬户胡仲珪、副統劉贇率死士由暗橋登山，霆率兵四千人趨山下，約以昏時舉火爲期，上下夾擊，宋兵大敗，墜澗溺水死者不可勝計。斬高太尉彭元帥於陣，餘衆潰去。（宏簡錄。）遷安化軍節度使，經略副使如故。以其子爲符寶典書。四年，改集慶軍節度使兼同知歸德府事。五年，改定國軍節度使兼同知京兆府事，擢其子爲護衛。（金史列傳。）元光元年，宣宗立，行省博索（原作白撒。）奏，京兆南山，密邇宋境，官民遷避其間者無慮百萬人，可遣官鎮撫，庶幾不生他變。十月，霆以本官爲安撫守，同知歸德府，惟宏大司農丞郭皓爲副使，分護百姓之遷南山者。明年卒。（宏簡錄。）

李蹊，字貫之，大興人。少擢第，通吏事，能官。南渡爲左司郎中，遷吏部侍郎，爲蒲察合住所陷，下獄當死，詔釋之。後爲大司徒。正大初，拜參知政事，進左右丞，專掌財賦。（歸潛志六。）三月，北兵迫南京，上下震恐，（歸潛志十一。）封荊王子額爾克爲曹王，議以爲質，命蹊送曹王出質。（金哀宗紀。）時京師被圍數月，倉廩空虛，坐糧不給，下獄。已而免死，除名。（歸潛志十一。）久之，起爲工部尚書，權知政事。（歸潛志六。）十二月丙子朔，以事勢危急，甲申，詔議親出，以蹊權尚書左丞，率軍扈從。金宣宗紀。河北潰兵至歸德，知府實嘉紐勒歡原作石盞女魯歡。以軍衆食寡，懼不能給，請於上，令就糧徐、宿、陳三州，惟留官努忠孝軍四百五十與馬用軍七百人于府中。官努既總兵柄，私與國用安謀，欲邀上幸海州。紐勒歡復沮之。官努遂萌異心。蹊言官努有反狀。宏簡録二百四十八。戊辰，官努以忠孝軍爲亂，遂殺蹊。金哀宗紀。二年正月，京城西面元帥崔立與其黨韓鐸、藥安國等降元。蹊舊以取積聞，其妻子皆被榜掠拷訊死。歸潛志十一。

宋珪，本名乞奴，燕人也。爲内侍殿頭，金史列傳。與潘守恒素號知書識大體，南渡後，規益甚多。宏簡録二百四十八。宣宗嘗以元夕欲觀燈戲，命乞奴監作。乞奴誶語云：社稷棄之中都，南京作燈戲，有何看耶！宣宗微聞之，杖之二十。既而悔之，有旨宣諭。哀宗放鷂逸去，敕近侍追訪之。市中一農民臂此鷂，金史列傳。百方求索，不與。易以物直，乃得。欲送有司治罪，宏簡録。乞奴從旁諫曰：貴畜賤人，豈可宣示四方！哀宗惡其大訐，又杖之。金史列傳。尋亦悔，賜物慰遣。宏簡録。及哀宗至歸德，馬軍元帥富察官努金史列傳。以忠孝軍爲亂，殺尚書左丞李蹊、參知政事實嘉紐勒歡、點檢圖克坦、長樂從官已下三百餘人。金哀宗紀。哀宗不得已，以官努權參知政事。金史列傳。官努以上居照碧堂，禁羣臣，無一人敢奏對者。上日悲泣，言曰：自古無不亡之國，不死之主，但恨朕不知用人，致爲此奴所囚耳？遂與珪等謀誅官努。（金哀宗紀。）官努往亳州，珪與奉御烏克遜、（原作烏古孫。）愛實納喇、（原作蘭。）奇塔特（原作乞答。）密定謀計，令裴滿抄合召進議事，（宏簡録富察官努傳。）官努入見，珪等卽從旁殺之。及蔡城破，（金史列傳。）城中軍不能禦，帝自縊于幽蘭軒。（金哀宗紀。）珪與完顏色埒默、焦春和皆從死。（金史列傳。）

元

王實喇，（原作昔剌。）保定人。初事世祖，以其有勇略，遂賜名實喇巴圖。（原作昔剌拔都。畿輔唐志七十一。）從攻釣魚山及額埒布格，累功賜金符，授武衛親軍千户。中統三年，從征李璮於濟南，屢捷。四年春，元帥阿珠駐兵河南，遣實喇將蒙古漢軍復立宿州。至元六年，賜虎符，升海州萬户。引兵攻鹽林山寨，多所俘獲。十年，授東川行樞密院同僉。十五年，征夔府有功。十六年，徙鎮萬州。卒于軍。（元史列傳。）子宏、甯。（畿輔唐志七十一。）宏先佩金符，爲左衛千户，及樞密院擬甯襲武職，甯讓其兄宏，於是授宏中衛都指揮使，佩父虎符，而以甯代宏爲千户，佩金符。甯從阿爾台哈達遜北征，追擊托克托穆爾之軍於阿納爾圖。（原作阿納禿阿。）師還，又從拜奇頁勒密實（原作別急里迷失。）等擊賊威喇，斬首百餘級。復從和爾果斯北征有功，升右衛新軍總管，後改前衛都指揮使司僉事。子處恭，襲宏職，仕至侍御史。（元史列傳。）

明

楊善，字思敬，大興人。畿輔唐志七十一。年十七，爲諸生。明史列傳。不甚通經術，而性沉敏，能爲人策事。弇州續藁八十七。成祖起兵，預城守有勞，授典儀所引禮舍人。永樂元年，改鴻臚寺序班，累進右寺丞。仁宗卽位，擢本寺卿。明史列傳。善偉風儀，工舉止，音吐如洪鐘，每朝謁引進奏時，上目屬之。而又重文翰，與學士楊士奇、楊榮善。既家都城，以積貯起貲，治居第郭外，有園亭花木之屬，諸公休沐，有所宴賞，則善家若歸。又時時饋遺名果餌不絶，以是大得公卿聲聞，而中貴人亦多好之者。弇州續藁八十七。宣德六年，被劾下獄，褫冠帶。踰月，正統六年，子容詐作中官書，假金於尚書吴中，事覺，謫戍威遠衛，置善不問。久之，擢禮部左侍郎，仍視鴻臚事。十四年八月，扈駕北征，師潰。弇州續藁八十七。善間行得脱，明史列傳。達京師時，已六十五矣，足胝不爲倦。明史列傳至土木，弇州續藁八十七。冬十月，也先犯京師，通鑑綱目三編七。改左副都御史，與都督王通提督京城守備。寇退，進右都御史。景泰元年，廷臣朝正畢，循故事，相賀於朝房。明史列傳。善獨流涕曰：此何時也！太上皇帝何所？而我曹稱賀耶！衆愧，爲之止。弇州續藁八十五。是年夏，李實、羅綺使瓦剌，議罷兵，未還。明史列傳。會脱脱不花亦遣使皮兒馬黑麻請和。明史紀事本末三十二。廷臣皆言宜使往報。太監興安出，呼羣臣曰：公等欲報使，孰爲富弼、文天祥者？通鑑輯覽一百四。善慨然請行。人皆危善。善曰：上皇在沙漠，此爲臣者效命之秋也。中書舍人趙榮亦請往。乃遣善、榮及指揮王息、千户湯允勣同皮兒馬黑蔴往。道遇實，實告以故。善曰：得之矣。即勅書所無，可權以集事也。實既還朝，具述也先情及上皇起居狀。紀事本末三十三。廷議請更遣大臣。帝曰：楊善既去，不必更遣。通鑑輯覽一百四。初，尚書胡濙等言：上皇蒙塵久，御用服食宜付善等隨行。不報。善奉使，齎賜也先金帛外，餘無他賜。善乃出家財，明史列傳。不足，則貸之，中貴人悉益市綺繡、師比、阿錫、女紅、線釦之類以往。弇州續藳八十七。既至，館伴田氏亦中國人，留飲帳中，善與相得。明史列傳。詫善曰：土木之役，六師何怯也？善曰：彼時官軍壯者悉南征，王司禮邀大駕幸其里，不爲戰備，故令汝得志耳。今南征將士歸，可二十萬，又募中外材官技擊，可三十萬，悉教以神鎗、火器、藥弩，中百步外，洞人馬腹立死。又用策士言，緣邊要害，隱鐵錐三尺，馬蹄踐輙穿。又刺客林立，夜度營幕，若猿猱。伴色動。善曰：惜哉，今皆置無用矣！問：何故？曰：和議成，歡好且若兄弟，安用此！因以所齎遺之。其人喜，悉以語也先。明日見也先，又大有所遺，也先亦喜。明紀十五。善因詰之曰：太上皇帝朝，太師遣貢使必三千人，歲必再，賚金幣載途，背盟見攻，何也？通鑑輯覽一百四。也先曰：奈何削我馬價；予帛多剪裂；前後使人往，多不歸；又減歲賜！明史列傳。善曰：非削也。太師馬歲增，而不忍拒，故微損之。太師自度價比前孰多？帛翦裂者，通事爲之，卽太師貢馬有劣弱，貂或敝，豈太師意耶！且使者多至三四千人，有爲盜或犯他法，故自亡去，留之何用！貢使受宴賜，朝廷核實與之，所減乃虛數耳。通鑑綱目三編七。也先又問市釜事。善言：此小民市易，朝廷豈知！善因歷述累朝恩遇之厚不可忘，且言：天道好生，今縱兵殺掠，上干天怒。明史紀事本末三十三。太師再攻我，屠戮數十萬，太師部曲死傷亦不少矣。今還上皇，和好如故，中國金幣日至，不亦美乎！通鑑綱目三編七。也先曰：敕書何以無奉迎語？善曰：此欲成太師令名，使自爲之。也先大喜。明史列傳。也先問：上皇還更臨御否？善言：天位已定，不得再易。也先問：古堯舜如何？善言：堯讓位於舜，今日兄讓位於弟。也先悅服。明史紀事本末三十三。其平章昂克問善：何不以重寶來購？善曰：若齎貨來，人謂太師圖利；今不爾，乃見太師仁義，爲好男子，垂史策，頌揚萬世。也先笑稱善。明紀十五。伯顏帖木耳勸也先留善，而遣使要上皇復位。也先懼失信，不可，明史列傳。卽日引善見上皇，遂設宴餞上皇行。也先席地彈琵琶，妻妾奉酒。顧善曰：都御史坐！善不敢坐。上皇曰：太師著坐，便坐。善承旨坐，卽起周旋其間。也先顧善曰：有禮。明紀十五。遂以輕騎奉太上皇與善歸。弇州續藁八十七。時舉朝競奇善功，而景帝以非初遣，旨薄其賞，遷左都御史。明史列傳。善始事王振，後更事曹吉祥等，而與石亨比。會景帝病，善伺知亨、吉祥有迎太上皇謀，遂與之合而發南宮錮，太上皇即位，論善功，封奉天翊衛推誠宣力武臣特進光禄大夫、柱國、興濟伯，尋加號守正，改文臣，歲禄一千二百石，予誥券，世世承襲。（弇州續藁八十七。）尚書胡濙頌迎駕功，命兼禮部尚書，兼使瓦剌，携子四人行，至是並得官。又爲從子、養子乞恩，得官者復十數人。（明史列傳。）旬日之間，恩賜赫奕，所陳請無不允，幾與石亨、張軏埒。又嘗陰薦李賢入内閣，而定襄伯郭登故有幾微，於上亟疏善使虜功，請位之三公，獲以身免。於是亨、吉祥忌之，稍稍間於上，漸疏絀。而明年善亦卒矣，年七十五。贈興濟侯，謚忠敏。（弇州續藁八十七。）善負才辨，以巧取功名，（明史列傳。）而憸忮多岸谷。其爲序班，坐事下獄，庶吉士章樸亦坐事下獄，與相狎，言家有方孝孺集，時方窮治孝孺黨，善從借觀而密奏之，上遂誅樸，而復善官。（弇州類藁八十七。）于謙、王文之戮，陳循之竄，善亦有力焉。子宗襲爵後，革奪門功，降金吾指揮使。孫增尚公主。（明史列傳。）

張敏，永清人。（畿輔唐志七十四。）宣德八年進士，（永清周志。）擢工部給事中，（畿輔唐志七十四。）九年俸滿，乞免外補。正統十四年，陞工部右侍郎。敏爲人粗淺，居官無建白，但循默守職而已。天順元年，英宗復辟，察其非卿佐才，遂令致仕。二年卒，遣官諭祭。（永清周志。）

殷謙，字文撝，涿州人。（畿輔唐志七十四。）正統中進士，授户部主事，歷兵部郎中、右通政，出知太原府，歷遷左布政使，召拜右副都御史，巡撫宣府，（涿州吴志。）陞户部尚書，進太子少保。

畿輔唐志七十四。時西廠旗校以捕妖言，圖官賞，多爲贋書，誘愚民而後捕之，寃死相屬，廷臣莫敢言。分守懷來，中官廖禮興、妖人趙大獄，所收繫甚衆，謙等具奏如禮言。獄成，命官按之，果妄，帝始悟向所罪妖言多被誣者，乃下詔責禮等，而諭諸法司，慎鞫妖言之罪。綱目三編十四。

周壽，昌平人，孝肅皇太后之弟。父能，贈慶雲侯。壽嗣職。明史列傳。憲宗擢左府督都同知，尋封慶雲伯。綱目三編十三。初，禁勳戚請乞莊田，壽冒禁乞通州田六十二頃。帝不得已與之。明紀十八。嘗奉使道呂梁洪，多挾商艘，主事謝敬不可。壽與鬩，且劾之。敬坐落職。十七年，進侯。孝宗立，壽加太保。時壽所賜莊田甚多，其在寶坻者已五百頃，又欲得其餘七百餘頃，詭言以私財相易。部劾其貪求無厭，執不許，孝宗竟與之。又與建昌侯張延齡爭田，兩家奴相毆，交章上聞。又數撓鹽法，侵公家利。有司厭苦之。明史列傳。帝之爲太子也，明紀二十三。紀太后暴薨，懼罹不測，太后親育之，彤史拾遺記憲宗太后傳。省視萬方，明紀二十三。得以無恙。太后加以恩澤，封者甚衆，壽嗣慶雲侯，彤史拾遺記。壽弟彧封長甯伯，綱目三編十二。亦加太保。明史列傳。壽子璋、瑾、瓚、瑛，彧子瑭、瑁，皆授錦衣衛指揮千、百户，彤史拾遺記。兄弟並爲侯伯，子弟同日授錦衣衛官，前此未有也。武宗汰傳奉官，壽子姪八人在汰中。壽上章乞留，從之。正德四年卒，贈宣國公，謚恭和。子瑛嗣，封殖過於父。嘉靖中，於河西務設肆，邀商貨、虐市民、虧國課，爲巡按御史所劾，停禄三月，而瑛怙惡如故。又爲主事翁萬達所劾，詔革其廛肆，下家人於法司。時已革外戚世爵，瑛卒，遂不得嗣。彧，太后仲弟也，成化時累官左府都督同知，明史列傳。奏乞武强武邑民田，不及額賦者，籍爲閒田，命刑部郎中彭韶、御史季琮復勘。韶等周視，徑歸上疏自劾曰：真定田自祖宗時許民墾種，即爲恒産，除租賦以勸力農，功臣戚里家與國咸休，豈得與民爭尺寸地？臣誠不忍奪小民衣食，附益貴戚，請伏奉使無狀罪。詔以田歸民。明紀十八。二十一年，封長甯伯，世襲。宏治中，明史列傳。外戚競營私利，彧與張鶴齡聚衆相鬭，都下震駴。九月乙酉，屠滽偕九卿言：憲宗皇帝詔，勛戚之家不得占據關津陂澤、設肆開廛、侵奪民利，違者許所在官司執法以聞。陛下踐極，亦惟先帝之法，是訓是遵。而勛戚諸臣，不能恪守先詔，縱家人列肆通衢，邀截商貨，都城内外，所在有之；觀永樂間榜例王公僕二十人，一品不過十二人，今勛戚多者以百數，大乖舊制，其間多市井無賴，冒名罔利，利歸羣小，怨叢一身，非計之得者。邇者長甯伯周彧、壽甯侯張鶴齡以瑣忿爭，喧傳都邑，失戚里之觀瞻，損朝廷之威重，伏望綸音戒諭，俾各修舊好。凡有店肆，皆停止，更敕都察院揭榜禁戒，擾商賈、奪民利者，聽巡城巡按御史及所在有司執治。仍考永樂間例，裁定勛戚家人不得濫收。帝從之。明紀二十二。十八年，進太保。彧求爲侯。吏部言：封爵出自朝廷，無請乞者，乃止。彧尋卒，傳子瑭，孫大經及曾孫世臣，降授錦衣衛指揮同知。明史列傳。而后有長弟名吉祥者，兒時好游，游卽去其家，爾時太后未入宫也。久之不歸，至天順中，爲僧大覺寺，好游如故，晝游他所，夜卽宿報國寺伽藍殿中，太后亦忘之。報國寺者，都城宣武門外小寺也。太后夜夢伽藍神來告：妃弟在我殿中宿，妃知之乎？其夜英宗夢亦如之。醒而相語。初不信，遣小黄門見吉祥坦腹卧伽藍殿中，遂擁以行，入白太后。太后時爲妃，以告帝。帝召入，大喜，具言生平。太后泣下曰：弟爲僧，如何爲皇親耶？吉祥曰：爲皇親何如爲僧？乃遣還寺，厚賜之。憲宗嗣位，太后爲拓報國寺，建大慈仁寺居之，賜莊田數百頃。彤史拾遺記其後周氏衰落，而慈仁寺莊田久猶存。明史列傳。

鄧璋，字禮方，涿州吴志。涿州人。綱目三編十八。成化中進士，任推官，遷御史，歷副都御史，巡撫宣府。涿州吴志。正德七年，官河南巡撫時，劉惠、趙鐩連陷鹿邑、上蔡、西平、遂平、舞陽、葉，縱掠南頓、新蔡、商水、襄城，復還駐西平。都督僉事馮禎、副總兵時源、參將神周、金輔方擊敗惠、鐩於西平，璋以爲賊不足患，朝崇王於汝甯，宴飲連日。賊招散亡，乃復振。綱目三編十八。正德八年，璋爲南京刑部侍郎，綱目三編十八注。轉兵部侍郎，奉詔賑濟江南，還，遷都御史。涿州吴志。正德九年，璋總制甘肅，綱目三編十九注。尋遷户部尚書。涿州吴志。

施純，京師人，體貌豐偉，音吐洪亮，詞語莊整，班行中可觀。成化末，上病舌澀，朝臣讀奏，答旨多以是字，而尤弗便，純官鴻臚卿，請以照例二字代之。上喜，擢爲大宗伯，時號兩字尚書。其内子亦京師人，貌甚端雅。一日，同諸命婦朝兩宫，内廷嬪御色亦鮮麗，咸屬目焉。太后命之前，問：夫人誰氏？對曰：妾禮部尚書施純妻也。太后賜鈔，諦視久之，顧左右侍人曰：向者東朝選妃，何不及此人？又顧謂曰：夫人向後不必更入朝也。野紀三。

張禴，字汝誠，禬弟。宏治乙卯舉人，己未進士，歷任刑部郎中。正德初，權宦惡都御史强珍，欲籍其家者，禴執不可，竟得謫戍，奪禴俸半年，改查盤御史。平谷朱志。吏部尚書張綵，性尤漁色，聞平陽府知府張恕霸州人。妾美，索之不得，令禴擬致其罪，擬戍。恕獻妾，始論減。綱目三編十八。擢太僕寺少卿，陞僉都御史，巡撫大同，左遷泗州知州，尋陞陜西潼關副使，轉左參政，復陞僉都御史，巡撫遼東，卒於官。平谷朱志。

史道，字克宏，涿州人。正德癸酉解元，甲戌進士，改庶吉士，授兵科給事中。涿州吴志。疏論谷大用、江彬誤國，止太監張佐封爵，論救尚書王瓊等死，章數上，多見嘉納。後以論奏大學士楊廷和下詔獄，謫金縣丞。畿輔唐志七十一。尋除河南僉事、備兵副使，累官至僉都御史。吏部推道總督漕運，上特詔留用，遷大理寺卿，兼攝臺事。適有以舊怨銜道者，劾道會推後期，罷。未幾，詔起道僉都御史，（涿州吳志。）巡撫大同，建五堡城，廣耕戍，歲省漕輓費無算。（畿輔唐志。）遷兵部侍郎。（涿州吳志。）嘉靖三十年，（通鑑輯覽一百九。）仇鸞駑怯畏寇，密遣人持貨幣結諳達義子托克托，使貢馬互市。諳達許之，投書於宣大總督蘇祐。蘇祐以聞。鸞與嚴嵩定議，每歲春秋兩市，令道領其事。（涿州吳志。）道徇諳達請，以粟豆易牛羊。給事中何光裕、御史龔愷等劾道委靡遷就，馬市既開，復請封號，今其表意在請乞，而道以爲謝恩，況表文非出賊手。道不去則彼有無厭之求，我無必戰之志，誤國事不小。帝方嚮仇鸞，責光裕等借道論鸞，以探朝廷，杖光裕、愷八十。（明紀三十四。）道尋進兵部尚書，加太子太保。（畿輔唐志。）

趙錦，字文卿，良鄉人。幼而好學，蚤著文譽，潛心理學。正德丁丑進士，授南京户部主事，司揚州鈔關。鎔銅爲櫃，竅而鑰之，所入既多，則銷以儲庫，人不得而私焉。又創水竇於關梁之南，小舟可徑出入，得以免税，迄今便之。陞署郎中，調南京吏部稽勳司郎中，入爲兵部武庫司郎中，改武選司職方司郎中。大同軍變，户部侍郎胡永年奉命往平之，奏錦爲佐。歸，掌職方事。凡將領之賢否，邊塞之險平，糧儲之充耗，皆備訪而默識之，有所施行，無不允愜，大司馬倚重焉。由是趙郎中之名，譁于人口。繼爲大司馬疏言其專，復出爲南京户部河南司郎中，陞温州知府、山東按察使司副使、山西右叅政、浙江按察使，擢右僉都御史，巡撫延綏，贊理軍務。道旋丁艱，服闋，改大同。
有忌之者，論其不可用。冢宰力稱其賢，上竟用之。總帥周尚文者，老將也，不事掊
克，得軍士心，而果於自用，性多偏執。錦以體國爲念，不憚屈己與之交歡。然遇不可
者，必盡忠告。周以爲怨。錦慮且將誤事，上疏求退。罷歸，儉約若寒素。嘉靖庚戌再
起用，楊維聰趙公墓志銘。歷官兵部尚書，良鄉佟志。兵機政要，閱歷有素，事至立決，無壅滯者。晨興
入部，日晏方歸，不以寒暑少廢，司屬敬服，軍士感悦。以功廕一子錦衣衛百户，加太
子少保。墓志銘。己未，坐仇鸞黨，戍邊。明紀三十四。按墓志銘云：公在甘肅、大同，與仇鸞同事，入京之後，頗相乖忤，過從笑語，乃人情之不免者。蔡邕之於卓，龜
山之於京，其不幸亦猶是也。卒，年六十有九。子二，世官世禄。良鄉佟志。
李偉，字世奇，漷縣人。神宗生母李太后父也。明史列傳。兒時戲里中，有羽士過之，驚語人
曰：偉哉兒，他日必大貴。父聞而喜，遂名之曰偉。嘉靖中，偉夢空中五色彩輦，旌幢
鼓吹導之下寢所，通州高志。已而生太后。避警，攜家入京師。居久之，太后入裕邸，生神
宗。隆慶改元，立皇太子，授偉都督同知，再進武清侯。明史列傳。太后賢明，熟典故。神宗
推恩外戚，多異數。太后懷盈滿之懼，通州高志。能約束其家。偉嘗有過，太后召入宮，切責
之，不以父故骪祖宗法。以是偉益小心畏慎，有賢聲。萬曆二十一年卒，贈安國公，諡
莊簡。明史列傳。長子文全，先授都督。父卒，襲武清侯。端方持己，性儉素，卒之日，上輟

朝，賜葬如禮。仲子文貴，授都督，謙謹守禮，以孝弟聞。季子文進，授御馬監太監，亦恪守禮度。文全子銘誠襲伯爵，性英敏，學問該洽。天啟末，頌魏忠賢功德，建祠名鴻勛。（通州高志。）莊烈帝定逆案，銘誠幸獲免。久之，大學士薛國觀請勅勛戚助軍餉，時銘誠已卒，子國瑞當嗣爵，其庶兄國臣與爭產，（明史列傳。）詭言父貲四十萬，臣當得其半，今請助國爲軍貲。（綱目三編三十八。）帝初不允，至是，詔借餉如國臣言。（明史列傳。）或教國瑞遷貲無獻，拆毁居第，陳什器通衢鬻之，示無所有。帝怒，奪國瑞爵，國瑞悸死。（綱目三編三十八。）有司復繫其家。國瑞女字嘉定伯周奎孫，奎請於莊烈后，后曰：但迎女，秋毫無所取可也。諸戚畹人人自危，會皇五子疾亟，李太后憑而言，帝懼，悉還李氏產，（明史列傳。）封國瑞七歲兒存善爲侯。（綱目三編三十八。）未幾，國臣遂以事誅。（明史列傳。）

冉興讓，固安人。（酌中志二十一。）神宗愛女壽甯公主，鄭貴妃所出者，選興讓尚之。（野獲編五。）選駙馬時，顧姓者二人，冉姓者一人。時正暑熱，御前親選之日，兩顧白石大簪極細，亮帽髮可以鑑，香氣襲人，衣服楚楚。而冉衣不求鮮，戴圓羅帽，兢兢叩拜，不敢仰視。神宗隔簾向鄭貴妃指而目之，卒選中興讓，實重其老成也。及完婚數年，（酌中志二十一。）偶月夕，公主宣駙馬入，而管家婆名梁盈女者，方與所耦宦官趙進朝酣飲，不及稟白。盈女大怒，乘醉抶冉無算，驅之令出。以公主勸解，并詈及之。公主悲忿不欲生。次晨，奔訴於母妃，不知盈女已先入膚愬，增飾諸穢語。母妃怒甚，拒不許謁。冉具疏入朝，則昨夕酣飲宦官，已結其黨數十人，羣捽冉於内廷，衣服破壞，血肉狼籍，狂走出長安門，其儀從輿馬又先箠散，冉蓬跣歸府第，正欲再草疏，嚴旨已下，詰責甚厲，褫其蟒、玉，送國學省愆，三月不獲再奏，公主亦含忍獨還。野獲編五。崇禎時，洛陽失守，莊烈帝命興讓同太監王裕民、給事中葉高標往慰福世子於河北。都城陷，興讓死於賊。明史公主傳。梁邦瑞，京師富室子，其人病瘵，羸甚。大璫馮保納其數萬之賂，首揆張江陵力持之，慈聖太后亦爲所惑。萬曆十年，野獲編五。永甯公主下嫁邦瑞，明史公主傳。合巹，鼻血雙下，沾濕袍袂，幾不成禮。宫監尚稱喜，以爲挂紅吉兆。甫匝月，遂不起。公主嫠居數年而歿。野獲編五。

方從哲，字中涵，其先德清人，隸籍錦衣衛，家京師。從哲登萬曆十一年進士，授庶吉士，屢遷國子祭酒，請告家居，久不出，時頗稱其恬雅。中旨起吏部左侍郎，爲給事中李成名所劾，求罷，不允。四十一年，拜禮部尚書兼東閣大學士，與吴道南並命。時道南在籍，葉向高爲首輔，政事多決於向高。向高去國，從哲遂獨相，請召還舊輔沈鯉，不允。御史錢春劾其容悦。從哲乞罷，帝優旨慰留。未幾道南至，會張差梃擊事起，刑部以瘋癲蔽獄，王之寀鉤得其情，從哲偕道南斥之寀言謬妄，帝納之。道南歸，從哲復獨相。性柔懦，不能任大事，時政有失，亦上疏力言，而從哲有内援，以名爭而已，實將順帝意，無所匡正。丁巳京察，盡斥東林，且及林居者，齊、楚、浙三黨鼎立，務搏擊清流。齊人亓詩教，從哲門生，勢尤張。從哲昵羣小，而帝怠荒亦益甚。四十六年四月，大清兵克撫順，朝野震驚。帝初頗憂懼，章奏時下，不數月，泄泄如故。從哲子世鴻殺人，巡城御史劾之，從哲乞罷，不允。長星見東南，長二丈，廣尺餘，十有九日而滅。是日京師地震。從哲言：妖象、怪徵層見疊出，除臣奉職無狀，痛自修省外，望陛下大奮乾綱，與天下更始。朝士雜然笑之，帝亦不省。御史熊化以時事多艱，佐理無效劾從哲，乞用災異，策免從哲。懇求罷，堅卧四十餘日，閣中虛無人。帝慰留再三，乃起視事。明年二月，楊鎬四路出師，大敗。禮部主事夏嘉遇謂遼事之壞由從哲庇李維翰所致，兩疏劾之。從哲求罷，帝優旨懇留，乃復故。未幾，大清兵連克開原、鐵嶺，廷臣於文華門拜疏，立請批發，又候旨思善門，皆不報。從哲乃叩首仁德門，跪俟俞旨，帝終不報。帝素惡言官，前此考選除授者，率候命二三年，及是候八年，從哲請至數十疏，竟不下。帝自以海宇承平，官不必備，有意損之。及遼左軍興，又不欲矯前失，行之如舊。從哲獨秉國成，卒無所匡救。又用姚宗文閱遼東，齮經略熊廷弼去，遼陽遂失。論者謂明之亡，神宗實基之，而從哲其罪首也。四十八年帝崩。光宗嗣位，得疾，時都下紛言中官崔文昇進洩藥，帝由此委頓。給事中楊漣劾文昇并及從哲。刑部主事孫朝肅、徐儀世，御史鄭宗周，並上書從哲，請保護聖體，速建儲貳。從哲候安，因言進藥宜慎，帝褒答之。甲戌，復召諸臣諭册封事。從哲等請速建儲貳。帝顧皇長子曰：卿等其輔爲堯舜。又語及壽宫。從哲等以先帝山陵對。帝自指曰：朕壽宫也。諸臣皆泣。帝復問：有鴻臚官進藥者安在？從哲曰：鴻臚寺丞李可灼，自云仙方，臣等未敢信。帝命宣可灼至，趣和藥進，所謂紅丸者也。帝服訖，稱忠臣者再。諸臣出俟宫門外，頃之，中使傳上體平善。日晡，可灼出，言復進一丸。從哲等問狀，曰：平善如前。明日帝崩。中外皆恨可灼甚，而從哲擬遺旨，賚可灼銀幣。御史王安舜劾從哲輕薦狂醫，又賞之以自掩。從哲擬太子令旨，罰可灼俸一年。御史鄭宗周劾文昇罪，請下法司。從哲擬令旨，司禮察處。及御史郭如楚、馮三元、焦源溥，給事中魏應嘉，太常卿曹珖，光禄少卿高攀龍，主事吕維祺先後上疏言：可灼罪不容誅，從哲庇之，國法安在！而給事中惠世揚直糾從哲十罪、三可殺，言：從哲獨相七年，妨賢病國，罪一；驕蹇無禮，失誤哭臨，罪二；梃擊青宫，庇護奸黨，罪三；恣行胸臆，破壞絲綸，罪四；縱子殺人，蔑視憲典，罪五；阻抑言官，蔽壅耳目，罪六；陷城失律，寬議撫臣，罪七；馬上催戰，覆没全師，罪八；徇私罔上，鼎鉉貽羞，罪九；代營榷税，蠹國殃民，罪十。貴妃求封后，舉朝力争，從哲依違兩可，當誅者一；李選侍乃鄭氏私人，抗凌聖母，飲恨而没，從哲受劉遜、李進忠所盜美珠，欲封選侍爲貴妃，又聽其久據乾清，當誅者二；崔文昇用洩藥傷損先帝，諸臣論之，從哲擬脱罪，李可灼進劫藥，從哲擬賞賚，當誅者三。疏入，責世揚輕詆，從哲累求去，皆慰留。已而張潑、袁化中、王允成等連劾之，皆不聽。其冬，給事中程註復劾之，從哲力求去，疏六上乃歸。天啟二年四月，禮部尚書孫慎行追論可灼進紅丸，斥從哲爲弑逆。從哲疏辨，自請削官階，投四裔，帝慰諭之。時大學士爌述進藥始末，爲從哲解。於是吏部尚書張問達，會户部尚書張應蛟合奏，言進藥始末，臣等共聞見，輔臣視皇考疾，急迫倉皇，弑逆二字何忍言？但可灼非醫官，且非知脉、知醫者，以藥嘗試，先帝龍馭即上昇，從哲與臣等九卿未能止，均有罪，乃反賚可灼及御史王安舜，有言令養病去，罰太輕，何以慰皇考，服中外？宜如從哲請，削其官階，爲法任咎。至可灼罪，不可勝誅，而文昇當皇考哀感傷寒時，進大黄涼藥，罪又在可灼上，法皆宜顯僇，以洩公憤。議上，可灼遣戍，謫文昇於南京，而從哲不罪。無何，慎行引疾去。五年，魏忠賢輯梃擊、紅丸、移宫三事爲三朝要典，以傾正人，遂免可灼戍，命文昇督漕運。其黨徐大化請起從哲，從哲不出。然一時請誅從哲者貶殺略盡矣。崇禎元年二月從哲卒，贈太傅，謚文端。明史列傳。

馮三元，三河人，萬曆末年官御史。泰昌元年，綱目三編三十一。帝有疾，服李可灼紅丸而崩，中外皆恨可灼甚，而方從哲擬遺旨賚可灼銀幣。明史方從哲傳。三元與御史郭如楚等，綱目三編三十一。先後上疏言：可灼罪不容誅，從哲庇之，國法安在！方從哲傳。又劾遼東經略熊廷弼無謀者八，欺君者三，綱目三編三十一。謂不罷，遼必不保。明史熊廷弼傳。廷弼主守禦益堅。明紀四十九。給事中姚宗文向與廷弼同在言路，意氣相得，後以廷弼不薦己，已怨，及出閱邊，廷弼以其書生藐之，比宗文還，疏陳遼土日蹙，詆廷弼廢羣策而雄獨智。復鼓其同類攻擊，必欲去之。廷弼憤，抗疏極辨，且求罷。而御史張修德、明史熊廷弼傳。給事中魏應嘉，先後劾廷弼破壞遼疆。通鑑輯覽二百五十九。廷弼益憤，再疏自明。三元、應嘉、修德等復連章極論，廷弼即請三人勘。帝從之。御史吳應奇、給事中楊漣等力言不可，乃改命兵科給事中朱童蒙往。童蒙還奏，備陳廷弼功狀。帝以廷弼力保危城，仍議起用。天啟元年，明史熊廷弼傳。瀋陽、遼陽繼失，通鑑輯覽一百十三。河西軍民盡奔，自塔山至閭陽，二百餘里，煙火斷絶，京師大震。明史熊廷弼傳。劉一燝曰：使廷弼在，當不至此。帝乃貶三元，而召廷弼於家。通鑑輯覽一百十三。

張維，號範吾，霸州人。嘉靖三十八年選入，隸秉筆高忠名下。幼博學好書，萬曆初，陞乾清宮管事，提督内忠勇營，掌兵役局印。秉筆孫德秀、張鯨諸人頗妬其才，然維處之泰然。神宗甚眷注之。慈聖太后造有元帝金像，特差維賫往湖廣武當山供安。維善詩能文，且精於琴、畫，往返廉静，驛遞德之。凡詩賦翰牘，人咸寶惜。萬曆十六年九月，駕幸山陵閱壽宮回，維股爲車轢傷，連章求退，不允，著於思善門外直房調治，未瘳，始准私家調理。遂益裒法書秘籍書不釋手，夜自篝燈咿唔，少倦，仍默看，至丙夜方寢。雞甫鳴，則復興矣。晚年兩目盲，尚能寫行草。聞有新書，必買來令左右念聽者數年。至萬曆四十一年夏卒，年八十，著有皇華集、歸來篇、莫金山人集、蒼雪齋集等書。酌中志略三十五。孫隆，三河人，萬曆中，蘇杭等處提督織造、乾清宮近侍、司禮監管監事太監。宋詹事沈樞撰通鑑總類二十卷，分二百七十二門。隆在朝嘗以是書進御，神宗欲鏤之尚方，不果；及出督織造，乃鏤之吴中云。潛研堂集二十八。金忠，字敏恕，固安人。萬曆六年選入，歷陞文書房太監，博學能書善琴，自稱迂拙子。守備鳳陽時，曾著御世仁風一書刻之。酌中志二十。

李壽，京都人，西涯苗裔也。嘉靖四十一年選入，歷陞司禮監監官。萬曆三十一年，選福王妃時，鄭貴妃引潞王例，欲選三人而擇之。太監陳矩時總理婚典，壽執往事爭曰：潞王先選一位未中，復選二位，雖三人，其實二也，如何敢比？陳矩甚服其亮，而密薦之。後陞隨堂而終。神宗悼惜之。酌中志略二十一。

國朝

馬光遠，順天大興人，明建昌參將。本朝天聰四年，大兵克永平，光遠率所部投誠，授副都統，隸漢軍廂黄旗。七年，授一等子爵。崇德二年，授都統，轄漢軍右翼。三年，我軍攻錦州城旁一臺，敵兵拒守，光遠率參領郎紹貞等圍之。光遠以離汛地，敵乘間遁，及覺又不追擊，有旨詰問。光遠復以我兵不能抵敵致辯。部議應革世職，解任治罪。從寬罰鍰。是年，從上攻松山，未克，歸。旋追論攻松山時，光遠等詭言礮子已盡，今猶剩回，玩誤軍機，疲敝士馬，法不容貸。詔集漢官於篤恭殿，大學士范文程等宣諭，數光遠等罪，令在家閑居住。光遠所轄參將李士昌，鑄礮子鎔鍊未浄，不堪用，下所司鞫訊，復得光遠徇庇狀。論死，罰贖。上念其罪由無知，特加寬宥。六月，起光遠爲都統，轄漢軍兩黄旗。順治四年，以老病乞休，從之。康熙二年卒。賜祭葬如例，謚誠順。從子思文襲爵。貳臣傳。

馮銓，涿州人。萬曆四十一年進士，改庶吉士，授檢討。貳臣傳。面玉唇朱，貌若好女。性好潔，行五步卽欲隨從彈足塵，故僕役無小大，咸袖靴刷供應。其父馮盛明，曾以貌與駙馬選而遺，得以陪駙馬生員應試，中萬曆己丑進士，任山東副使，屑玉叢談三集。河南左布政使。初，被劾歸，銓亦回籍。天啟四年，魏忠賢進香涿州，銓進謁道左，泣訴父爲東林黨陷害。忠賢憐之，起故官，洊陞少詹事，充講官，副都御史。五年八月，擢禮部侍郎兼東閣大學士，入贊機務。貳臣傳。輔臣缺，詔推老成幹濟者。禮部尚書周如磐，以年老推用，侍郎黃立極與魏忠賢同鄉，故援之。熊廷弼之獄，銓謀居多。侍講筵出，市刊遼東傳，譖于帝曰：此廷弼所作，希脱罪耳。帝大怒，于是廷弼死遂決。銓資淺，年未及四十。忠賢黨李魯生言：成卽爲老，而非老乎年；幹乃稱濟，而卽有濟于國。銓遂柄用。通鑑輯覽一百十三。九月，晉禮部尚書。六年，充三朝要典總裁官。四月，晉少保兼太子太保、户部尚書、武英殿大學士。時太監涂文輔爲忠賢腹心，人爲之語曰：內有涂文輔，外有馮振鷺。振鷺者，銓字也。貳臣傳。銓以媚事魏忠賢登宰輔，素與崔呈秀暱。通鑑輯覽一百十三。要典成，榜東林黨人姓名示天下，而於崔呈秀無美辭。忠賢心銜之，會呈秀亦與銓交惡，貳臣傳。呈秀欲入閣，通鑑輯覽一百十三。其黨孫杰、霍維華嗾職方郎中吳淳夫上疏力攻之。御史盧承欽復劾銓納賄居間數事，遂罷職。崇禎初，忠賢伏罪，給事中李過知於贓罰庫得銓罷官後爲忠賢上壽詩百韻，劾銓與忠賢交結狀，論徒贖爲民。本朝順治元年四月，睿親王定京師，以書徵銓，聞命卽至。優予冠服，令以大學士原銜入內院佐理機務，遂與大學士洪承疇請復明初內閣票擬舊例。二年三月，定部院官制，授宏文院大學士兼禮部尚書。貳臣傳。先是，給事中許作梅、莊憲祖、杜立德，御史王守禮、桑芸、李森先、羅國士、鄧應槐、吴達等交章劾：銓原係故明閹宦魏忠賢黨羽；其子源淮進賄于禮部侍郎孫之獬，遂爲伊標中軍。請將馮銓父子肆諸市朝。東華録五。睿親王因論明季諸臣黨害無辜，以致明亡，今科道各官仍蹈陋習。申戒之，寢其事。三年、四年，兩充會試考官。六年，充太宗文皇帝實録總裁官，加少傅兼太子太保。八年閏三月，諭曰：馮銓先經御史吴達疏參，便當引去，乃隱忍居官，七年以來，毫無建明，著致仕去。十年三月，諭吏部曰：朕思馮銓原無顯過，且博洽典故，諳練政事，朕方求賢圖治，特詔用以觀自新。諭到之日，即速赴京。銓既至，召對内院，仍授宏文院大學士。十二年四月諭奬銓，翼襄政務，稱厥委任。加少師兼太子太師。十三年，諭曰：大學士馮銓，齒長力衰，難勝繁劇，其加太保兼太子太師、秘書院大學士、禮部尚書致仕。銓疏請回籍，允之。十六年二月，詔仍以原銜兼中和殿大學士。康熙十一年十一月卒。賜祭葬如例，謚文敏。乾隆中削。源淮由侍衛官至總兵。貳臣傳。源濟自有傳。

孫承澤，字北海，大興人。明崇禎四年進士，官至刑科都給事中。福王時，以承澤曾附流賊李自成，貳臣傳。僞職順慶防禦使，甲申傳信録五。定入從賊案。本朝順治元年五月，起授吏科都給事中。十一月，遷太常寺少卿，提督四譯館事。二年四月，遷通政使司左通政。八月，遷太常寺卿。四年，遷大理寺卿。五年，擢兵部右侍郎。八月，調吏部。九年四月，都察院疏糾承澤兩耳失聰，請勅革退。因解侍郎任。五月，上以承澤無罪，命如舊供職。八月，轉左侍郎。兩遇恩詔，加太子太保、都察院左都御史銜。十年二月，疏薦大學士陳名夏分理吏部尚書事。上覽奏，謂閣臣曰：朕見承澤此奏，洞其隱微，代爲含愧。彼意允其所請而用名夏，則於彼有利，否則又將使朕猜疑名夏也。因以侍郎推舉閣臣，有乖大體，責令回奏。承澤戰慄引罪，自陳愚昧乞宥，乃釋之。先是，正月，承澤引疾乞休，上以其年力未衰，不許。三月，再請，乃許。承澤既歸，貳臣傳。築退谷於西山。耄而好學，畿輔唐志七十九。讀書日有程課。著述滿家，池北偶談十五。於史事多所論述，而有明一代典故，尤瞭如指掌。畿輔唐志七十九。嘗與王士禎言：讀書當通經。因言：元人經學非後人所及，蓋元時天下有書院百二十，各以山長主之，教子弟以通經學。經學既明，然後得入國學。卽如吴淵穎、程普德輩，其集人多不知。明初人猶多經學，皆元遺逸。且言生平學問以朱子爲宗。池北偶談十五。所著五經翼、考正朱子晚年定論諸書，皆有功於正學。至於精博古鑒，一時圖書之富，比之宋田氏云。畿輔唐志。康熙十五年卒。賜祭葬如例。貳臣傳。

劉餘祐，字五孺，宛平人。畿輔詩傳七。明萬曆四十四年進士，歷知嘉興、登封、河內三縣，行取遷刑部郎中，出知平陽府，累遷河南布政使、應天府尹、兵部侍郎。福王時，以餘祐曾降附流賊李自成，定入從賊案。本朝順治元年，睿親王定京師，餘祐投誠，授原官。六年，加太子太保。七年，初設六部漢尚書，擢餘祐兵部尚書。八年閏二月，擢刑部，晉少保。十月，調户部。先是，餘祐任刑部時，興安鎮總兵任珍以疑擅殺妻妾，懼罪行賄，已而事覺，十年二月，法司勘問得實，餘祐革職杖徒，永不敘用。尋死。貳臣傳。著有燕香齋集八卷。四庫全書總目一百八十。

華陽吴祖椿校

人物志十六

鑒誡上

南海廖廷相纂　江陰繆荃孫覆輯

漢

中行説

後魏

公孫表子軌　李訢　盧昶

劉靈助

北齊

盧宗道　盧斐　郭秀

平季

隋

盧賁

唐

張知泰弟知默　高尚　朱泚弟滔孫克融

吳少誠　劉總　張直方

高駢　張公素　李全忠子匡威匡籌

後唐

張文禮子處瑾　趙德鈞

後晉

王瑜　趙在禮

古之史官，聞善必録，見惡必書，所以示勸懲，囿風化也。大抵志行詭激者流，其智足以惑人，其才足以馭衆，并有讀書以佐其口辨，諳事以助其便捷。當其得意，非不自以爲能立身；一敗，先禍人國并禍其身。生爲至愚，死爲大僇，有才與無才同，大智乃大拙也。論衡云：班叔皮載鄉里，人以爲惡戒，邪人枉道，繩墨所彈，安得避諱！謹援其例，自漢至明，得若干人，録而傳之，以警後世。志鑒誡。

漢

中行説，燕人，宦者。匈奴老上單于初立，文帝遣宗人女翁主爲單于閼氏，使説傅翁主。説不欲行，漢强使之。説曰：必我也，爲漢患者。説既至，因降單于，單于愛幸之。初，單于好漢繒絮食物，中行説曰：匈奴人衆不能當漢之一郡，所以强者，以衣食異，無印於漢。今單于變俗好漢物，漢物不過十二，則匈奴盡歸於漢矣。其得漢絮繒，以馳草棘中，衣袴皆裂弊，以視不如旃裘堅善也。得漢食物皆去之，以視不如重酪之便美也。於是，説教單于左右疏記，以計識（史記作課。）其人衆畜牧。（史記作物。漢書匈奴傳。）其遺漢書牘及印封，皆令長大，倨驁其辭。漢使或訾咲匈奴俗無禮義者，説輒窮漢使曰：匈奴約束徑，易行；君臣簡，可久。一國之政猶一體也。故匈奴雖亂，必立宗種。今中國雖云有禮義，及親屬益疏則相殺奪，以至易姓，皆從此類也。嗟土室之人，顧無多辭喋喋，顧漢所輸匈奴繒絮米櫱，令其量中，必善美而已矣，何以言爲乎？且所給備善則已，不備苦惡，則候秋熟，以騎馳蹂而禾稼耳。(通鑑十四。)日夜教單于候利害處。後四年，老上單于死，子軍臣單于立，説復事之。(漢書匈奴傳。)

後魏

公孫表，字玄元，燕郡廣陽人也。遊學爲諸生。慕容沖以爲尚書郎。慕容垂破長子，從入中山。(魏書列傳。)皇始二年，(魏書太祖紀。)慕容寶走，乃歸闕。以使江南稱旨，拜尚書郎。後爲博士。初，太祖以慕容垂諸子分據勢要，權柄推移，遂至亡滅。且國俗敦樸，嗜欲寡少，不可啓其機心，而導其巧利，深非之。表承旨上韓非書二十卷，太祖稱善。太宗初，表參功勞將軍元屈軍事，討吐京叛胡，爲胡所敗。表以先諫止屈，太宗善之，賜爵固安子。(魏書列傳。)神瑞二年，河西饑，胡屯聚，推白亞栗斯爲盟主，號大將軍，反於上黨。詔表討之。(魏書太宗紀。)令表與姚興洛陽戍將結期，使備河南岸，然後進軍。(魏書列傳。)表未至，(通鑑百十七。)衆廢栗斯而立劉虎。(太宗紀。)表以胡人内自攜貳，(通鑑百十七。)有解散之勢，遂不與戍將相聞，率衆討之。法令不整，爲胡所敗，軍人大被傷殺。太宗深銜之。(魏書列傳。)假相州刺史叔孫建安平公，督表討虎，斬首萬餘級。(魏書叔孫建傳。)及劉裕征姚興，兖州刺史尉建聞寇至，棄滑臺北走，詔表隨叔孫建屯枋頭。（魏書列傳。）泰常七年，宋武帝殂，（北史魏紀一。）議取河南侵地。（魏書列傳。）詔假司空奚斤都督前鋒諸軍事，表爲吴兵將軍、廣州刺史。（魏書太宗紀。）南征用表計，攻滑臺，不拔，求濟師。太宗怒其不先畧地，切責之。（魏書奚斤傳。）乃南巡，爲之聲援。表等既剋滑臺，引師西伐，大破司馬（二字據奚斤傳補。）翟廣于土樓，（原作王樓，今據宋書索虜傳、魏書奚斤傳更正。）遂圍虎牢。車駕次汲郡，（魏書列傳。）虎牢守將毛德祖（奚斤傳。）與表有舊，表有權畧，德祖患之，乃與交通音問，密遣人説奚斤，（原作鄭兵。奚斤鄭兵，將軍號也。魏書作晉兵，今據通鑑改。）云表與之連謀，每遣表書，輒多所治定。表以書示奚斤，奚斤疑之，以告。（宋書索虜傳。）表本與太史令王亮同營署，輕侮亮。亮奏表置軍虎牢東，不得便利之地，故令賊不時滅。太宗雅好術數，又積前後忿，使人夜就帳中縊殺之。時年六十四。以賊未退，祕而不宣。初，表與渤海封愷友善，後爲子求愷從女，愷不許，表甚銜之。及封氏爲司馬國璠所逮，太宗以舊族欲原之，表固證其罪，乃誅封氏。表爲人外和内忌，時人以此薄之。子軌。（魏書列傳。）

軌字元慶，少以文學知名。太宗時爲中書郎，出從征討，補諸軍司馬。（魏書附公孫表傳。）始光四年，（魏書世祖紀。）世祖平赫連昌，引諸將帥入其府藏，各令任意取金玉。諸將取之盈懷，軌獨不取。（原作獨不探把，此從北史。）世祖乃親探金賜之曰：卿可謂臨財不苟得，朕所以賜卿者，欲顯廉於衆人。後兼大鴻臚，持節拜氐王楊玄爲南秦王。及境，玄不郊迎。（魏書附傳。）軌數玄無禮。

玄懼，詣郊受命，（北史公孫表附傳。）上表請比內藩。（魏書氐羌傳。）軌使還，稱旨，拜尚書，賜爵燕郡公，加平南將軍。（魏書附傳。）神䴥三年，宋將到彥之自清水入河，沿河西行，（世祖紀。）遣其部將姚繼夫濟河，攻冶坂。世祖慮更北入，遣軌屯壺關。會上黨丁零叛，軌討平之。出爲虎牢鎮將。初，世祖將北征，發民驢以運糧，使軌部詣雍州。軌令驢主皆加絹一疋，乃與受之。百姓爲之語曰：驢無彊弱，輔脊自壯。衆共嗤之。坐徵還。軌既死，世祖謂崔浩曰：吾行過上黨，父老皆曰：公孫軌爲受貨縱賊，使至今餘姦不除，軌之咎也。其初來，單馬執鞭；返去，從車百兩，載物而南。丁零渠帥乘山罵軌，軌怒，取罵者之母，以矛刺其陰而殺之，曰：何以生此逆子！從下到擘，分磔四支於山樹上以肆其忿。是忍行不忍之事。軌幸早亡，至今在者，吾必族誅之。（魏書附傳。）

李訢，字元盛，小名真奴，范陽人也。曾祖産，産子績，二世知名於慕容氏。父崇，馮跋吏部尚書、石城太守。延和初，車駕至和龍，崇率十餘郡歸降。世祖甚禮之，呼曰李公。以爲平西將軍、北幽州刺史、固安侯。卒，謚曰襄侯。訢母賤，爲諸兄所輕。崇曰：此子之生，相者言貴，吾每觀察，或未可知。遂使入都，爲中書學生。世祖幸中書學，見而異之，指謂從者曰：此小兒終效用於朕子孫矣。因識眄之。世祖舅陽平王杜超有女，將許貴戚。世祖聞之，謂超曰：李訢後必宦達，可以女妻之。遂勸成婚。（魏書列傳。）

真君五年，超爲帳下所害，世祖臨其喪。魏書杜超傳。訢以超壻，得在喪位出入。帝指謂左右曰：觀此人舉動異衆，必爲朕家幹事之臣。魏書列傳。訢器識既美，魏書傳論。聰敏機辯，强記明察。初，李靈爲高宗博士、諮議，詔崔浩選中書學生器業優者爲博士助教。世祖意在訢，曰：云何不取幽州刺史李崇老翁兒也？遂除中書助教博士，稍見任用，入授高宗經。高宗卽位，訢以舊恩親寵，遷儀曹尚書、領中祕書，贈爵扶風公，贈其母孫氏爲容城君。魏書列傳。内參機密，出入詔命。魏書李順附傳。高宗顧謂羣臣曰：朕始學之歲，情未能專，既總萬幾，温習靡暇，是故儒道實有闕焉。豈惟予咎，抑亦師傅之不勤。所以爵賞仍隆者，蓋不遺舊也。訢免官拜謝。出爲使持節、安南將軍、相州刺史。爲政清簡，明於折獄，姦盜止息，百姓稱之。魏書列傳。天安元年，魏書顯祖紀。訢上疏，求於州郡各立學官。使士望之流、衣冠之胄，就而受業。其經藝通明者上王府。北史列傳。書奏，顯祖從之。魏書列傳。立鄉學，郡置博士二人，助教二人，學生六十人。顯祖紀。以訢治爲諸州之最，加賜衣服。自是遂有驕矜自得之志。受納民財及商胡珍寶。兵民告言，尚書李敷與訢少長相好，每左右之。或有勸以奏聞，敷不許。魏書列傳。皇興四年，顯祖紀。顯祖聞訢罪狀，檻車徵訢，拷劾抵罪。魏書列傳。時敷弟奕得幸於馮太后，帝意已疏之，有司以中旨諷訢，告敷兄弟陰事，可以得免。訢謂其壻裴攸曰：吾與敷族世雖遠，恩踰同生，今在事勸吾爲此，吾情所不忍。每引簪自刺，解帶自絞，終不得死，且安能知其陰事。攸曰：何爲爲人死也？有馮闔者，先爲敷所敗，其家深怨之，今詢其弟，敷之陰事可得也。訢從之。又趙郡范㯹具列敷兄弟事狀，凡二十餘條。[通鑑百三十二。按：二原作三，今從魏書李順傳改。]有司以聞。敷坐得罪。詔列訢貪冒，罪應死。以糺李敷兄弟，故得降免，百鞭髡刑，配爲廝役。未幾復爲太倉令尚書，攝南部事。用范㯹、陳端[北史作策。]等計，令千里外，户別轉運，詣倉輸之。所在委滯，停延歲月，百姓競以貨賂各求在前，遠近困弊。道路羣議曰：畜聚斂之臣，未若盜臣。訢弟左將軍璞[通鑑作瑛。考異曰：魏典瑛作璞，今從魏書。然今魏書正作璞，未詳何故。]謂訢曰：范㯹善能降人以色，假人以辭，未聞德義之言，但有勢利之説。聽其言也甘，察其行也賊，所謂諂諛、讒慝、貪冒、姦佞，不早絶之，後悔無及。訢不從，彌信之，腹心之事，皆以告㯹。訢既寵於顯祖，參決軍國大議，兼典選舉，權傾内外，百僚曲節事之。㯹以無功，起家拜盧奴令。[魏書列傳。]時尚書趙黑得幸兩宮，與訢對綰選部。訢奏中書侍郎崔鑒爲東徐州，北部主書郎公孫處顯爲荆州，選部監公孫蘧爲幽州，皆曰有能也，實有私焉。黑疾其虧亂選體，争於殿庭。顯祖疑之，訢與黑遂爲深隙。竟列黑爲監藏時多所截没。黜爲門士。黑規報前怨，踰年，還入爲尚書。[魏書閹官傳。]顯祖崩，訢遷司空，進爵范陽公。[魏書列傳。]黑告訢專咨，遂出爲徐州刺史。[魏書列傳。]黑構[閹官傳。]范㯹知文明太后忿訢也，又知内外疾之。太和元年二月，希旨告訢外叛。[魏書列傳。]

成之。閹官傳。文明太后徵訢至京師，言其叛狀，訢曰無之。引摽證訢，訢言：爾妄云知我，吾又何言！雖然，爾不顧余之厚德而忍爲此，不仁甚矣。摽曰：公德於摽，何若李敷之德於公？公昔忍於敷，摽今不敢忍於公乎？訢慨然曰：吾不用璞言，自貽伊戚，方悔於心，何嗟及矣！遂見誅。璞字季真，北史作季直。性敦厚，多識人物。賜爵宜陽侯，太常卿。先訢卒。謚曰穆。魏書列傳。

盧昶，字叔達，小字師顏，范陽涿人，青州刺史度世之子。學涉經史，早有時譽。太和初，爲太子中舍人，兼員外散騎常侍。魏書附盧玄傳。十八年，詔使於齊。北史魏紀三。高祖勑副使王清石曰：昶是寬柔君子，無多文才，或主客命卿作詩，可率卿所知，莫以昶不作，便復罷也。魏書附傳。及至彼，遇齊明立，北史附盧玄傳。於是高祖南討，昶兄淵爲別道將。魏書附傳。齊明遂酷遇昶，以腐米、臭魚、莝豆供之。昶本非骨鯁，北史附傳怖懼食之，淚汗交橫。謁者張思甯辭氣不屈，死於館下。通鑑百四十。昶還，高祖責之曰：銜命之禮，有死無辱，雖流放海隅，猶宜抱節致隕。卿不能長纓羈首，已是可恨。何乃俛眉飲啄，自同犬馬。以辱君父！縱不遠慚蘇武，甯不近愧思甯！遂見罷黜。久之，復除彭城王友，轉秘書丞。景明初，除中書侍郎，遷給事黃門，本州大中正、散騎常侍，兼尚書。魏書附傳。時洛陽縣獲白鼠。昶奏，以爲案瑞典，外鎮刺史二千石令長不祇上命，刻暴百姓，怨嗟，則白鼠至。

因陳時政，多所勸誡。詔書褒美其意。（北史附傳。）轉侍中，又兼吏部尚書，尋卽正，仍侍中。昶守職而已，無所激揚。與侍中元暉等更相朋附，爲世宗所寵，時論鄙之。（魏書附傳。）號曰饑鷹侍中。（魏書常山王遵附傳。）昶與安東將軍邢巒不平。御史中尉崔亮，昶之黨也，昶令亮糾巒。（魏書邢巒傳。）巒賂暉得免。（通鑑目録十四。）出除鎮東將軍、徐州刺史。永平四年，琅邪民王萬壽斬梁輔國將軍，琅邪、東莞二郡太守以朐山降。（魏書世宗紀。）昶遣琅邪戍主傅文驥入城據守，梁將馬仙琕等攻圍文驥。詔昶率衆赴之。（魏書島夷傳。）昶表，此兵九千，賊衆四萬，請益兵六千，米十萬石。詔遣四千人赴之。昶既儒生，本少將畧，又羊祉子燮爲昶司馬，專任戎事，掩昶耳目，將士怨之。（魏書附傳。）文驥糧樵俱罄，以城降梁。昶見城降，先走退。諸君相尋奔遁，遇大寒雪，軍人凍死及落手足者大半。自魏經畧江右，唯中山王英敗於鍾離，昶於朐山失利，最爲甚焉。（北史附傳。）昶棄其節傳，輕騎而走，至郯城，假趙遐節，以爲軍威。（魏書趙逸附傳。）世宗遣黄門甄琛馳驛鎖昶，窮其敗狀。免官，論坐。未幾，拜太常卿，仍除安西將軍、雍州刺史，又進號鎮西將軍，加散騎常侍。熙平元年卒於官。贈征北將軍、冀州刺史，謚曰穆。昶寬和矜恕，善於綏撫，其在徐州，戍兵疾，親自檢卹。至番兵年滿不歸，容充後役，終昶一政，然後始還。人庶稱之。（魏書附傳。）

劉靈助，燕郡人。師事劉弁，好陰陽占卜，而粗疏無賴，常去來燕恒之界，或時負販，或復刦盜，賣術於市。後自代至秀容，因事尒朱榮。榮性信卜筮，靈助所占屢中，遂被親待，爲榮府功曹參軍。（魏書術藝傳。）建義初，榮於河陰害王公卿士。（北吏藝術傳。）時奉車都尉盧道虔兄弟亦相率朝於行宮，靈助以其州里，衞護之，由是朝士與諸盧相隨免害者數十人。（魏書列傳。）時榮既有異圖，鑄金爲己像，數四不成。靈助言：天時人事必不可爾。（魏書尒朱榮傳。）榮曰：若我作不吉，當迎天穆立之。靈助曰：天穆亦不吉，惟長樂王有王兆耳。榮亦精神恍惚，不自支持，遂便愧悔，乃迎莊帝。（北史尒朱榮傳。）榮入京師，超拜光禄大夫，封長子縣開國公，食邑千户。後從榮討擒葛榮，特除散騎常侍、撫軍將軍、幽州刺史。又從上黨王天穆討邢杲。元顥入洛，天穆渡河。靈助會尒朱榮於太行。及將攻河內，令靈助筮之。靈助曰：未時必剋。時已向中，士衆疲怠，靈助曰：時至矣。榮鼓之，即便剋陷。及至北中，榮攻城不獲，以時盛暑，議欲且還。莊帝詔靈助筮之。（魏書列傳。）靈助曰：必破，十八、九間。果如言。車駕還宮，進爵燕郡公，贈其父僧安爲幽州刺史。尋兼尚書左僕射，（北史列傳。）慰勞幽州流民於濮陽、頓邱，因率民北還。與都督侯淵等討葛榮餘黨韓婁，（侯淵傳作韓樓。）滅之於薊。仍釐州務，加車騎大將軍，又爲幽、平、營、安四州行臺。及尒朱榮死，莊帝幽崩。靈助本寒微，一朝至此，自謂方術堪能動衆。又以尒朱有誅滅之兆，靈助遂自號燕王、車騎大將軍、開府儀同三司、大行臺，爲莊帝舉義兵。靈助馴養大鳥，稱爲己瑞，妄説圖讖，言劉氏當王，又云：欲知避世入鳥村。遂刻氈爲人象，畫桃木爲符書，作詭道厭祝之法。民多信之。魏書列傳。初，莊帝詔河西人紇豆陵、步蕃等令襲秀容。尒朱兆入洛後，步蕃兵勢甚盛，南逼晉陽，兆回師禦之。爲步蕃所敗。魏書尒朱兆傳。故靈助昌言：尒朱自然當滅，不須我兵。由是幽、瀛、滄、冀之民，悉從之，夜舉火爲號，不舉火者，諸村共屠之。以普泰元年三月，率衆至博陵之安國城。魏書列傳。前廢帝以山東行臺叱列延慶與大都督侯淵於定州會討。魏書叱烈延慶傳。淵畏其衆，欲引兵西入，據關拒險，以待變。通鑑百五十五。延慶曰：劉靈助，庸人。彼皆恃其妖術，坐看符厭，寧肯戮力致死，與吾争勝負哉。詭言西歸，靈助必信，潛軍往襲，一往可擒。淵從之，乃出頓城西，聲云將還。簡精騎一千夜發，詰朝造靈助壘，戰於城北，遂破擒之。魏書叱列延慶傳。支分其體，傳首洛陽。初，靈助每云三月末我必入定州，尒朱亦必滅。及將戰，靈助自筮之，卦成不吉，以手折蓍，棄之於地，云：此何知也！尋見擒，果以三月入定州，而齊獻武以明年閏三月破西胡於韓陵山，遂滅兆等。永熙二年，贈尚書左僕射、開府儀同三司、幽州刺史，謚曰恭。魏書列傳。劉弁，范陽人，善卜筮，亦有名於世。魏書耿玄傳。

北齊

盧宗道，范陽涿人，文偉子。性麤率，（北齊書盧文偉附傳。）動作狂狹。（北史盧觀附傳。）歷尚書郎、通直散騎常侍、後行南營州刺史。嘗於晉陽置酒，賓筵滿座。中書舍人馬士達目其彈箜篌女妓云：手甚纖素。（北齊書附傳。）宗道卽以遺之。（北史附傳。）士達固辭。宗道便命家人將解其腕。士達不得已而受之。將赴營州，於督亢坡（北史坡上有城字。）大集鄉人，殺牛聚會。有一舊門生酒醉，言辭之間微有疎失，宗道遂令沉之於水。後坐酷濫，除名。（北齊書附傳。）

盧斐，字子章，范陽涿人也。（北齊書酷吏傳。）魏侍中章武伯同長子。（魏書盧同傳。）性殘忍，以强斷知名。（北齊書列傳。）武定中，（魏書盧同附傳。）世宗引爲相府（北史作大將軍府。）刑獄參軍，謂之云：狂簡，斐然成章，非佳名字也。天保中，稍遷尚書左丞，別典京畿詔獄，酷濫非人情所爲。無問事之大小，拷掠過度，於大棒車輻下死者非一。或嚴冬至寒，置囚於冰雪之上；或盛夏酷熱，暴之日下。枉陷人致死者，前後百數。又伺察官人罪失，動卽奏聞，朝士見之，莫不重足屏氣，皆目之爲盧校書。（北齊書列傳。北史作校事。）斐揚揚得志，言必自矜。（北史列傳。）天保五年，（通鑑目録卷十六。）尚書郎中魏收撰魏書成。（北齊書王松年傳。）斐父同附出族祖玄傳下。斐譏議云：史書不直。（北齊書魏收傳。）語楊愔云：魏收合誅。（北齊書李構傳。）收不勝憤，啟誣其欲加屠害。（魏收傳。）愔黨助收，遂白罪斐。（李構傳。）帝大怒，親自詰責。（魏收傳。）髡頭鞭二百。（李構傳。）病死獄中。（北齊書列傳。）

郭秀，范陽涿人也。（北史恩幸傳。北齊書作范陽涿郡人。按魏書地形志，有范陽郡，無涿郡。范陽郡領涿縣，郡字衍。）事高祖爲行臺右丞，（北齊書恩幸傳。）

封壽陽伯。親寵日隆，多受賂遺，進退人物。張伯德、祁仲彦、張華原之徒，皆深相附會。北史列傳。秀遇疾，高祖親視之，問所欲官。乃啟爲七兵尚書，除書未至而卒。家無成人子弟，高祖自至其宅，親使録知其家資粟帛多少，然後去。北齊書列傳。贈儀同三司、恒州刺史。命其子孝義與太原公以下同學讀書。北史列傳。初，高祖、世宗情存庶政，文武任寄，多貞幹之臣。惟郭秀小人，有累明德。恩幸傳論。秀忌嫉楊愔，北史列傳。愔從兄幼卿爲歧州刺史，以直言忤旨見誅。秀致書恐之。勸其逃亡。愔遂棄衣冠於水濱若自沉者，變易姓名，屏居削迹。北齊書楊愔傳。秀死後，愔還，高祖追忿秀，卽日斥孝義，終身不齒。北齊書列傳。

平季，字稚穆，北史作幼穆。燕國薊人。祖濟，武威太守。父雅，州秀才，與沙門法秀謀反，伏誅。季坐腐刑，入事宮掖。除小黄門，魏書閹官傳。累遷新興太守。北史恩幸傳。肅宗崩，與尒朱榮等議立莊帝。莊帝卽位，魏書閹官傳。超拜肆州刺史，尋除中侍中，以參謀勳，封元城縣侯。永熙中，加驃騎大將軍，卒。北史恩幸傳。

隋

盧賁，字子徵，范陽涿人也。隋書作涿郡范陽郡，今從北史及周書盧光傳。父光，周開府、燕郡公。賁略涉書記，頗解鍾律。隋書列傳。在周襲爵燕郡公，歷位魯陽太守、太子少宫尹、儀同三司、司武上士。

北史盧同附傳。時高祖爲大司馬，原作武，據北史改。賁知爲非常人，深自推結。宣帝卽位，加開府。及高祖初被顧託，羣情未一，乃引賁置左右。高祖將之東第，百官不知所從。原作去，今據通鑑改。高祖潛令賁部伍仗衛，因召公卿，謂曰：欲求富貴者，當相隨來。往往偶語，欲有去就。賁嚴兵而至，衆莫敢動。出崇陽門，至東宮，門者拒不內。賁諭之，不去，瞋目叱之，門者遂卻。高祖得入。賁恒典宿衛，曰：周歷已盡，天人之望實歸明公，願早應天。隋書列傳。承間進説以應天順人之事。北史附傳。及受禪，命賁清宮，因典宿衛。奏改周代旂幟，更爲嘉名。其青龍、騶虞、朱雀、元武、千秋、萬歲之旂，皆賁所創也。尋拜散騎常侍，兼太子左庶子、左領軍、右將軍。時高熲、蘇威共掌朝政，賁甚不平。隋書列傳。前後短熲於上。上怒之，被疎黜。隋書高熲傳。賁因諷柱國劉昉、元諧、李詢，華州刺史張賓等，謀黜熲、威，五人相與輔政。又以晉王上之愛子，謀行廢立。復私謂皇太子曰：賁將數謁殿下，恐爲上所譴，願察區區之心。謀泄，上窮治其事。昉等委罪於賓、賁，公卿奏：二人坐當死。上以龍潛之舊，不忍加誅，並除名爲民。賁歲餘，復爵位，檢校太常卿。隋書列傳。令監新造曆。隋書律曆志。賁以古樂宮懸七八，損益不同，歷代通儒，議無定準。於是上表曰：殷人以上，通用五音，周武克殷，得鶉火、天駟之應，其音用七。漢興，加應鍾，故十六枚，而在一簴。鄭玄注周禮，二八十六簴。此則七八之義，其來遠矣。然世有沿革，用舍不同。至周武帝，復改懸七，以林鍾爲宫。夫樂者，治之本，移風易俗。所以動天地，感鬼神，情發於中，治亂斯應。周武以林鍾爲宫，蓋將亡之徵也。且林鍾之管，即黄鍾下生之義。黄鍾，君也，而生於臣，明爲王家九五之應。又陰者臣也，而居君位，更顯國家登極之祥。斯實冥數相符，非關人事。臣聞五帝不相沿樂，三王不相襲禮，此蓋隨時改制，而不失雅正者也。上竟從之，即改七懸八，以黄鍾爲宫。詔與儀同楊慶和删定周、齊音律。隋書列傳。賾撰著樂書，爲當時所用。通典百四十三。未幾，歷郢、虢、懷三州刺史。在懷州，決沁水東注，名曰利人渠，又派入温縣，名曰温潤渠，北史列傳。以溉舄鹵，民賴其利。後轉齊州刺史。民饑，米穀踴貴，閉人糶而自糶之。北史作糶官米而自糶。坐除名爲民。後從幸洛陽，上從容謂賾曰：我始爲大司馬時，卿布腹心於我。及總百揆，頻繁左右，與卿足爲恩舊。卿若無過者，位與高熲齊。坐與凶人交構，由是廢黜。言念疇昔之恩，復當牧伯之位，何乃不思報效，以至於此！吾不忍殺卿，是屈法伸私耳。賾俯伏陳謝，詔復本官。後數日，對詔失旨，又自叙功績，有怨言。上大怒，顧謂羣臣曰：吾將與賾一州，觀此不可復用。隋書列傳。賾二三其德，見遺末路。北史傳論。後皇太子爲其言曰：此輩并有佐命之功，雖性行輕險，誠不可棄。上曰：我抑屈之，全其命也。當周宣帝時，以無賴得幸，及帝大漸，顔之儀等請以宗王輔政，此輩行詐，顧命於我。我將爲治，又欲亂之。如賁之徒，皆不滿志。任之則不遜，致之則怨，自難信也。遂廢，卒於家。隋書列傳。

唐

張知泰，幽州方城人，徙家岐。弟知默，皆明經高第，曉吏治。新書張知謇附傳。當時明公爭引薦之，遞歷畿赤。調露後，又歷臺省。通天中，知泰爲洛州司馬，舊書張知謇附傳。奏置東郡諸關十七所，譏斂出入。百姓驚駭，樵米踊貴，卒罷不用，議者羞薄之。新書附傳。知默爲秋官郎中，舊書附傳。與監察御史王守慎、來俊臣、周興掌詔獄，數陷大臣。守慎雖其甥，惡鞫引之暴，不得去，請度爲浮屠，后許之。而知默卒陷酷吏。新書附傳。神龍元年，中宗踐極，知泰自兵部侍郎授右御史大夫，加銀青光祿大夫，進封漁陽郡公，以忤武三思，出爲并州刺史、天平軍使，舊書列傳。終魏州刺史，謚曰定。新書列傳。知默身死除名，舊書中宗紀。子孫禁錮，爲張氏羞。新書列傳。

高尚，幽州雍奴人也，本名不危。舊書列傳。母老，丐食自給，尚客河朔不肯歸。新書逆臣傳。與令狐潮鄰里，通其婢，生一女，遂收之。尚頗篤學，贍文辭。舊書列傳。嘗喟然謂汝南周銑曰：吾當作賊死，不能齕草根求活也。李齊物爲新平太守，舊書作懷州刺史。薦諸朝，贐錢三萬，介之見高力士。力士以爲才，置門下，家事一咨之，諷近臣表其能，擢左領軍倉曹參軍。新書列傳。天祿六載，安祿山奏爲平盧掌書記，出入卧內。祿山肥，多睡，尚執筆在旁，或通宵焉。繇是寖親厚，遂與祿山解圖讖，導其反。舊書列傳。祿山以尚爲謀主，安祿山傳。寇陷東京，僞授中書侍郎。舊書列傳。賊所下赦令，皆尚爲之。新書列傳。始，尚與嚴莊、孫孝哲計畫，白祿山以爲事必成。舊書列傳。會李光弼敗史思明于嘉山，收郡十三，河南諸郡皆嚴兵守，潼關不開，新書祿山傳。漁陽路絶。通鑑二百十八。祿山懼，召尚責曰：我起，而曹謂萬全。今四方兵日盛，自關以西，不跬步進，爾謀何在！尚見我爲？遣出，凡數日，田乾真自潼關來，勸祿山。新書祿山傳。祿山喜，遂召尚等飲宴作樂，自唱歌以送酒，待之如初。及安慶緒至相州，僞授侍中。舊書列傳。史思明斬慶緒，乃誅尚，殊而膊之。新書祿山傳。舊書祿山傳作縊殺之。

朱泚，幽州昌平人。父懷珪，事安、史二賊，僞署柳城使。泚資壯偉，腰腹十圍。外寬和，中實狠刻。少推父蔭，籍軍中，與弟滔并爲李懷仙部將。輕財好施，陰儲凶德。新書逆臣傳。大曆三年，泚、滔及朱希彩共殺懷仙，希彩自稱留後，領節度，新書李懷仙傳。頗委信之。新書列傳。七年，滔又與判官李子瑗李懷仙傳作李瑗，代宗紀作李懷瑗。謀殺希彩而立泚。通鑑二百二十九。遣使至京師聽命，即拜盧龍節度使，封懷甯郡王。泚上書謝。遣滔防秋，代宗手詔褒美。新書列傳。幕府蔡廷王勸泚入朝。泚内畏滔逼己，滔亦勸泚。新書蔡廷玉傳。九年，泚上表，請領步騎三千入覲，舊書列傳。乃以軍屬滔，蔡廷玉傳。自幽州首爲逆懷仙以來，雖外臣順然不朝謁，而泚倡諸鎮以身入衛。

有詔起第以待。新書列傳。泚至京師，內殿引見，舊書列傳。賜賚隆渥。滔攝後，稍稍翦落泚牙角。泚自知失權，爲滔所賣，不得志，乃請留。帝因授滔節度留後，乃分防秋兵；汴宋、淄青，使泚主之。新書列傳。十一年，拜同平章。出鎮奉天，舊書列傳。賜禁中兵以爲寵。遷檢校司空，代李抱玉爲隴右節度副大使，知河西、澤潞行營兵馬事。明年，徙主遂甯。德宗立，改鎮鳳翔。新書列傳。吐蕃、雲南蠻寇黎、茂、文、扶四州，泚敗之於七盤城。新書德宗紀。建中初，以李懷光代段秀實兼節度涇原，徙屯原州。懷光前督，作泚領兵繼進。涇士素聞懷光暴，相恟懼。劉文喜因劫衆以亂，請留秀實，又請屬泚。詔泚代懷光。文喜合兵乘城。詔泚攻之，裨將劉海濱殺文喜，入泚軍，泚一無所戮，由是涇人德之。詔加中書令，還屯，進拜太尉。滔合田悦叛，遣人與泚相聞。馬燧獲其書，帝詔泚示之。泚惶懼請死，帝勉曰：千里不同謀，卿何謝！更以張鎰節度鳳翔，遷泚京師，加實封千户，不朝請，中人監第。新書列傳。姜公輔諫曰：陛下若不能坦懷待之，不如誅之，養虎無自詒害。不從。新書姜公輔傳。四年，德宗紀。李希烈圍哥舒曜於襄城，詔涇原節度姚令言督鎮兵五千東救曜。過闕下，師次滻水。京兆尹王翃使吏供軍糲飯菜肴，衆怒，羣譟，乃反旗而鼓。時令言尚論兵禁中，既上變，乃馳至長樂坂，遇兵還，引滿向令言，劫以西行。帝遣使者開諭，賊已陣通化門，殺使者。新書列傳。時關東、河北，頻戰不利，屢發禁兵東征，警衛遂虚。帝乃出自苑北門，六軍羽衛纔數十騎。趙元一奉天録。姜公輔叩馬諫曰：泚嘗帥涇原，得士心，向以滔叛奪之兵，居嘗怫鬱不自抑，請馳騎捕取以從，無爲羣凶得之。帝倉卒不及聽。姜公輔傳。乘輿次咸陽，傳食而過，遂幸奉天。奉天録。賊乃相謀曰：太尉方囚錮，若迎之，事可濟。令言率百餘騎見泚。泚僞讓不答，留使者飲，以觀衆心。夜，數百騎復往，乃擁徒向闕下舍前殿總六軍。明日下令，百官三日赴行在，留者守本司，違令誅。徙居白華殿。或説以迎天子，泚顧望咢然。光禄卿源休至，教以不臣，詭稱符命，泚説。張光晟、李忠臣皆新失職，怨望，亦勸成之。大將張延芝、涇將段誠諫引潰兵三千自襄城來。泚自謂得人助，逆志益堅，因署休京兆尹判度支，忠臣皇城使。新書列傳。泚以段秀實失兵必憤恨，且素有人望，使騎迎入。秀實曰：將士東征，宴賜不豐，有司過耳，人主何與知！公本以忠義聞天下，今變起倉卒，當諭衆以禍福。清宫室，迎乘輿，公之職也。泚默然。秀實知不可，乃陽與合，陰結將軍劉海賓，欲圖泚。按秀實傳，又有姚令言、何明禮二人，然令言首謀迎泚，秀實豈反與結？若使與結，則亦不必竊印矣。奉天録但言潛結劉海賓較確，今删去。會源休教泚僞迎天子，遣將韓旻領鋭師三千，疾馳奉天。秀實以爲宗社之危，不容喘，乃遣人竊取令言印，不獲，乃倒用司農印，追其兵，旻得符還。新書段秀實傳。泚召秀實議事。源休在坐，秀實戎服與泚並膝，語至僭位，秀實勃然而起，執休腕，奪其笏，奮踊而前，唾泚面大駡曰：狂賊！吾恨不斬汝萬段，豈逐汝反邪！遂擊之。舊書秀實傳。泚舉臂捍笏，中額，流血巇面，匍匐走。新書秀實傳。明日大陳旗章金石於廷，僭即帝位於宣政殿，號大秦，建元應天。新書列傳。領兵侵逼奉天。舊書列傳。渾瑊先以數十騎從西門出，埋伏於漠谷之隅，自將數十騎從東門出，直抵泚營壁壘。泚驚，不覺墜榻。新書列傳言：渾瑊伏兵於漠谷，引數千騎跳攻長安。泚大驚，踣榻前。按舊書渾瑊傳，杜希全等赴難，將至上議所，向盧杞曰：漠谷路近，賊邀擊即出兵應接。通鑑胡三省注云：在奉天城西北，瑊伏兵漠谷，去長安甚遠，無緣跳攻。若使攻長安，又無庸伏兵漠谷。蓋此時泚軍已逼奉天，故瑊得直抵其營，而伏兵以截其追也。新書誤，今從奉天録。羣盜大潰。瑊以騎少，遂引而西。李日月縱騎追之，中矢而死。奉天録。於是瑊率韓游瓌禦泚。泚大敗退，修攻具。會杜希全兵敗漠谷，賊益張，急攻城，凡三旬有六日，而李懷光以兵五萬至，敗賊於魯谷，遂戰城下，賊潰，泚夜引去，新書列傳。至長安，但爲城守計，既據府庫之富，不愛金帛以悦將士，公卿家屬在城中者皆給月俸。通鑑二百二十九。泚自號其宅爲龍潛宮，移瓊林庫國寶實之。識者曰：潛龍勿用，此敗徵也。未幾，百姓劫其珍異，泚不能禁。奉天録。興元元年，泚以本封遂甯，漢地也，更號漢，改元天皇。或曰：皇師欲潛壞城隅以入。泚懼，詔金吾布士於衢，吏儲炬以防夜，城隅百步建一樓，候望非常。凡祠房廟廬皆帷甲。泚宿未央，涇原士謀殺泚，泚知之，輒徙他處，衆謀亦止。官軍壞龍首、香積二堨，以決流，城中水絶。泚使百人治之，程役甚苦，上下惴恐。泚戰數北，憂甚，欲出走。會懷光貳於帝，按軍觀望。帝欲幸咸陽，趣諸將捕賊，懷光遂與泚連和。約平關中，割地爲鄰國，懷光決反，因并陽惠元、李建徽軍。泚知懷光反明白，即賜詔，待以臣禮，督其兵入衛。懷光慚見欺，引軍東保河中。張光晟約降於李晟。晟率渾瑊、駱元光、尚可孤悉師攻賊，大敗之，乃分道入。張光晟勸泚出奔，泚引殘軍西走。失道，問野人，答曰：朱太尉邪？天網恢恢，去將安所？泚怒，欲殺之，乃亡去。新書列傳。泚於馬上叩頭，稱乞命，因之墜馬。良久，却蘇，左右問其故，曰：見段司農。杜陽雜編又南部新書。泚至涇州長武城，田希鑒拒之，泚曰：子之節，吾所授，奈何拒我？火其門，希鑒擲節焰中，曰：歸汝節！泚舉軍哭。北走驛馬關，甯州刺史夏侯英開門陣而待，泚不敢入，因保彭原西城。新書列傳。其將梁廷芬夜射泚，墜阬中，韓旻等斬之，詣涇州降，傳首行在，通鑑二百三十一。時年四十三。新書列傳。

滔性變詐，多端倪，新書藩鎮傳。言大而識淺。張孝忠傳。泚爲幽州節度，遣滔將勁兵三千赴京師，請率先諸軍備塞。舊書列傳。帝嘉之，召見滔殿中。問曰：卿材孰與泚多？滔曰：統御士衆，方畧明辨，臣不及泚。臣年二十八，獲謁天子，泚長臣五年，未識朝廷，泚不及臣。帝愈喜，特詔勒兵貫王城而出，屯涇州，置酒開遠門餞之。戍還，乃謀奪泚兵，詭説曰：天下諸侯未有朝者，先至，可以得天子意，子孫安矣。泚信之。新書列傳。大曆九年，泚朝覲，因乞留，西征吐蕃。以滔試殿中監，權知留後兼御史大夫。舊書列傳。滔殺有功者李瑗等二十餘人，威振軍中。新書列傳。建中二年，鎮州李維岳求襲節度，不許，魏博、田悦爲請，不答。遂合謀同叛。新書田承嗣附傳。詔滔討維岳。通鑑二百二十七。滔與成德張孝忠再破之束鹿，取深州，進檢校司徒，遂領節度，賜德、棣二州。德宗以康日知爲深、趙二州團練使，詔滔還鎮。滔失深州，不平，又請恒、定七州所賦供軍，復不許，愈怨。時馬燧圍田悦，悦窮，新書列傳。使王侑、許士則説滔，合縱連衡，願上貝州。滔心素欲得貝，大喜，使侑先還，告師期。田承嗣附傳。滔激其衆曰：士喋血鬬，既下堅城，朝廷乃見奪，奏賞不報。君等疾趨，破馬燧以取貲糧，可乎？軍中不應，三號之，乃曰：幽人死於南者，骸撑不掩，痛藏心髓，奈何復欲暴骨中野乎？司徒兄弟受國寵，士各蒙官賞，願安之，不卹其他。滔罷，潛殺不可共亂者數十人。新書列傳。康日知聞其謀，以告燧。燧以上聞。上以魏州未下，王武俊復叛，力未能制，賜滔爵通義郡王，冀以安之。通鑑二百二十七。滔愈悖，以兵與武俊屯趙州脅日知。新書列傳。涿州刺史劉怦聞滔欲救田悦，以書諫，不用。通鑑二百二十七。遣裨將蔡雄説張孝忠，啖以金帛。新書張孝忠傳。孝忠怒，欲執送京師。雄懼，逃歸。滔乃使劉怦將兵屯要害以備之，通鑑二百二十九孝忠傳言，滔悉兵攻之，帝詔李晟、竇文場率師援孝忠，滔解去。按是時滔方引救田悦，何暇攻孝忠？且魏州未下、晟亦不暇分援也。今不取。卽引兵救悦，次束鹿。軍大譟曰：天子令司徒北還，而南救魏，甯有詔耶？滔懼，走匿傳舍。蔡雄好諭士曰：始天子約取成德，所得州縣賜有功者。拔深州者，燕也。本鎮常苦無絲纊，冀得深州以佐調率，今顧不得。又天子以帛賜有功士，爲馬燧掠去，今引而南，非自爲也。軍中悔謝，復曰：

雖然，司徒南行違詔書，莫如還。滔回至深州，誅首變者二百人。衆懼，乃率軍南壁甯晉，與武俊合。帝命馬燧、李懷光擊之，滔破懷光，與王師屯魏橋。新書列傳。悦重德滔，推爲盟主。滔更議如七國故事。田承嗣附傳。滔僭稱大冀王，署百官，與李納、田悦、王武俊並稱王，南結李希烈。舊書列傳。會朱泚亂，帝出奉天，田承嗣附傳。使人説田悦、王武俊、李納，赦其罪，厚賂以官爵。悦等皆密歸欵，而猶未敢絶。通鑑二百二十九。泚僭號，立滔爲皇太弟，令以重賂招誘回紇，南攻魏、貝，即西入關。舊書列傳。興元元年，滔發兵臨河，有驕伐之色。奉天録。武俊陰約悦背滔。田悦傳。滔至貝州，悦刺史邢曹俊上謁滔，即歸，閉城守，滔疑之。武俊遣客反間滔。滔怒，入永濟，執悦吏，使回紇大掠，南及澶、衛。悦闔城自保。滔遣將楊布署定館陶，屯平恩，置官吏。滔整軍北還，使馬寔屯冠氏，聞悦死，遂攻魏州，圍貝州。新書列傳。武俊致書於昭義、魏博等，戮力勤王。諸將各進表行在，有詔令魏冀昭義進軍。奉天録。於是，武俊與李抱真協力擊滔。舊書列傳。滔急召寔至貝州，步馬乏頓。明日，輒約戰，寔請休士三日，蔡雄、達千等畏武俊堅壁難圖，請戰。楊布曰：大王將取東都，逢小敵即怯，何以長驅天下耶？術士尹少伯亦言必勝。既戰，爲二軍所乘，大敗，滔奔入德州。恨少伯、雄、布之謬，殺之。俄而京師平，滔已敗，不能軍，走還幽州，上書待罪。詔武俊、抱真開示大信，若誠心審固者，當洗釁録勳，與更始。初，滔以劉怦忠力，使留守，及敗，疑圖己，彷徨不敢入。怦聞其至，蒐兵繕鎧，夾道陳二十里迎謁，望滔哭，滔遂入府。氣沮索，日邑邑，被病。貞元元年死，新書列傳。年四十，贈司徒。舊書列傳。新書作年四十二。按：泚自言年二十八云云，參之通鑑，當在大曆八年，又十二年爲貞元元年，與舊書四十之數合。惟泚以興元元年伏誅，時年四十三，其明年卽貞元元年，泚長滔五年，則滔死年又不及四十也。未詳孰是，姑附誌之。孫克融。舊書列傳。

克融以偏校事劉總。總將入朝，慮有後變，籍其軍材勇與黠暴不制者，悉薦之朝，冀厚與爵位，使北方歆羡，無甘亂心。克融在遣。新書列傳。時宰相崔植、杜元穎不知兵，且無遠畧，舊書列傳。既見總納地，謂天下曠然無事。克融等留京師，久不得調，新書列傳。至假衣匄食，日詣中書求官，不勝其困，深懷觖望。舊書劉怦傳。會張宏靖赴鎮，因悉遣還。俄幽州亂，因宏靖。時克融父洄，號有智譎，以疾廢卧家，衆往請爲帥。洄辭老且病，因推克融領軍務。詔以劉悟爲節度使，馳往。俄而瀛、冀皆附克融，悟不得入，新書列傳。奏請且授克融節度鉞。通鑑二百四十二。克融縱兵掠易州，敗兩縣。寇蔚州，易州刺史柳公濟戰白石嶺，斬三千級。轉寇定州，節度使陳楚破其兵二萬。會鎮州反，殺田宏正，議者謂二賊均逆，而克融全宏靖不敢害，可悉兵先誅趙，赦燕。朝廷度幽薊未可復取，乃拜克融檢校左散騎常侍，爲幽州盧龍節度使，長慶元年也。新書列傳。克融既得旌節，乃出宏靖。通鑑二百四十二。明年，陷弓高，攻下博，與王廷凑共圍深州。新書列傳。裴度移克融書，開説諄沓，傳以大誼，新書裴度傳。克融卽解圍去。（通鑑二百四十二。）因進檢校工部尚書，表獻馬萬匹、羊十萬，請直賞軍。敬宗初，遷檢校司空，賜邊屯時服，克融以帛疏惡，因詔使楊文端以聞。又上言：聞陛下東幸洛，願率匠丁五千助營宮室，迎乘輿，且請帛三十萬，備一歲費。帝怒，（新書列傳。）患之，欲遣重臣臨尉。裴度曰：克融無恚而悖，是將亡。譬猛虎自哮躍山林，憑窟穴則然，勢不得離其處，人亦不爲懼。陛下無庸遣重使，第以詔書言：中人倨驕，須還，我自責譴。春服不謹，方詰有司。所上工宜卽遣。已詔所在供擬，此則賊謀窮矣。陛下若未能然，則答：宮室營繕既有序，毋遣工爲重勞。朝廷緣召發乃有賜與，朕無所愛，獨與范陽，體不可爾。帝用度策，克融聽命，歸文端。（新書裴度傳。）進爵吳興郡王。是年，軍亂，殺克融及其子延齡，詔贈司徒。次子延嗣立，領留後，爲大將李載義殺而代之，並族其家。（新書列傳。）

吳少誠，幽州潞（今通州。）人，以世蔭爲諸王府户曹參軍事。客荆南，節度使庾準器之，留爲牙門將。從入朝，道襄陽，度梁崇義必叛，密畫策，將獻天子，李希烈以其事聞，有詔嘉美，擢封通義郡王。崇義反，希烈以少誠爲前鋒。事平，賜實封户五千。（新書列傳。）少誠素狡險，爲希烈所寵。（通鑑二百三十二。）希烈叛，少誠爲盡力。（新書列傳。）貞元二年，希烈爲其牙將陳仙奇所酖，並誅其妻子。仙奇以淮西歸順。詔以爲節度使。（舊書德宗紀。）少誠殺仙奇，自稱留後，（德宗紀。）朝廷遂授以申、光、蔡等州節度兵馬留後。少誠善爲治，日事完聚，不奉朝廷。

列傳。三年，判官鄭常、大將楊冀謀逐之，詐爲手詔，賜諸將、申州刺史張伯元等。事泄，少誠殺常、冀、伯元，通鑑二百三十二。盡宥諸將，以結衆心。五年，進拜節度使。新書列傳。少誠擅決司、洧水輓漕溉田，遣中使止之，不奉詔。舊書盧羣傳。兵部郎中盧羣往詰之。少誠曰：開此水，大利於人。羣曰：君令臣行，雖利人，臣敢專乎？公承天子令而不從，何以使下吏從公之令？少誠遽爲之罷役。通鑑二百三十五。十五年，陳許節度曲環卒，少誠擅出兵攻掠臨潁。舊書列傳。戍將韋清與通，留後上官涚遣兵三千救之，悉爲俘，遂圍許州。新書列傳。涚欲棄城走。營田副使劉昌裔止之曰：城中士馬足破賊，但堅壁不戰，賊勢必衰。涚然之。少誠原作賊，今據通鑑改。日夜攻急。昌裔募突將千人，鑿城分出，大破之。舊書劉昌裔傳。少誠又寇西華，通鑑二百五十五。陳許大將孟元陽城守，圍甚急，而終不能傳其城，乃罷去。舊書孟元陽傳。德宗怒，削少誠官爵，合十六道兵進討。新書列傳。先是，少誠與劉全諒謀襲陳許，新書韓弘傳。會全諒卒，舊書韓弘傳。使數輩仍在館。詔韓弘充宣武節度副使。弘卽驅出少誠使斬之，選卒三千，會諸軍擊少誠，敗之汴。新書韓弘傳。少誠由是失勢。通鑑二百三十五。于頔以襄陽兵戰吴房、朗山，擒其三將，新書列傳。又破於灌神溝。舊書于頔傳。王宗以壽州兵破賊於秋栅。時師雖衆，無統帥，而宦人監軍顓進退，互爲異見。既戰小溵河，諸道師未交而潰，棄輜仗不貲。帝乃詔夏州節度使韓全義爲淮蔡招討處置使，上官涚副之，諸將皆受節度。新書列傳。全義素無他方略，號令悉稟監軍，新書韓全義傳。

與少誠將吳秀、吳少陽等戰於溵南廣利原，軍潰，秀等乘之。全義退保五樓，少誠進擊，諸軍復大敗。（通鑑二百三十五。）全義及監軍賈英秀等夜遁保溵水。汴宋、徐泗、淄青兵走陳州。少誠薄溵水而營，全義懼，退保陳，而潞、滑、河陽、河中兵逃歸，唯陳許將孟元陽、神策將蘇光榮壁溵水。（新書列傳。）與少誠戰，殺二千餘人。（通鑑二百三十五。）少誠引兵還。全義之敗，少誠得帳中諸公書數百番，持以給衆曰：朝廷公卿託全義破蔡日掠將士妻女爲婢媵。以激怒其衆，絶向順意。（新書列傳。）先是，韋皋聞諸軍討少誠無功，上言：請以渾瑊、賈耽爲元帥，統諸軍，若重煩元老，則臣請以萬人下巴峽，出荆、楚，以翦其凶逆。不然，因其請罪而赦之，罷兩河諸軍，以休息公私，亦策之次也。若少誠一旦罪盈惡稔，爲麾下所殺，則又當以爵位授之，是除一少誠，生一少誠，爲患無窮矣。賈耽言於上曰：賊意蓋亦望恩貸，恐須開其生路。會少誠致書、幣於監軍，求昭雪。監軍奏之。（通鑑二百三十五。新傳言，少誠弱王師，移書於英秀求昭雪。帝召大臣議。賈耽曰：五樓兵退，而少誠卷甲不追，有自新路云云。按新舊書韓全義傳，同其説，蓋本之實録。通鑑考異已辨，今不取。）帝遂赦少誠，盡還其官爵。順帝即位，進同中書門下平章事，檢校司空，徙封濮陽郡王。元和四年死，贈司徒。（新書列傳。）

劉總，幽州昌平人，盧龍節度使濟之第二子也。性陰賊險譎。元和五年，濟奉詔討王承宗，使長子緄假爲副使，領留務。時總爲瀛州刺史，濟署爲行營都知兵馬使，屯軍饒陽，（舊書劉怦附傳。）進攻安平。總以兵八千先登，拔其城。濟病甚，總與左右張玘、成國寶及帳内親近謀，新書劉怦附傳。使詐自京至，曰：朝廷以相公逗留不進，除副大使爲節度矣。明日，又使人曰：副大使旌節已至太原。又使人走而呼曰：旌節過代州。舉軍驚恐。濟憤怒，不知所爲，因殺主兵大將數十人及與緄素厚者，乃追緄，以張玘兄臯代知留務。濟自朝至日晏不食，渴索飲，總置毒而進之。濟死，緄行至涿州，總矯以父命杖殺之，總遂領軍務。舊書附傳。朝廷不知其奸，故詔嗣節度，封楚國公，進累檢校司空。承宗再拒命，總遣兵取武彊，新書附傳。圍樂壽，破成德兵於深州，通鑑二百三十九。遂駐軍持兩端，以利朝廷供饋賞賜。舊書附傳。憲宗知之，外示崇寵，進同中書門下平章事。及吴元濟、李師道平，承宗憂死，田宏正入鎮州，總失支助，大恐，謀自安。又數見父兄爲祟，乃衣食浮屠數百人，晝夜祈禳，而總憩祠場則暫安，或居卧内，輒驚不能寐。晚年益慘悸，請落髮爲僧，冀以脱禍。新書附傳。

譚忠復説總曰：天地之數，合必離，離必合。河北與天下離六十年，數窮必合。往朱泚、希烈自立，趙、冀、齊、魏稱王，郡國弄兵，抵目相視，可謂危矣，然卒無事。元和以來，劉闢、李錡、田季安、盧從史，齊、蔡之彊，或首於都市，或身爲逐臣，皆君自見。今兵騷騷北來，趙人已獻德、棣十二城，助魏破齊，唯燕無一日勞，後世得無事乎？爲君憂之。總泣謝，因上疏願奉朝請。舊書温造傳：長慶元年，劉總請以所部九州聽朝旨，穆宗選可使者，或薦造，乃拜起居舍人，充太原、鎮州、幽州宣諭使。造初至范陽，總具櫜鞬郊迎，乃宣聖言，示以禍福。總俯伏流汗，若兵加於頸。及造使還，總遂移家入覲。按通鑑考異云，實録長慶元年正月己巳，以造爲太原、鎮州等道宣慰使。三月己卯，劉總奏乞爲僧。計造奉使尚未還，三月癸亥總已卒，然則温造傳所言，誤也。今不取。且欲割所治爲三：以幽、涿、營爲一府，請張宏靖治之；瀛、莫爲一府，盧士玫治之；平、薊、嬀、檀爲一府，薛平治之。盡籍宿將獻諸朝。獻馬萬五千匹。拜總檢校司徒兼侍中、天平節度使。又賜浮屠服，號大覺，榜其第爲佛祠，遣使以節、印偕來。給所部復一歲，緡錢百萬勞軍。時總已髡祝，讓節、印，遂衣浮屠服，與忠俱行。新書附傳。將士欲遮留之。總殺其倡率者十餘人，夜以印、節授留後張玘，遁去。及明，軍中始知之。玘奏，總不知所在，通鑑二百四十一。考異曰：總傳，總以節付張皋。皋，玘之兄，爲涿州刺史，總之妻父也。按實録，幽州留後張玘奏，總以剃髮爲僧，不知所終。然則不以節付皋也。至易州界，暴卒。贈太尉。舊書附傳。

張直方，范陽人。幽州節度使仲武子。新書張仲武附傳。大中三年，仲武卒，新書宣宗紀。直方以右金吾將軍襲節度留後，俄進副大使。舉動多不法，畏下變起，乃託出畋奔京師。新舊紀皆云幽州軍亂，逐直方。宣宗遣使者郊勞，授金吾大將軍，給檢校尚書俸。久之，進檢校尚書右僕射。新書附傳。好接賓客，歌妓絲竹，甲於他族。北夢瑣言。性暴率，坐以小罪笞殺金吾史，改羽林統軍。好馳獵，往往設罝罘於道，新書附傳。累日不還宿衛，貶左驍衛將軍。通鑑二百四十九。奴婢細過，輒殺。積罪，貶思州通鑑作恩州。司户參軍。母驚曰：尚有尊於我子耶？久乃復授羽林統軍。縱部下爲盜，復貶康州舊書作柳州。司馬。後居東都，弋獵愈甚，洛陽飛鳥皆識之，見必羣噪。乾符中，累進左驍衛大將軍。時鄭畋輔政，言：仲武會昌時功第一，今直方百口不自存，每内燕，以衣敝惡，辭不赴。陛下録功念舊，少優假。詔還檢校右僕射，進左金吾衛大將軍。（新書附傳。）廣明元年，黄巢陷潼關，（新書僖宗紀。）直方與羣臣迎賊灞上。（舊書作率武官十餘人迎於坡頭。）京師陷，巢僭即位，以直方爲檢校左僕射。直方素豪傑，（新書黄巢傳。）宰相崔沆、豆盧瑑（原作瓚，誤。）扈從不及，匿之家，朝貴多歸之。（舊書黄巢傳。）既而納亡命，謀劫巢，報天子。賊覺，屠其族。（新書附傳。）

高駢，字千里，幽州人。（舊書列傳。）南平郡王崇文孫也。家世禁衛，幼頗修飾，折節爲文學，與諸儒交，硜硜談治道，兩軍中人更稱譽之。事朱叔明爲司馬。（有二雕並飛，駢曰：我且貴，當中之。一發貫二雕焉。衆大驚，號落雕侍御。）後歷神策軍都虞侯。黨項叛，率禁兵萬人戍長武城，（新書列傳。）屢有功。（通鑑二百五十。）西蕃寇邊，移鎮秦州，（新書作泰州，蓋刻本之誤。）尋授刺史、本州經略使。（舊書列傳。）取河、渭二州，略定鳳林關，降虜萬餘人。咸通中，帝將復安南。於是容管經略使張茵不討賊，（新書列傳。）宰相夏侯孜密疏請用駢，（國史補。）乃以駢爲安南都護、本管經略招討使。茵所將兵，悉付之。（通鑑二百五十。）駢過江，約監軍李維周繼進。維周擁衆壁海門，駢次峰州，大破南詔蠻，收所穫（原作獲，今據通鑑改。時峰州蠻方穫田也。）贍軍，（新書列傳。）進擊南詔，屢破之。捷奏至海門，維周皆匿之，數月無聲問。上怪之，以問維周。維周奏：駢玩寇不進。上怒，以右武將軍王晏權代駢。駢破南詔於交趾，遂圍交趾城。會得王晏權牒，即以軍事授韋仲宰北歸。先是，仲宰遣王惠贊駢，遣曾衮入告捷。至海中，見旌旗東來，云新經畧與監軍也。二人匿於島間，維周過，即馳入京師。上得奏大喜，加駢檢校尚書，復鎮安南。駢至海門而還。晏權闇弱，維周貪酗，諸將不爲用，遂解圍。駢至，復督率將士攻城，克之，通鑑二百五十。斬蠻帥段酋遷，降附諸洞二萬計。新書列傳。新書敘斬段酋遷於駢北歸之前。又云：駢遣王惠贊傳酋遷首京師。按通鑑，斬酋遷在復鎮安南之後。惠贊等至京告捷，其時安南猶未平。今從通鑑改次。安南平。新書南詔傳。以都護府爲靜海軍，授駢節度兼諸道行營招討使，始築安南城。新書列傳。八年，駢奏：南至邕管，水路湍險，巨石梗途，令工開鑿訖，漕船無滯。降詔褒之，舊書懿宗紀。加檢校尚書右僕射。駢之戰，其從孫潯常先鋒冒矢石以勸士。新書列傳。駢爲金吾大將軍，請以潯代鎮交趾，通鑑二百五十一。遷鄆州刺史、天平節度使。治鄆之政，民吏歌之。舊書列傳。通鑑考異云，駢爲金吾半歲，始除天平。南詔寇巂州，掠成都，徙駢劍南西川節度使，乘傳詣軍。新書列傳。駢至劍州，先遣使走馬開成都門，通鑑二百五十二。縱民出入。左右諫曰：寇在近，脱大掠，不可悔。駢曰：屬吾在安南破賊三十萬，驃信聞我至，尚敢耶！新書列傳。今春氣暖，數十萬人蘊積城中，生死共處，污穢鬱蒸，將成癘疫，不可緩也。蠻方攻雅州，聞之，遣使請和，引兵去。初，南詔圍成都，楊慶復以右職優給，募突將以禦之。成都由是獲全。及駢至，悉令納牒。又託以蜀中人屢遭蠻寇，人未復業，停其稟給。突將皆怨忿。駢好妖術，每發兵追蠻，皆夜張旗立隊，對將焚紙畫人馬，散小豆，曰：蜀兵懦怯，今遣元女神兵先行。軍中壯士皆恥之。又索闔境官有出於胥吏者，皆停之。令民間皆用足陌錢，陌不足者，皆執之，劾以行賂。取與皆死，刑罰嚴酷，由是蜀人皆不悅。通鑑二百五十二。突將亂，乘門以入，駢匿於圊，求不得。天平兵聞變，其校張桀以士五百格戰，不勝，監軍慰解之。新書列傳。時方修毬場，役者數百人。天平軍悉取其首，還詣府云，已誅亂者。駢出，厚以金帛賞之，明日榜謝突將，通鑑二百五十二。悉還其衣稟。然密籍所給姓名，夜遣牙將擊殺之，夷其族，雖孕者不貰，投尸於江。新書列傳。久之，突將有自戍歸者，駢復欲盡族之。親吏王殷諫曰：相公奉道，宜好生惡殺，此屬在外，初不同謀，若復誅之，則自危者多矣。駢乃止。通鑑二百五十二。北夢瑣言：駢鎮蜀日，因巡邊至資中，郡舍對山有開元寺，是夜黄昏，僧禮讚，螺唄間作，命軍候悉擒械之來，晨笞背斥逐，召將吏，謂之曰：僧徒禮念，亦無罪過，但以此寺十年後當有禿丁作亂，以是厭之。其後土人果髠髮執兵，號大髠、小髠，據寺爲寨，陵脅州將。蜀土惡，成都城歲壞，駢易以磚甓，陴堞完新，負城邱陵悉墾平之，以便農桑。進檢校司徒，封燕國公，徙荆南節度。新書列傳。王仙芝餘黨剽掠浙西，朝廷以駢先在天平有威名，仙芝黨，多鄆人，乃徙駢爲鎮海節度使。通鑑二百五十三。駢遣將張潾、梁纘分兵窮討，降其驍帥畢師鐸數十人，賊走嶺表。帝美其功，加諸道行營都統，鹽鐵轉運使。黄巢陷廣州，駢遣潾以兵五千屯郴扼賊西路，留後王重任以兵八千並海進援循、潮，自將萬人由大庾擊賊廣州。且請起荆南王鐸兵三萬壁永，以邕管兵五千壁端州，則賊無遺類。帝納其策，而駢卒不行。通鑑言詔不許。俄徙淮南節度。駢繕完城壘，募軍及土客，得鋭士七萬，乃傳檄召天下兵共討賊，威震一時，天子倚以爲重。廣明初，潾破大雲倉，詐降巢。巢不意其襲，遂大奔，引殘黨壁上饒。會疫癘起，潾進擊之，巢大敗懼，以金啗潾，賸書於駢，丐歸命。駢信之，許爲求節度。時昭義、武甯、義武兵數萬赴淮南，駢欲專己功，即奏賊已破，不須大兵。有詔班師。巢知兵罷，即絶駢。新書列傳。駢怒，令張潾整軍擊之，爲賊所敗，臨陣殺潾。賊遂乘勝渡江，攻天長、六合，舊書僖宗紀。兵勢甚盛。畢師鐸言於駢通鑑二百五十三。曰：朝廷所恃，誰易於公？制賊要害，莫先淮南。今不據要津以滅賊，使得北渡，必亂中原。新書列傳。駢以諸道兵已散，張潾復死，自度力不能制，但命諸將嚴備，通鑑二百五十三。決陳登水，自固而已。舊書僖宗紀。且上表告急，不復出戰。通鑑二百五十三。按：新舊傳皆言駢欲縱賊以聳朝廷，畢師鐸説駢，駢駭然，即令出軍。呂用之懼奪己權，從容謂駢：莫若觀釁。駢乃止云云。辨見通鑑考異，今不取。賊陷河洛，中使促駢討賊，冠蓋相望，終逗撓不行。舊書列傳。俄而兩京陷，天子猶冀駢立功，詔刺史若諸將有功，自監察御史至常侍，許墨制除授。尋進檢校太尉，東面都統，京西、京北神策軍諸道兵馬使。會二雉雊署寢，占者曰：軍府將空。駢惡之，悉兵出營東塘，新書列傳。每日教閲，如赴難之勢。與浙西節度使周寶檄，欲連合而西，寶大喜。有謂寶：彼欲并江東爲孫策三分計。寶未之信。新書列傳。使人覘駢，無北上意。通鑑二百五十四。俄而駢請寶至軍議事，寶辭疾不出，釁隙遂構。南部新書：駢在維揚，致書周寶曰：伏承走馬，已及奔牛，今附虀一瓶，葛粉十斤，以充道路所要。蓋諷其爲虀粉矣。屯東塘百餘日，託以寶及浙東劉漢宏將爲不利，乃還，新書列傳。蓋禳雊雉之異也。舊書列傳。帝知駢無出兵意，乃以王鐸代爲都統。詔韋昭度領諸道鹽鐵轉運使，加駢侍中，增實户一百，封渤海郡王。駢失兵柄利權，攘袂大詬，卽上書謾言不恭。帝怒，下詔切責。此時，王室微，不絶如帶。駢都統三年，無尺寸功，幸國顛沛，大料兵，陰圖割據，一旦失勢，威望頓盡，故肆爲醜悖，脅邀天子，冀復故權。而吴人顧雲以文辭緣澤其姦，偃然無所忌畏。又請帝幸江南。新書列傳。駢臣節既虧，自是貢賦遂絶。通鑑二百五十五。會平賊，駢聞，縮氣，部下多叛，鬱鬱無聊，乃篤意求神仙，以軍事屬吕用之。新書列傳。用之，鄱陽茶商之子，坐妖黨亡命歸駢。駢奇之，又引其黨張守一、諸葛殷共蠱惑駢。殷始來，用之先言於駢曰：玉皇以公職事繁重，輟左右尊神一人佐公爲理。明日殷謁見，詭辯風生，駢以爲神，補鹽鐵劇職。駢嚴潔，甥姪輩未嘗接坐，殷病風疽，搔捫不替手，膿血滿爪，駢獨與之同席促膝，傳杯器而食。左右以爲言。駢曰：神仙以此試人耳。駢有畜犬，聞其腥穢，多來近之。駢怪之，殷笑曰：殷嘗與玉皇前見之，別來數百年猶相識。駢與鄭畋有隙，用之謂駢曰：宰相有遺劍客來刺公者，今夕至矣。駢大懼，問計。用之曰：張先生嘗學斯術，可以禦之。駢請於守一。守一使駢衣婦人服，潛於他室，而守一代居駢寢榻。中夜，擲銅器，令鏘然有聲。又密以囊盛彘血灑庭宇，如格鬬狀。及旦，笑謂駢曰：幾落奴手。駢泣謝曰：先生於駢，乃更生之惠也。厚酬以金寶。有蕭勝者，賂用之，求鹽城監。駢有難色。用之曰：非爲勝也，仙書云，有官劍在鹽城井中，須一靈官往取。駢許之。數月，函一銅匕首以獻。用之曰：此北帝所佩，得之則百里內五兵不能犯。駢乃飾以珠玉，常置座隅。用之又刻青石爲奇字，云玉皇授白雲先生高駢，密令左右置道院香案。駢得之，驚喜，且於庭中刻木鶴，時著羽服跨之，日夕齋醮，鍊金燒丹，費以巨萬。作迎仙樓，費十五萬緡。又作延和閣，高八丈，用之每對駢呵叱風雨，揖讓空際，云有神過雲表，駢輒隨而拜之。常賂駢左右，使伺動静。駢不之寤，倚如左右手。通鑑二百五十四。用之懼有摘其姦者，乃曰：仙人當下，但患學者真氣虧沮耳。駢始棄人間事，絶妾媵，雖將吏不得見。客至，先遣薰濯，詣方士祓除，謂之解穢，少選卽引去。自是內外無敢言者。駢從子澞密疏用之辠譲，駢怒，命左右扶出，以狀授用之。用之誣澞貸貰不能滿，駢敕吏禁澞出入。用之構殺澞。嗣襄王熅之亂，駢上書勸進，僞假駢中書令、諸道兵馬都統、江淮鹽鐵轉運使，以用之爲嶺南節度使。駢久觖望，至是大喜，貢賦不絶。用之始開府置官屬，禮與駢均。政事未嘗關決駢。駢内悔，欲收其權，不能也。（新書列傳。）光啓三年，蔡賊過淮口，駢令畢師鐸出師禦之。師鐸與高郵鎮將張神劍、鄭漢璋等率行營兵反攻揚州，（舊書列傳。）以誅吕用之、張守一、諸葛殷爲名。（新書列傳。）城陷，師鐸囚駢於道院，召宣州觀察使秦彦爲廣陵帥。既而楊行密自壽州率兵三萬，乘虚攻城。城中米斗五十千，餓死大半。駢家屬並在道院，秦彦供給甚薄，奴僕徹延和閣欄檻，煮革帶食之，互相篡啖。（舊書列傳。）師鐸既敗，慮駢内應。有女巫王奉仙謂：師鐸揚州災，有大人死，可以厭。彦曰：大人非高公耶？（新書列傳。）令師鐸以兵攻道院。（新書言：命陳賞往殺之。攷舊紀及師鐸傳，皆與舊傳同，今從之。）侍者白駢曰：有賊攻門。曰：此秦彦來。整衣候之。俄而亂卒升階曳駢數之曰：公上負天子恩，下陷揚州民，淮南塗炭，公之辜也。駢未暇言，首已墮地。與兒姪死於道院，都一坎瘞之，裹之以氈。吕用之、張守一出奔，行密詐言所居有金。行密入城，掘其家地下，（舊書列傳。）但得銅人三尺，身桎梏，釘刺其口，刻駢名於背，蓋用蠱厭駢也。行密責其罪，斬於三橋。（新書列傳。）

張公素，范陽人。咸通中，爲幽州軍校，事張允伸，累遷至平州刺史。（舊書列傳。）十三年，允伸卒，（新書懿宗紀。）子簡會權主留後。（舊書列傳。）公素以兵來會喪，軍士素附其威望，簡會知不可制，卽出奔。詔公素爲節度使，進同中書門下平章事。性暴厲，眸子多白，燕人號白眼相公。新書張允伸附傳。乾符二年，新書僖宗紀。爲李茂勳所襲，奔京師，貶復州司户參軍。新書附傳。公素以不仁得之，靡更曩志，尋爲篡奪，蓋其宜也。舊書列傳。

李全忠，范陽人。新舊唐書列傳。少通春秋，好鬼谷子之學。北夢瑣言。廣明中，爲棣州司馬。舊書列傳。有蘆生於其室，一尺三節，怪之，以問別駕張建。北夢瑣言作張建章。建曰：蘆，芽類，生於澤，公茅土兆也。傳節者其三世乎？新書列傳。秩滿還鄉里，事節度使李可舉爲牙將。舊書列傳。可舉遣全忠率衆六萬圍易州。王處存以輕兵三千蒙羊皮，夜布之野，以精騎伏他道。全忠軍望爲羣羊，争趨之，伏騎發，大敗之。全忠遁還，盡失芻糧仗鎧，懼得罪，乃裒餘衆，反攻幽州，可舉度不支，引其族登樓自燔死。新書李茂勳傳。全忠自稱留後。新舊書僖宗紀。朝廷因以節鉞授之，光啓元年也。舊書列傳。累加至檢校太尉。臨戎甚有威政，北夢瑣言。二年卒。新舊書僖宗紀。子匡威嗣，領留後，進爲使。新書列傳。性豪爽，好勇，不拘小節。北夢瑣言。恃燕、薊勁兵處，斬然有雄天下意。與赫連鐸共攻太原，争雲、代。新書列傳。大順元年，李克用遣大將安金俊率師攻鐸。匡威出兵援之，戰於蔚州。舊書昭宗紀。射金俊，殺之。舊紀：執金俊獻之於朝。按通鑑考異引實録，與舊紀同。又引紀年録、唐末聞見録，皆云金俊戰死，而斷實録爲誤，故通鑑書金俊中流矢死，今從新書列傳。乃共表請討沙陀，而朱全忠亦上言願協力，故張濬因請用兵。新書列傳。使匡威爲北面招討使，鐸副之。新書昭宗紀。匡威攻蔚州，虜其刺史邢善益。鐸引吐蕃黠戞斯衆數萬攻遮虜軍，克用遣將破之，大軍繼其後，匡威、鐸皆敗走，獲匡威之子武州刺史崇仁。通鑑二百五十八。克用攻圍雲州，塹而守。新傳又云，分兵出井陘，屯常山，大掠深、趙。匡威步騎萬餘援王鎔，克用還，因急攻鐸。按其説本之舊紀，通鑑考異云，按唐太祖紀年録，是時克用方攻赫連鐸，既平雲州，乃討鎔，舊紀誤，今不取。鐸食盡，棄州奔匡威。景福初，王鎔誘太原將李全孝降之，克用怒，伐鎔，鎔求援，匡威率軍赴之，新書原作遣將，今據舊書紀傳及通鑑改。克用去。明年，兵復出井陘，匡威自將援鎔，新書列傳。以騎五千敗克用於元氏。鎔具牛酒，會匡威藁城，餉金二十萬以謝。新書王庭湊附傳。匡威之救鎔也，將發幽州，家人會别，弟匡籌妻張氏二字據舊書補。美，匡威醉而淫之。通鑑二百五十九。匡籌怒。新書列傳。匡威還至博野，匡籌據軍府，自稱留後，以符追行營兵。匡威衆潰歸，但與親近留深州，通鑑二百五十九。遣其屬李抱貞上書願入朝。時京師數寇難，人人畏懼，傳言金頭王且來，皆亡竄山谷。抱貞還，而鎔已迎館於鎮，新書列傳。感其援助之恩，事之如父。舊書王庭湊附傳。匡威引抱貞登城西浮屠，顧望流涕，美其山川，乃共圖鎔。新書列傳。會陽爲鎔繕甲，治城塹，施授方畧，陰施予，以傾士心。鎮軍忠於王氏，皆惡之。新書王庭湊附傳。

鎔過匡威第，慰忌辰，匡威縞衣裹甲，伏兵刦鎔，舊書列傳。曰：與我四州，可不死。鎔抱持之，曰：公戒部人勿造次，吾國爲晉人所侵，垂將覆滅，賴公援濟之力，幸而獲存。舊五代史王鎔傳。公欲得四州，此固鎔之願也，不若與公共歸府，以位讓公，則將士莫之拒矣。匡威以爲然，與鎔駢馬，陳兵入府。會大風雷雨，屋瓦皆震。匡威入東偏門，鎮之親軍閉之。有屠者墨君和自缺垣躍出，拳毆匡威甲士，挾鎔於馬上，負之登屋。鎮人既得鎔，攻匡威。（通鑑二百五十九。）匡威走東園，兵圍之，與抱貞俱死。明日，鎔以禮斂匡威素服哭諸廷，遣使告匡籌。匡籌怒，移書詰兄所以死狀，（新書王庭湊附傳。）表訴諸朝，檄暴鎔罪，攻欒壽、武彊以報。匡籌之奪也，燕人不以爲義。劉仁恭出奔太原，（新書列傳。）數以策干克用，請步騎一萬，東取幽州。（新書劉仁恭傳。）克用分兵數千，不克。匡籌益驕，數侵河東境。克用怒，（通鑑二百五十九。）乾寧元年，（新舊書僖宗紀。）出師進討，（舊書列傳。）下武、嬀二州，敗匡籌於居庸關。李存審與戰，匡籌又敗，挈其族奔京師。（新書列傳。）至景城，爲滄州節度使盧彥卿所殺，掠其輜車、妓妾。妻張氏産於路，不能進，劉仁恭獲之，獻於克用，（北夢瑣言云：葆光子嘗見范陽熟人，説李匡籌妻張氏國色也，其兄匡威爲帥，强淫之。匡籌按劍而俟，夜深妻迴，出步輦，殺之。按列傳則匡威所淫，仁恭所獲者同是一人，瑣言殆傳聞之誤耳。）後立爲夫人，嬖寵專房。（舊書列傳。）始，匡威見逐，歎曰：兄失弟得，皆吾之宗，無所悔，然其材恐不足守。（新書列傳。）李氏父子三葉，十年而亡。（舊書列傳。）

後唐

張文禮，燕人也。初爲劉仁恭裨將，性凶險，（舊史列傳。）狡獪，（新史王鎔傳。）辭氣庸下，與人交言，癖于不遜。及從劉守文之滄州，委將偏師。守文省父燕薊，據城爲亂，（舊史列傳。）滄人討之，奔鎮州。文禮好誇誕，自言知兵。趙王鎔奇之，養以爲子，更名德明，悉以軍事委之，通鑑二百七十一。自柏鄉戰勝之後，常從莊宗行營。素不知書，亦無方畧。初，梁將楊思厚在魏州，文禮領趙兵三萬，夜掠經宗，因侵貝郡。思厚先率步騎數千人，設伏于唐店。文禮大掠而旋，士皆捲甲束兵，夜凱歌行至唐店，伏兵四面圍合，殺戮殆盡。文禮單騎僅免。在鎮州既久，見其政荒人僻，常蓄異圖。王鎔略無猜間，舊史列傳。寄以腹心，使都指揮使符習代，還，以爲防城使。通鑑二百七十一。鎔好左道，鍊丹藥求長生，每出逾月忘歸，任其政於宦者石希蒙。天祐十八年，鎔自西山宿鶻營莊，李宏規諫，呼甲士斬希蒙。鎔歸，使其子昭祚與文禮族宏規，收其偏將下獄，窮究反狀，新史王鎔傳。親軍皆恐。復不時給賜，衆益懼。舊史王鎔傳。文禮因其離心，以姦辭激之曰：令我命盡坑爾曹，我念爾十餘年荷戈隨我，爲家爲國，舊史列傳。若從命則不忍，不然又獲罪，奈何？衆皆感泣。通鑑二百七十一。是夜作亂，殺王鎔父子。舊史列傳。軍校張友順率軍人至文禮第，請爲留後，遂盡滅王氏之族。舊史王鎔傳。獨置昭祚妻普甯公主，以自託於梁，遣使告亂，且奉牋勸進，因求節鉞。通鑑二百七十一。莊宗姑示含容，乃可其請。文禮驟居人上，行步動息，皆不自安，出則千餘人露刃相隨，日殺不辜，道路以目。常慮問罪，姦心百端。南通朱氏，北結契丹。往往擒獲其使，莊宗遣人送還，文禮由是愈恐。莊宗遣閻寶、史建塘及趙將符習等，率王鎔本軍進討。師興，文禮病腹疽，及聞史建塘攻下趙州，驚悸而卒。其子處瑾、處球祕不發喪，軍府内外皆不知之，每日於寢宫問安。處瑾與其腹心韓正時參決大事，同謀姦惡。舊史列傳。初，文禮家鬼夜哭，野河水變爲血，游魚皆死，新史王鎔傳。識者知其必敗。十九年，閻寶爲處瑾所敗，莊宗以李嗣昭代之。舊史列傳。嗣昭中流矢卒，以李存進代之，存進輒復戰歿，乃以符存審爲招討使，遂破之，執文禮妻及處瑾、處球、處琪等，新史王鎔傳。皆折足，送行臺。鎮人請醢而食之。又發文禮之屍，磔于市。舊史列傳。

趙德鈞，本名行實，幽州人也。少以騎射，舊史列傳。事劉守光、守文爲軍校。莊宗伐燕得之，賜名曰李紹斌，新史四夷附録一。累歷郡守，從平梁遷滄州節度使。同光三年，移鎮幽州。明宗卽位，始歸本姓，始改名德鈞。其子延壽，尚明宗女興平公主，故德鈞尤承倚重。舊書列傳。天成三年，義武節度王都反，新史明宗紀。契丹遣託諾新史作禿餒薊剌。率騎千餘新史王晏球傳作萬騎，新舊契丹傳作五千。來援。舊史王晏球傳。王晏球破之於曲陽。託諾走。遣特哩衮新史作惕隱赫邈。率七千騎舊史列傳、晏球傳作五千騎。救定州。晏球逆戰於唐河北，破之。舊史外國傳一。特哩衮以餘衆北走幽州。德鈞令牙將武從諫以騎邀擊，分扼要路，盡獲特哩衮以下酋長七百餘人，舊史王晏球傳。通鑑，曲陽之戰亦言德鈞邀擊契丹，北走者殆無子遺。考舊史德鈞傳，及新舊契丹傳、王晏球傳，皆不見，今不取。獻俘闕下。舊史明宗紀。自是契丹氣沮，不敢輕犯塞。通鑑二百七十六。明年，王都平，加兼侍中，頃之，加東北面招討使。舊史列傳。自唐末幽薊割據，戍兵廢散，契丹因得出陷平營，而幽薊之人歲苦寇鈔。新使四夷附録一。德鈞奏發河北數鎮丁夫，開王馬口至游口，以通水運，凡二百里。舊史列傳。於鹽溝置良鄉縣。又於幽州東五十里築城，皆戍以兵。又於其東置三河縣。由是幽薊之人始得耕牧，而輸餉可通。新史四夷附録一。德鈞鎮幽州十餘年，甚有善政，累官至檢校太師兼中書令，封北平王。遼史：天贊六年，遣人以詔賜盧龍節度使趙德鈞。七年，趙德鈞遣人獻進時果。蓋德鈞久在邊境，嘗與契丹通好也。清泰三年，晉高祖起義晉陽，契丹敗張敬達之軍于太原。舊史列傳。廢帝遣延壽討之。而德鈞亦請鎮兵討賊。廢帝察其有異志，使自飛狐出擊其後，而德鈞南出吴兒，會延壽於西唐。延壽以兵屬之。廢帝以德鈞爲諸道行營都統，延壽爲太原南面招討使。新史四夷附録一。使端明殿學士吕琦齎賜官告，兼令犒軍。時范延光領兵二萬，軍於遼州。德鈞欲併其軍，奏請與延光合。舊史列傳。延光知德鈞志趣難測，表稱魏博兵已入賊境，無容南行，乃止。通鑑二百八十。德鈞自潞州引軍至團柏谷，舊史列傳。爲延壽求鎮州節度使。廢帝怒曰：德鈞父子，握强兵，求大鎮，苟能敗契丹而破太原，雖代予亦可。若翫寇要君，但恐犬兔俱斃。因遣使趣德鈞等進軍。新史四夷附録一。德鈞乃遣使契丹，厚幣求立爲帝，仍許晉祖鎮太原。契丹不許。及楊光遠以晉安寨降契丹，德鈞父子南走潞州，高祖至，德鈞父子迎謁於馬前。高祖不禮之。契丹問德鈞：汝在幽州所置銀鞍，契丹直何在？德鈞指示之。契丹盡殺於潞之西郊，遂鎖德鈞父子入蕃。舊史列傳。述律太后見之，問曰：汝父子自求爲天子，何耶？德鈞慚不能對，通鑑，述律太后問曰：汝近者何爲往太原？曰：奉唐主之命。太后指天曰：汝從吾兒求爲天子，何妄語耶？又指其心曰：此不可欺也。又曰：吾兒將行，吾戒之云，趙大王若引兵北向榆關，亟須引歸太原，不可救也。汝欲爲天子，何不先擊退吾兒，徐圖亦未晚。汝爲人臣，既負其主，不能擊敵，又欲乘亂徼利，所爲如此，何面目求生！德鈞俛首不能對。悉以田宅之籍獻之。述律問：何在？曰：在幽州。述律曰：幽州屬我矣，何獻爲？新史四夷附録一。德鈞鬱鬱不多食，踰年而死。契丹國志。

後晉

王瑜，其先范陽人也。性兇狡，然儁辯驍果，長於騎射，刀筆。起家從事，天福中授左贊善大夫。會濮郡秋稼豐衍，税籍不均，命乘使車，按察大計。至郡，謂校簿吏胡蘊、惠鶚曰：余久食貧無貲，爲我致意縣宰，且求假貸。由是濮郡五邑令長共歛錢五十萬，私獻於瑜。瑜卽以書上奏。高祖歎曰：廉直清慎有如此者，誠良臣也！於是二吏五宰卽時停黜，擢瑜爲太府少卿。杜重威鎮東平，瑜父欽祚爲節度副使，及重威移鎮常山，瑜詭説重威，奏己爲恒州節度副使，竟代父位，舊史列傳。重歛於民，恒人不勝其苦。通鑑二百八十三。歲餘，入爲刑部郎中。開運三年，原作丙午歲，今據通鑑紀年改。欽祚刺舉義州，瑜歸至郡，舊史列傳。契丹入汴。何建九國志作何重建。遣使齎表，舊史何建傳。以秦、成、階三州九國志何重建傳。送欵於蜀。唐史何建傳。瑜説欽祚西走，仗劍脅之。父不得已而聽。時隴東屯兵扼川路，將北趨蕃部，假途因與郡盜酋長趙徽歃血爲約，以兄事之。謂徽曰：西至成都，余身爲相，余父爲將，爾當領一大郡，能遂行乎？徽曰：諾。瑜慮爲所賣，先致其妻孥，館於郡中。行有期矣，徽潛召其黨，伺於郊外，瑜舉族行，輜重絡繹十餘里。徽親循溝而遁，至馬峽路隅，舉燧相應，其黨起於伏莽，斷欽祚之首，貫諸長矛，平生聚蓄，皆爲賊掠，少長百口，殺之殆盡。瑜尚獨戰千人。及窘，乃夜竄山谷，落髮爲僧。樵人執送岐州，爲侯益所殺。年三十九。（舊史列傳。）

趙在禮，字幹臣，涿州人也。少事劉仁恭爲軍校，仁恭遣佐其子守文襲取滄州。其後守文爲其弟守光所殺，在禮奔晉。莊宗時，爲効節指揮使，將魏兵至瓦橋關。還至貝州，軍士皇甫暉作亂，推其將楊仁晟爲首，仁晟不從，殺之；又推一小校，小校不從，又殺之；乃携二首詣在禮。在禮聞亂，衣不及帶，方踰垣走，暉曳其足而下之，環以白刃，示之二首，曰：不從我者如此首！在禮從之，遂反。（新史列傳。）焚掠貝州，南趣臨清、永濟、館陶，所過剽掠。（通鑑二百七十四。）鄴都巡檢使孫鐸，見武德使史彥瓊求兵禦賊，彥瓊不肯，曰：賊未至，至而給兵豈晚耶！已而賊至，彥瓊以兵登北門，聞賊呼聲，大恐，棄兵，單騎走歸京師。在禮由是入於鄴，（新史伶官傳。）據宮城，署暉及軍校趙進爲馬步都指揮使，縱兵大掠。留守王正言方據案，召吏草奏，無至者，正言怒，其家人曰：賊已入城，殺掠於市，吏皆逃散，公尚誰呼？正言驚曰：吾初不知也。又索馬，不能得，（新傳，作正言索馬將去，廄吏曰：公妻子爲虜矣，安得馬乎？）乃帥僚屬步出府門，謁在禮，再拜請罪。在禮亦拜，曰：士卒思歸耳，尚書重德，勿自卑屈。慰諭遣之。（通鑑二百七十四。）在禮卽自稱兵馬留後。（新史列傳。）北京留守張憲家在魏州，在禮善待其家，遣人以書招憲。憲斬其使，不發書而上之。（新史張憲傳。）莊宗遣元行欽討之，行欽攻魏不克，乃遣明宗代行欽。明宗至鄴，兵變，因入城與在禮合。明宗兵反嚮京師，在禮留於魏。明宗卽位，拜在禮義成軍節度使，在禮不受命，遂拜鄴都留守、興唐尹。久之，皇甫暉等皆去，在禮獨在魏，患魏軍驕，懼及禍，乃求徙鎭橫海。歷鎭泰甯、匡國、天平、忠武、武甯、歸德、晉昌，所至邸店羅列，積貲巨萬。（新史列傳。）所得唯以奉權豪，崇釋氏而已。（舊史列傳。）晉天福中，在禮罷鎭來朝。暉往候之，曰：與公俱起甘陵，卒成大事，公今富貴，能卹我乎？不然，禍起座中。在禮懼，遽出幣數千與之，而飲以酒，暉不謝而去。（新史皇甫暉傳。）出帝時，以在禮爲北面行營馬步軍都虞候，以擊契丹，未嘗有戰功。在宋州，人尤苦之。（舊史言，在宋州日，值飛蝗爲害，在禮使比户張幡幟，鳴鼙鼓，蝗皆越境而去，人服其智。）已而罷去，宋人喜相謂曰：眼中拔釘，豈不樂哉！旣而復受詔居職。（五代史補：在禮欲報拔釘之謗，遽上表更求宋州一年。時朝廷姑息勳臣，詔許之。）乃籍管内，口率錢一千，自號拔釘錢，（新史列傳。）有不如約，加之鞭扑。（五代史補。）晉亡，契丹入汴，在禮自宋馳至洛陽，遇契丹拽刺等，拜於馬首，拽刺等兵共侵辱之，誅責貨財，在禮不勝其憤。行至鄭州，聞晉大臣多爲契丹所鎖，中夜惶惑，解衣帶就馬櫪自經而卒，年六十二。漢高祖立，贈中書令。（新史列傳。）

光緒順天府志一百七

黄岡洪良品纂　江陰繆荃孫覆輯

人物志十七

鑒誡下

宋

王則　趙良嗣

遼

李處温　左企弓

金

左淵　劉蕚

明

張忠　蔣琮　趙鐩
劉寵（弟宸）　皦生光　張差
王森　鄭國泰（子養性）　王體乾
李永貞　崔呈秀　魏藻德

國朝

魯國南　王之綱　吴惟華
羅森（崔之瑛）

宋

王則，涿州人。初以歲饑，流至貝州，後隸宣毅軍爲小校。貝、冀俗尚妖幻，相與習爲五龍、滴淚等經。則之與母訣也，刺福字於背爲記，妖人因妄傳則字隱起，爭信之，（宋史紀事本末三十二。）而州吏張巒、卜吉，主其謀，黨連德、齊諸州，約以慶曆八年正旦，斷澶州浮梁，亂河北。會其黨潘方浄以書謁北京留守賈昌朝，事覺被執，故不待期，亟以七年冬至叛。宋史明鎬傳。時知州張得一方與官屬謁天慶觀，則率其徒劫庫兵，得一走保驍捷營。賊焚門，執得一，囚之。兵馬都監、内殿承制田斌以從卒巷鬬，不勝而出。城扉闔，提點刑獄田京、任黄裳持印，棄其家縋城出，保南關。賊從通判董元亨取軍資庫鑰，元亨厲聲罵賊，賊遂殺之。又出獄囚，因有憾司理參軍王獎者，遂殺獎。既而節度判官李浩、清河令齊開、主簿王湙皆被害。則僭號東平郡王，以張巒爲宰相，卜吉爲樞密使，建國曰安陽。牓所居門曰中京，居室廐庫皆立名號，改年曰得聖，以十二月爲正月。百姓年十二以上、七十以下，皆涅其面曰宜軍，破趙得勝。旗幟號令，率以佛爲稱。城以一樓爲一州，書州名，補其徒爲知州，每面置一總管。然縋城下者日衆。於是令民伍伍爲保，一人縋，餘悉斬。事聞，以知開封府明鎬爲體量安撫使，而詔貝州，有能殺賊者，授諸衛上將軍。紀事本末三十二。有州民汪文慶、郭斌、趙宗本、汪順者，自城上繫書射鎬帳，約爲内應，夜垂絙以引官軍。既内數百人，焚樓櫓，賊覺，率衆拒戰。初，官軍既登，欲專其功，因斷絙以絶後來者。及與賊戰，兵寡不敵，與文慶等復縋而下。是夜城幾克。則期正月十四日出要刧契丹使。諜者以告。鎬遣殿侍安素伏兵西門，賊果以數百人夜出，伏發，皆就獲。明鎬傳。鎬以貝州城峻不可攻，乃爲距闉。將成，爲賊所焚。

鎬乃即南爲地道，日攻其北，以牽制之。八年春正月，朝廷以則未下，命文彦博爲河北宣撫使，鎬爲之副。彦博至貝，鎬穿道適通，遂選壯士由地道入城，衆登城。賊縱火牛。官軍以鎗中牛鼻，牛還走，攻之，賊大潰，開城門遁。總管王信追則，擒之；餘衆保村舍者皆被焚死。詔檻送京師，磔於市。紀事本末三十二。

趙良嗣，本燕人馬植，世爲遼國大族，仕至光禄卿，行汙而内亂，不齒於人。宋史列傳。天慶元年，宋遣鄭允中、童貫使遼。貫使歸，至盧溝河，植見貫，陳滅燕之策。契丹國志十。貫與語大奇之，宋史紀事本末三十五。攜歸宋，改姓李，名良嗣，薦於朝，遂賜姓趙。後天祚數移索取，貫諱不與，復燕之議蓋始此。契丹國志。徽宗召見，問所來之因，對曰：遼國必亡，陛下念舊民遭塗炭之苦，復中國往昔之疆，代天譴責，以治伐亂，王師一出，必壺漿來迎。萬一女真得志，先發制人，後發制於人，事不侔矣。帝嘉納之，以爲秘書丞，遷直龍圖閣，提點萬壽觀，加右觀文殿修撰。宋史列傳。安堯臣上言：童貫深結蔡京，同納趙良嗣，以爲謀主，故建平燕之策。臣恐異日唇亡齒寒，邊境有可乘之釁，狼子蓄鋭伺隙，以逞其欲，此臣所日夜寒心也。紀事本末五十三。宣和二年二月，宋史列傳。遣良嗣使金，紀事本末五十三。議夾攻遼。使金人取中京，宋朝取燕京，許之。歲幣初許三十萬，而卒與契丹舊數。良嗣曰：燕山一帶，則並西京是也。金太祖亦許之，遂以手劄付良嗣。大金國志二。自是將命至六七，頗能緩頰盡心，與金爭議，進龍圖閣直學士。遼史列傳。五年四月，金人使楊璞以誓書及燕京六州來歸。詔以收復燕雲故，以良嗣爲延康殿學士。良嗣言：頃在北國，與燕中豪士劉範、李奭及族兄柔吉，三人結義同心，欲拔燕薊歸朝，瀝酒於北極祠下，祈天爲約，俟他日功成，卽掛冠謝事，以表本心，初非取功名而儌富貴也。賴陛下威靈，今日之事幸而集，顧前日之約豈可欺哉！願許臣致仕，使得買田歸耕，令有識者曰，此平燕首謀之人，得請閒退，天下之美事也。不然，則臣爲敢欺神明，何所不至！凡三上章，詔不許。宋史列傳。六月丙戌，遼張瑴以平州來歸。王黼勸帝納之。紀事本末。良嗣爭之云：國家新與金國盟，如此必失其歡，後不可悔。不聽。宋史列傳。金人以瑴故，興師入犯，盡取燕山府路新復州縣，良嗣坐削五階，朝士交章劾之，復竄良嗣柳州。紀事本末。靖康元年四月，御史胡舜陟論其結成邊患，敗契丹百年之好，使金寇侵陵，禍及中國，乞戮之。宋史列傳。遣廣西轉運副使李昇之誅良嗣，函首赴闕，懸於市。紀事本末。徙妻子於萬安軍。宋史列傳。

遼

李處温，儼從子。儼雅與北樞密使蕭奉先有舊，善逢迎取媚。儼卒，奉先遂薦處温爲相。處温因奉先有援己力，傾心阿附，以固權位，而貪污尤甚，凡所接引，類多小人。

保大初，（遼史列傳。）上至努克特，（原作女古底。）聞金兵將近，計不知所出，乘輕騎入夾山。（遼天祚紀。）處温聞上入夾山，數日命令不通，即與弟處能、子奭外假怨軍聲援，結都統蕭斡（遼史列傳。）謀立燕王，告報在府百官、諸軍、僧道、父老數萬人於三月十七日詣燕王府，邀張琳告其事。琳曰：攝政則可，未可即真。處温曰：天意人心已定，豈可易也！既而王出，李奭以赭袍被之，百官軍民拜舞山呼，王驚泣，辭不獲免，已而即位，僭號天錫皇帝，（契丹國志）十一。以處温守太尉，處能直樞密院，奭爲少府少監，左企弓以下及親舊與其事者賜官有差。（遼史列傳。）六月，（遼天祚紀。）燕王病，聞天祚自夾山傳檄至天德軍：雲、内、朔、武、應、蔚等州，合諸蕃精兵五萬騎，約以八月入燕，（契丹國志。）並遣人問勞，索衣裘茗藥。（遼天祚紀。）王甚懼。（契丹國志。）命南北兩大臣議，而處温與蕭斡有迎秦拒湘之説，集蕃漢百官議之，從其議者東立，惟南面行營都部署耶律甯西立。處温等問故。甯曰：天祚果能以諸蕃兵大舉奪燕，則是天數未盡，豈能拒！否則秦湘父子也，自古安有迎子而拒父者？處温等相顧笑，以甯扇亂軍心，欲殺之。燕王欹枕歎曰：彼忠臣也，焉可殺！天祚果來，吾有死耳，復何面目相見耶！（遼天祚紀。）燕王知必死，（契丹國志。）密授處温蕃漢馬步軍都統元帥，意將屬以後事。（遼史列傳。）病既亟，蕭斡與大石林牙矯命宰相侍疾，獨處温不至。陰聚武勇軍二千爲備，紿曰：奉密旨防他變。是夜，燕王死，不發喪。斡等先集遼騎三千，陳於毬場，會百官，欲立燕王妻蕭氏爲皇太后，權主軍國事。（契丹國志。）斡以后命召處温至，時方多難，未欲卽誅，但追毁元帥劄子。處温懼及禍，落髮爲僧。尋有永清人傅遵説隨郭藥師入燕被擒，具言處温嘗遺易州富民趙履仁書，達宋將童貫，欲挾蕭后納土歸宋。后執處温問之。（遼天祚紀。）處温曰：臣父子於宣宗有定策功，宜數世宥，不當以譏罪。太后曰：向使燕王如周公，終享親賢、重名後世，豈不勝大甯王述軋、楚國王涅里耶！誤燕王者，皆汝父子，（契丹國志。）何功之有！並數其前罪惡。處温無以對，乃賜死，奭亦伏誅。（遼史列傳。）籍其家，得錢七萬緡，金玉寶器稱是，爲宰相數月之間所取也。（遼天祚紀。）初，處温聞天祚播遷，欲立燕王僭號，以圖恩倖。及燕王死後，恐遼國將亡，失其所立，北通金國，南結童貫，皆非至誠，欲爲身謀，而至此反爲身禍。及宋師撫定燕京，追封處温爲廣陽郡王，子奭爲保甯軍節度使，以其家爲廟，録其孫一人。（契丹國志。）

左企弓，字君財。八世祖皓，後唐棣州刺史，以行軍司馬戍燕，遼取燕，使守薊，因家焉。（金史列傳。）企弓讀書，通左氏春秋，登遼進士，再遷萊州觀察判官，入爲知雜御史，蕭英弼賊昭懷太子，窮治黨與多連引，企弓辨析其寃，免者甚衆。出爲中京副留守，按刑遼陽，（宏簡録二百二十八。）有獄本輕而入之重者，已奏待報，企弓釋之以聞，累遷知三司使事。天慶末，拜廣陵軍節度使，同中書門下平章事，知樞密院事。金兵已拔上京，北樞密院恐忤旨，不以時奏。遼故事：軍政皆關決北樞密院，然後奏御。企弓以聞。遼主曰：兵事無乃非卿職耶？對曰：國勢如此，豈敢循例爲自容計！因陳守備之策。拜中書侍郎平章事，監修國史。時遼主聞金已克中京，將西幸以避之。企弓諫，不聽。遼主自鴛鴦濼亡保夾山，秦晉國王耶律𣝣呼自立於燕，金史列傳。封企弓燕國公。宏簡録。德妃攝政，企弓加侍中。宋兵襲燕，奄至城中，已而敗走，或疑有内應者，欲根株之。企弓争之，乃止。太祖至居庸關，金史列傳。蕭后率蕭斡出城，聲言迎敵，實欲出奔。企弓辭於國門。后曰：國難至此，我親率諸軍爲社稷一戰，勝則與卿等相見，不然死矣。卿等努力保吾民，毋使濫被殺戮。言訖，泣下。后未及五十里，金人遊騎已及城。企弓等方修守具，忽報統軍蕭乙信啟城門，金人前軍已入城矣。於是企弓等迎降。契丹國志天祚紀。太祖俾復舊職，皆受金牌。企弓守太傅、中書令。金史列傳。燕城初定，太祖從初約以與宋人。宏簡録。企弓以獻詩曰：君王莫聽捐燕議，一寸山河一寸金。故金人欲背初約，要求不已。紀事本末五十三。時太祖賜宋使盧益等花宴。是日，太祖坐行帳，前列契丹伶人作樂，每舉酒輒謝，企弓已下悉搢笏捧觴稱壽，一如契丹之儀。大金國志二。張瑴在平州，有異志，金史列傳。粘罕謂企弓曰：我欲遣精兵二千餘騎先下平州，擒張瑴，何如？企弓以爲然。獨康公弼曰：若加之以兵，是趣平州叛也。契丹國志。至是，太宗新立，遂遣左企弓等歸。時燕人患遠徙，私訴於瑴曰：企弓不謀守燕，而使吾輩流離至此，近聞天祚復振，若明公仗義興復，先責企弓辜而殺之，縱燕人歸南朝，宜無不納。遂拘企弓。（大金國志。）差議事官趙能（宏簡録作趙祕。）就往疏其十罪，曰：天祚播遷夾山，不卽奉迎，一也；勸皇叔燕王僭號，二也；詆訐君父，而降封湘陰王者，三也；天祚嘗遣知閤，王有慶前來計議而殺之者，四也；檄書始至，而有迎秦拒湘之議者，五也；不謀守燕而拜降者，六也；臣事金國，而不顧大義者，七也；根括燕中財物，而取悦金人者，八也；致燕人流徙而失業者，九也；教金主發兵，先下平州者，十也。（契丹國志。）企弓無以對，遂縊殺之。年七十三。天會七年，贈守太師，遣使致奠。正隆改特進濟國公。（宏簡録。）

金

左淵，企弓子，（金史左泌傳。）累官燕京副留守，歷中京路都轉運使、本路及河北東路都轉運使。淵雖世家，賦性貪鄙，三任漕事，務以錢穀自營。與李通、許霖交關賄賂，詭納漕司諸務，規取財利，爲世宗所惡。卽位，淵使其子貽慶詣東京上表，特賜貽慶任忠傑牓進士，授從仕郎。（宏簡録二百二十八。）還中都，世宗詔淵曰：凡殿位張設，悉依舊，毋增益，不得役使一夫以擾百姓，謹宮禁出入而已。大定二年，改淵沁南軍節度使。世宗素知其人，戒之曰：卿辛相子，練習朝政，前爲漕司，朕甚鄙之，毋或刻削百姓。金史列傳。若復敢，必罪無赦。淵到懷州，宏簡録。未幾，坐前爲中都轉運使嘗盜用官材木，除名。金史列傳。

劉萼，彦宗季子也。金史列傳。遼末，以蔭補閤門祗候。求降，授禮賓使，累官德州防禦使。天德初，稍加擢用，歷左右兩宣徽使、參知政事，進尚書左丞，爲沁南軍節度使，歷臨洮、太原尹。宏簡録二百二十八。正隆南伐，爲漢南道行營兵馬都統制。大定初，除興中尹，封任國公，歷順天定武軍節度使、濟南尹。金史列傳。爲人淫縱無行，所至貪墨狼籍。廉察使劾之。宏簡録。詔大理少卿張九思就濟南鞫問。既就逮，不測所以，引刃自殺，不死。詔削官一階，罷歸田里。卒。子仲詢，天德三年賜王彦潛榜及第。金史列傳。

明

張忠，霸州人。正德時御馬太監。與司禮張雄、東廠張鋭，並侍豹房用事，時號三張。忠與大盜張茂結爲兄弟，引入豹房，侍帝蹴鞠，明史谷大用傳。而爲盜如故。河間參將袁彪數敗之。忠乃置酒，召彪與茂東、西坐，酒酣，舉觴屬彪字茂曰：彦實，吾弟也，自今勿相厄。又舉觴屬茂曰：袁公善爾，爾慎勿犯河間。彪畏忠，唯唯而已。明紀二十四。劉六犯固安，命陸完還軍入衛。賊南走，京師解嚴。忠意賊旦暮平，自請督師。詔忠監神鎗，帥京軍討賊，久之無功。明史谷大用傳。十一年，小王子犯薊州白羊口。丙午，忠遇敵於老營坡，被創，走居庸關。紀功御史劉澄甫攘□安國等岢嵐州之功歸之，大行遷賞，忠等悉增祿、予世蔭。明紀二十六。甯王宸濠以帝未有子，深結左右錢甯、臧賢等，於帝前稱其賢。忠附江彬，欲傾甯、賢，乘間爲帝言：甯、賢盛稱甯王賢，陛下以爲何如？帝曰：薦文武百執事，可使也；薦藩王何爲者？忠曰：賢稱甯王孝，譏陛下不孝耳。稱甯王勤，譏陛下不勤耳。帝曰：然。下詔，逐王府人毋留闕下。明紀二十七。忠後仍交通宸濠。明史谷大用傳。宸濠反，書聞，忠臾帝親征。丁亥，次涿州，王守仁捷至，秘不發。明紀二十七。許泰欲攘守仁之功，與忠疾馳赴南昌，令縱宸濠湖中，待帝自擒。守仁乘忠、泰未至，先俘宸濠發南昌。忠、泰以威武大將軍檄之廣信，守仁不與。忠、泰至南昌，按察使伍文定出謁，縛之。文定罵曰：吾不卹九族，爲國家平大賊，何罪？汝天子腹心，出辱忠義，爲逆賊報讎，法當斬！忠益怒，推文定仆地，窮搜逆黨，士民被誣陷者不可勝計，誅求刑戮，甚於宸濠之亂。忠、泰復縱京軍犯王守仁，或呼名嫚罵。守仁不爲動，撫之愈厚。忠、泰誣守仁與宸濠通。詰宸濠，言無有。詰之不已，曰：獨嘗遣冀元亨論學。忠、泰大喜，榜元亨，加以炮烙之刑，不承，械繫京師錦衣獄。忠、泰又言：甯府富厚甲天下，今所蓄安在？守仁曰：宸濠異時盡以輸京師，要人約内應，籍可按也。忠、泰嘗納宸濠賄，氣懾不敢言。輕守仁文士，强之射，徐起，三發三中，京軍皆歡呼，忠、泰益沮。會冬至，王守仁令居民巷祭已，上冢哭。時新喪亂，悲號震野。京軍離家久，聞之無不泣下思歸者。忠、泰不得已，乃班師。忠揚言帝前曰：守仁必反，試召之，必不至。忠、泰屢矯旨召守仁。張永密信不赴，及是知出帝意，立卽馳至。計沮。明紀二十七。及歸，武帝已崩。世宗用御史王鈞等言，明史谷大用傳。乃籍没其貲産，明紀二十六。發孝陵衛充軍。明史谷大用傳。

蔣琮，大興人。孝宗時，守備南京。沿江蘆塲，舊隸三廠。成化初，江浦縣田多沉於江，而瀕江生沙洲六，民請耕之，以補沉江田缺額。洲與蘆塲近，又瓦屑壩廢地及石城門外湖地，故不隸三廠。太監黄賜爲守備時，受奸民獻，俱指爲蘆塲，盡收其利。民已失業，而歲額租課仍責償之民。孝宗立，相率愬於朝，下南京御史姜綰等覆按。明史宦官傳。會琮代爲守備，始至，移御史，使斷歸三廠。綰等言：琮以守備内臣，與小民争利，假公事以飾私情，用揭帖而抗詔旨，揚言陰中脅其必從。其他變亂成法，厥罪有十一：内官侵言官，罪一；妬害大臣，妄論都御史秦紘，罪二；怒河閘官失迎候，欲奏罷之，罪三；受民詞不由通政，罪四；分遣腹心，侵漁國課，罪五；按季收班匠工銀，罪六；擅收用罷閒都事，罪七；官僚忤意，輒肆中傷，罪八；妄奏主事周琦罪，欺罔朝廷，罪九；保擧罷斥内臣，竊天子威柄，罪十。事下南京三法司。明紀二十一。琮條辨綰疏，而泛及御史劉愷、方岳等及南京諸司違法事。給事中韓重因星變請斥琮及太監郭鏞等，以弭天怒，未報。而太監陳祖生奏户部主事盧錦、給事中方向（明史宦官傳。）後湖田事。下南京法司。適郭鏞奉使兩廣，道南京，往觀焉。御史孫紘等因劾鏞擅遊禁地。鏞怒，歸愬於帝，言府尹楊守隨勘錦、向失出，御史不劾奏，獨繩内臣。帝乃遣太監何穆、大理少卿楊謐再勘後湖田事，如陳祖生言，蔣琮不當受獻地，私囑勘官，所訐事皆誣。姜綰劾琮，亦多不實。劉吉從中主之。乃削盧錦籍，謫楊守隨廣西參政、方向雲南多羅驛丞，逮姜綰、孫紘、余濬、繆樗及御史劉遜金、章紀傑、曹玉、譚肅、徐禮赴京論鞫。陳璚及御史伊宏言：不宜以一内臣置科道十人於獄。不聽。尋謫綰等，皆州判官，置琮不問。王恕、李敏、給事趙紘、御史張賓先後言：琮、綰同罪異罰，失平。亦不納。琮由是益無忌。七年九月，琮與南京兵部郎中婁性、廣洋衛指揮石文通相訐，連數百人。文通奏琮僭侈殺人，掘聚寶山傷皇陵氣，及毆殺商人等罪，遣官按，不服；再遣司禮太監張忠、大理寺少卿馬中錫往，一訊得實。應天府尹樊瑩初若不爲異者。琮覘知大喜，及奏上，入其傷山脈事，性除名，下琮獄，免死，充孝陵净軍。（明紀二十二。）

趙風子，名鐩，霸州文安縣增廣生也。有力任俠，好大言，類風狂者，因號風子。劉六攻文安，鐩率妻子避賊，立水中。賊拽妻出水，將污之，鐩怒，挾巨石撲殺二賊，仍拽妻立水中。劉六至，壯之，説使降。鐩心動，與弟鐇鎬謀曰：今當勉爲賊固已，但毋爲人後。吾先聚百人應之，與之角立，倘事成，可指名也。於是號召得五百人，與六、七會。河間指揮李瑾，統京營千人往討，不能勝。賊受風子教：第飆忽，去來無常處，使官軍奔命。凡得民間馬，一日夜馳數百里，捷如飄風，而官軍馬少，即有亦不能窮馬力。後鑒録二。鐩於羣盜中，稍有計智。羣盜專事淫掠，鐩獨勸其黨無妄殺。移檄府縣，約官吏師儒毋走避，迎者安堵。由是横行中原，勢出劉六等上。嘗攻鈞州，以馬文升家在，遂舍去。及入泌陽，燬焦芳家，掘其先冢。芳遠匿。束草爲芳像，寸裂之，曰：吾爲天下誅此賊。通鑑輯覽一百七。攻靈璧，知縣陳伯安戰敗被執。攻宿州不克，焚其西關，欲降伯安，不屈。劉三欲殺之，鐩止之，得釋。又破虹縣、永城、夏邑、虞城等縣，執虞城知縣，尋亦釋之。當是時，河淮南北官吏，望風遁，諸將利刼掠，戰不利。賊勢日盛。劉三妄欲舉大事，與陳翰、甯龍謀：兵無主必亂。共推劉三爲奉天征討大元帥，鐩更名懷忠，稱副元帥。分二十八營，應二十八宿。各樹大旗爲號。置金旗二，大書：虎賁三千，直抵幽燕之地；龍飛九五，重開混沌之天。僉事孫盤，賚黄榜撫賊。鐩復書曰：羣奸在朝，濁亂海内，誅殺諫臣，屏斥元老，乞皇上獨斷梟雄之首，以謝天下，斬臣之首，以謝羣奸。紀事本末四十五。先是，賊渠楊虎，溺死宿州，餘衆悉奔河南。通鑑輯覽一百七。鐩併其衆，號十三萬，騎五千，轉掠襄陽、樊城、棗陽、隨州、新野。總制彭澤、咸甯伯仇鉞，督各邊將帥，敗賊於西河，殺二千餘人，奪回騾馬器械無算。鐩奔鄢陵，焚掠而過。紀事本末四十五。永順宣慰彭明輔敗之潁州，諸將神周、時源等又敗之光山，湖廣軍亦敗其別部於羅田。賊沿途潰散，分其衆爲二：惠北走商城，按惠卽三。鐩南出潁州。澤與鉞定計：使周追鐩，源追惠。連戰皆捷。鐩轉至應山，衆略盡。通鑑輯覽一百七。遇僧真安，因削鬚髮，藏度牒，令賊黨邢本道等各散，遂同真安欲渡江從江西賊，再圖大舉。湖廣巡撫劉丙督官軍擒邢本道等三十餘人於隨，始知鐩削髮遁去。分命各道物色之。武昌衛軍人趙成、趙宗等行至黃陂縣九十三里坡，遇鐩過，見鐩狀貌異常，思與頒示合，心疑之，追至武昌江夏縣管家套，鐩入軍人唐虎店飯，成等進擒之，搜獲真安度牒，檻車入京，伏誅。紀事本末四十三。

劉六，名寵，霸州文安人。劉七名宸，寵之弟。並驍悍，善騎射。通鑑輯覽一百七。時劉瑾用事，專恣驕橫，京師之南固安、永清、霸州、文安地方，京衛屯軍，雜居其地，人性驕悍，往往邀劫掠，號響馬盜。明史紀事本末四十五。六、七負勇名，與楊虎、齊彥明等，從有司捕盜，頻有功。通鑑輯覽一百七。先是，霸州文安縣大盜張茂家有重樓複壁，多穿窟穴，後鑒録二。素招亡命，爲逋逃藪。明紀二十四。六、七同時有李隆、楊虎、齊彥名、邢老虎輩，皆附之。內官多文安人，茂善賂鄰，有北墳張氏，爲太監張忠族，茂謬爲己族，兄事忠，後鑒録二。因得徧賂馬永成、谷大用等。常因内官家人出入禁中，進豹房，覩上蹴踘，益無忌憚，明史紀事本末四十五。而乘間出掠如故。通鑑輯覽一百七。甯杲至，密遣巡捕李主簿佯爲優人彈琵琶，入茂家，具得其奥窔，率驍健就家掩執之，鈇折其兩股，載歸。餘賊走乞忠。忠與谷大用爲請於上，後鑒録二。且曰：必獻銀二萬乃赦之。劉瑾家人梁鴻，亦索萬金。六、七、楊虎計無所出，潛劫近境，冀以足所獻。會虎焚官署，六、七知事敗，散去。六、七膽大，弓矢絶倫，諸盜皆畏之。紀事本末四十五。涿州判官慕其能，召六、七協捕。有功，御史蔣瑶亦賞之。或勸瑶並絶禍本。二人聞，颺去。杲仍圖形捕二人，鈔其家，縶纍其妻、子，二人窮蹙，後鑒録二。乃相聚抗官府、劫行旅。既劉瑾伏誅、杲亦被劾，麾下健兒多歸之。詔下討賊，仍許自首免罪。六等遣其姊出首，自領三十四人詣州。知州郭坤以聞，貰之，令捕他盜自效。未幾，復叛去，紀事本末四十五。邀楊虎走附畿南盜。白英招其黨，攻破安肅縣，刼取繫獄盜黨齊彦名。旬日間，得衆數千。後鑒録二。起奉楊惠爲首，明史陸完傳。踰山東、河南，出湖廣、江西，仍由故道入長清、齊河等縣抵霸州，所至縱横，如蹈無人之境。紀事本末四十五。指揮桑玉嘗遇賊文安村，賊失隊，六、七匿民家高樓，欲自刭。玉故徘徊，有頃，彦名持大刀脅官軍敗衂者至樓下，彦名曰：呼！諸敗兵皆呼彦名曰：賊至矣！六、七控弦出，射數人，去。後鑒録二。時馬中錫、張偉所領京營人馬，多不簡閲。中錫書生，欲效龔遂化渤海事，招撫解散，偏檄路榜示。六、七等聞之所至不殺掠，然且信且疑，（紀事本末四十五。）退屯德州桑園。中錫肩輿入其營，開誠慰諭之，衆拜且泣，送馬爲壽。六慷慨請降，七仰天咨嗟曰：騎虎不得下，今奄臣柄國，人所知也。馬都堂能自主乎？又偵朝廷方懸賞格購賊，益疑懼，徑去，焚掠如故。獨至故城，戒毋犯馬都堂家。由是中錫謗大起，謂其以家故縱賊，言官交劾之，（明紀二十五。）逮下錦衣衛獄，論死。（紀事本末四十五。）時六等縱横沂、莒間，而楊虎陷宿遷，執淮安知府劉祥、靈璧知縣陳伯安，連陷虹、永城、虞城、夏邑及歸德州，邊兵追及，賊退至小黄河渡口。百户夏時設伏殲之。虎溺死，餘賊奔河南。黨分爲二。而六復轉而北，卻永敗之濰縣，還霸州。帝將出郊省牲，聞之懼，急召陸完赴援。完擊破之。文安賊南至湯陰，完又督諸將追敗之，先後俘斬千人。（明史陸完傳。）遣卻永追賊於宋家莊。賊南犯滕縣，副總兵劉暉大敗之。賊奔登萊海套，陸完師次平度，檄卻永，白玉與游擊温恭三道進攻，命副總兵張俊、李鋐及許泰、劉暉分軍邀其奔軼。賊走，連戰皆大敗之。六等三百人變服易馬北走，沿途招聚，勢復張。剽香河、寶坻、玉田，轉武清，畿輔復震動。俊泰、永遏之。六等轉南至冠縣，暉襲敗之。指揮張勛又敗之。平原賊南奔邳州，渡河抵固始。（明紀二十五。）會河南賊已平，六等勢益衰，（明史陸完傳。）遂走湖廣，奪舟至夏口，遇督漕御史馬炳然，殺之，復登陸，焚漢口。指揮滿弼追及，六中流矢，赴水死。七及齊彦名率舟東下，由黄州至鎮江。完疾趨而南。帝命彭澤、仇鉞會完並勦，大兵盡集江南北，賊猶乘潮上下肆掠。已而，賊治舟孟瀆，尋抵通州，颶風大作，棄舟走保狼山。完以兵夜壓之山南，彦名中槍死，七中矢，亦赴水死。通鑑輯覽一百七。

曒生光，本名揚，文安縣庠生，酌中志作順天府學附生。以無行被斥。貌寢陋，性阻險，野獲編六。多脇取人財。嘗僞作富商包繼志詩，有鄭主乘黄屋之句，以脅鄭國泰及繼志金。通鑑輯覽百十二。故與鐵嶺李氏游，會李如松戰死遼左，時其父甯遠伯李成梁以故帥留京師，奉朝請，曒具雞往奠，痛哭竟日不輟聲。成梁怪之，出慰曰：子意良厚，然吾兒與子交情不至此，子且休矣。曒曰：吾非哭令子，乃哭我命薄也。令子許我得天下日，爵我通侯，今已矣，是以悲不自制耳。成梁驚懼，亟以千金賂之得止。他無賴事尚夥，都人類能言之。野獲編六。萬曆三十一年十一月甲子，獲妖書，言帝欲易太子。明史神宗本紀。帝大怒，敕有司大索奸人。沈一貫以楚宗事銜郭正域，又惡沈鯉相逼，欲因是傾之，給事中錢夢臯直指爲正域、鯉所造。遂發卒圍正域舟於楊村，捕僕隷乳媪十餘人。御史康丕揚先後捕正域所善醫人沈令譽、僧達觀等雜治之，竟無所得。通鑑輯覽一百十二。最後錦衣百户崔德緝得生光，並其子其婦趙氏、陳氏鞫之。明史紀事本末六十七。又於生光室内搜得羅文藍箋寫十大説，其詞曰：曒揚，爾忘之耶？爾有大心不獲，而乃規規於小願乎？爾有大名見污，而乃規規於小聞乎？爾有大寃不白，而乃規規於小侮乎？爾有大讎不報，而乃規規於小怨乎？爾有大恩未償，而乃規規於小惠乎？爾有大寶未詎，而乃規規於小室乎？爾有大游不暢，而乃規規於小方乎？爾有大忠可傷，而乃規規於小謹乎？爾有大貧能甘，而乃規規於小乏乎？爾有大才不容，而乃規規於小過乎？此十大者信大，小者信小矣。皦揚，爾忘之耶？癸卯八月二十六日有感，援筆漫書，浼蔣無功録一通，張之軒側，早暮卧起觀之，後用圖書鈐識。是時生光已從戍所赦回，改名皦揚，字寃之，又刻有怪石軒岸游草。酌中志略一。方廷訊時，丕揚等皆欲坐郭正域，明史紀事本末六十七。拷生光妻妾及十歲兒，皆身無完膚，又以鍼刺指爪，必欲引正域，皆不應。生光仰視夢皋、丕揚，大駡曰：死則死耳，奈何教我迎相公指，妄引郭侍郎乎！明紀四十五。沈裕厲聲折生光。從重論，恐株連多人，無所歸獄。生光自誣服，歎曰：朝廷得我結案，如一移口，諸君何處求生活乎？紀事本末六十七。李停機亦以生光前詩與妖書詞合，與御史沈裕、涂宗濬俱署名。上趣定獄，絶株連。丁未，磔生光於市，明紀四十五。妻子戍邊。妖書非生光也，第其人可死，故人不甚憐之。紀事本末六十七。

張差，薊州人。明紀四十八。萬曆四十八年，太子居慈慶宮，明鑑二十一。差持棗木梃入宮門，擊傷守門内監，至殿前檐下被執。皇太子奏聞，帝命法司案問。巡視皇城御史劉廷元鞫奏犯名張差，口中呶呶，語無倫次。按其迹，若涉風顛，稽其貌，實係黠滑，請下法司嚴訊。通鑑輯覽一百十二。中外方疑鄭貴妃與其兄國泰謀危太子，及差被執，舉朝驚駭。廷元既以風顛奏，按律當斬。奏定未上，明鑑二十一。會提牢主事王之寀散飯獄中，私詰差。差初不肯承，已云：不敢説。之寀麾左右出，留二吏，扶問之，始言：小名張五兒，有馬三舅、李外父令隨不知姓名一老公，説事成與汝地幾畝。比至京，入不知街道大宅子。一老公飯我云：汝先衝一遭，遇人輒打死。乃畀我棗木棍，導我由厚載門到宮，擊門者墮地，老公多，遂被執。之寀備揭其語。因侍郎張問達以聞。且言差不顛不狂，有心有膽，乞縛凶犯，敕九卿、科道、三法司會問。疏入，未下。通鑑輯覽一百十三。户部郎中陸大受言：青宮何地？男子何人？而横肆手棍，幾驚儲蹕，此乾坤何等時耶？北人好利輕生，有金錢以結其心，則輕爲人死。至大奸之奔走死士也，或出其技之庸庸者試之於死地，以探其機，而後繼之以驍桀，用其死力與忽不經意之處，有臣子所不忍言者。張差業招一内官，何以不言其名？明説一街道，何以不言其處？乞皇上大振乾綱，務在首惡必得，邪謀永銷，明肆凶人於朝市以謝天下。疏中有奸戚二字，上惡之，與之寀疏俱不報。御史過庭訓爲移文薊州蹤跡之。紀事本末六十八。知州戚延齡具言其致顛始末。言貴妃遣璫造佛寺，璫置陶造甓，居民多鬻薪獲利者。差賣田買薪，欲往市。土人忌之，焚其薪。差産破薪焚，不勝憤，故持梃欲告御狀。於是原問諸臣，遂據爲風顛定案。越數日，（明鑑二十一。）員外郎陸夢龍將典試廣東，杜門注籍，主事傅梅過之曰：人情庇奸，而甘心儲星，吾雖恤刑山右，當上疏極論。君能共事乎？夢龍曰：張公遇我厚，當力爭之。乃偕見問達。（明紀四十八。）時郎中胡士相等不欲再鞫，趣問達具疏請旨，以疏入必留中，其事可遂寢。夢龍得其情，止勿復請。衆曰：題馬三爺、李外父輩，非得旨不可。夢龍曰：堂堂法司，不能捕一編氓，須待天子詔耶？差所供，必當訊實。問達以爲然。明日會訊，衆咸囁嚅。夢龍呼刑具三，無應者。擊案大呼，始具。差長身駢脅，睨視傲語，無風顛狀。夢龍呼紙筆，命畫所從入路。梅問：汝何由識路？差言：我薊州人，非有導者安得入？問：導者誰？曰：大老公龐公，小老公劉公。且曰：豢我三年矣，予我金銀壺各一。夢龍曰：何爲？曰：打小爺。於是士相立推坐起，曰：此不可問矣。遂罷問。夢龍必欲得内豎名。越數日，問達再令十三司會審。（明史陸夢龍傳。）差供：馬三舅名三道，李外父名守才，不知姓名之老公，乃修鐵瓦殿之龐保，不知街道宅子，乃住朝外大宅之劉成二人，令我打上宫門，打得小爺，吃有著有。又有姊夫孔道同謀，凡五人。士相舉筆，躊躇不敢下。夢龍力爭，獄乃具。刑部行薊州道，提馬三道等，疏請提龐保、劉成對鞫。（明紀四十八。）上再諭法司，嚴刑鞫審，速正典刑。時語多涉戚臣鄭國泰。國泰出揭白，給事中何士晉復奏，（紀事本末六十六。）請窮其事。上大怒，因召百官進。百官膝行而前。時太子、三皇孫俱侍。上曰：昨有風顛張差，突入東宫傷人，此是異事，與朕何與？外庭有許多閒說，爾等誰無父子，乃欲離間我父子耶！止將有名人張差、龐保、劉成卽時淩遲處死，其餘不許波及無辜一人。尋誅張差於市，而斃龐、劉於内庭，事遂寢。（明季北畧一。）

王森，原名石自然，薊州皮工也。路遇妖狐，爲鷹所搏，狐求救於森，森收之至家，狐斷其尾相謝，傅以妖香，凡聞此香者，心卽迷惑，妄有所見。森依其術，（日下舊聞考引說畧箋。）倡白蓮教，自稱聞香教主。其徒有大小傳頭及會主諸號，蔓延畿輔、山東、山西、河南及陝西、四川，（通鑑輯覽一百十三。）不下二百萬人。撮合俚言譌說，刊作經文，分授徒衆。萬曆四十七年，（說畧箋。）爲有司所攝，斃於獄。（通鑑輯覽一百十三。）森死，遺資巨萬。子好賢，藉其資以結客，有異志。（紀事本末七十。）及徐鴻儒、于宏志等踵其教，徒黨益衆。時遼東盡失，四方奸民思逞。好賢遂與鴻儒等約以中秋並起兵，會謀洩，鴻儒遂先期反，（明紀五十。）舉事凡七月而滅。（通鑑輯覽一百十三。）鴻儒臨刑歎曰：我與王好賢父子，經營二十餘年，徒屬甚衆，更遲數日，孰敢攖我鋒者！而好賢見鴻儒敗，走薊州，又挈家二十餘人南走，至揚州事露就擒。（紀事本末十七。）

鄭國泰，大興人，神宗鄭貴妃弟也。父成憲，累官至都督同知，卒，國泰請襲，帝命授都指揮使。給事中張希皐言：指揮使下都督一等，不宜授任子，妃家蒙恩，如是何以優后家？不報。是時廷臣疑貴妃謀奪嫡，羣以爲言。國泰不自安，上疏請立太子。其從子承恩亦言儲位不宜久虛。大學士沈一貫左右於帝，弗聽，詔奪國泰俸，而斥承恩爲民。然言者終不息。萬曆二十六年，承恩復上疏，劾給事中戴士衡、知縣樊玉衡妄造憂危竑議，離間骨肉，污衊皇貴妃。帝怒。憂危竑議者，不知誰所作，中言侍郎吕坤搆通宫掖，將與國泰等擁戴福王。而士衡前嘗論坤與承恩相結，玉衡方抗言貴妃沮立太子，疏並留中，故承恩指兩人。帝怒，士衡、玉衡皆永戍。廷臣益忿鄭氏。久之，皇太子立。四十三年，男子張差持梃入東宫被禽，言者皆言國泰謀制皇太子，主事王之寀鞫差，差指貴妃宫監。主事陸大受、給事中何士晉遂直攻國泰。帝以貴妃故，不欲竟。國泰官至左都督，病死。子養性襲職。天啟初，光禄少卿高攀龍、御史陳必謙追論其罪，且言養性結白蓮賊，將爲亂。詔勒養性出京師，隨便居住。魏忠賢用事，宥還。明史外戚傳。

王體乾，昌平人，明史宦官傳。軀體肥，遙目梟音，酌中志十五。柔佞深險。明史宦官傳。萬曆六年，選入皇城。二十八年，歷升文書房。酌中志十五。熹宗初爲尚膳太監，遷司禮秉筆。明史宦官傳。先是，帝命王安掌司禮監，安以故事辭。客氏等忌安持正，急請帝許之，而用王體乾。明紀五十。體乾軟媚，酌中志十五。用是一意附忠賢，爲之盡力，而置安於死。故事，司禮掌印者位東廠上，體乾避忠賢，獨處其下，故忠賢一無所忌。明史宦官傳。四年六月癸未朔，左副都御史楊漣劾忠賢二十四大罪。疏上，忠賢懼甚，趨帝前泣訴，且辭東廠。帝令體乾誦漣疏，體乾置疏中切要語皆不讀，帝懵然不辨也，遂温諭留忠賢。（明紀五十一。）漣遂得譴。萬璟之死，出體乾意。（明史宦官傳。）忠賢不知書，凡章奏，（通鑑輯覽一百十三。）體乾與永貞等爲之謀主。遇票紅文及改票，動請御筆。體乾獨奏，忠賢默然也。及忠賢冒陵工、殿工、邊功等賞，體乾、永貞輩亦各廕錦衣數人。嘗疑選人錢受益、黄願素爲錢謙益、黄尊素兄弟，並禁錮。其阿媚忠賢如此。及莊烈帝定逆案，革體乾職，籍其家。（明史宦官傳。）逆賢之黨，乾清宫管事馬謙、掌酒醋局印梁棟，皆宛平人。内宫監許秉彝、司禮監李明道，皆大興人。秉筆王朝輔、乾清宫管事紀用，皆文安人。（酌中志十五。）

李永貞，通州人，（明史宦官傳。）李經第五子也。以五歲閹，十五歲後侍孝端顯皇后父永年伯王棟宅。十九歲選入皇城，（酌中志十五。）爲内侍，犯法被繫者十八年，（明史宦官傳。）始讀四書、詩經、易、書、左傳、史、漢等書，習趙吴興字體，善弈，能作時文。（酌中志十五。）光宗立，得釋。忠賢用事，引其黨諸棟、史賓等爲秉筆。永貞入棟幕，與忠賢掌班劉榮爲死友。棟死，（明史宦官傳。）永貞緣榮力，薦入忠賢幕，（酌中志十五。）由文書房陞秉筆太監。匝月五遷，與體乾、文輔及石元雅共爲忠賢心腹。忠賢不識字，（明史宦官傳。）凡章奏，永貞等先閲視，鈐識竅要，白忠賢議可否，然後行。（通鑑輯覽一百十三。）崔呈秀所獻諸録，永貞等各置小册袖中，遇有處分，則爭出册告曰：此某録中人也。故無得免者。永貞性貪，督三殿工，治信王邸所，侵没無算。莊烈帝立，永貞陽引退，（明史宦官傳。）密託心腹，餽王體乾、王承祚、王本政各銀五百兩。（酌中志十五。）三人惡其反覆，（明史宦官傳。）又畏上英明，（酌中志十五。）首於帝，（明史宦官傳。）俱進獻内承運庫矣。（酌中志十五。）永貞懼，遂亡去。既而被獲，謫鳳陽。已，御史劉重慶以李實誣高攀龍等七人事劾實，實疏辨，言：係空印紙，乃忠賢逼取之，令永貞填書者。帝驗疏，黑在朱上，遂誅永貞。（明史宦官傳。）

崔呈秀，薊州人，萬曆四十一年進士，授行人。天啟初，擢御史。巡按淮陽，卑污狡獪，不修士行。見東林勢方盛，將出都，力薦李三才，求入其黨。東林拒不納。在淮陽，贓私狼籍。霍邱縣知縣鄭延祚貪，將劾之，以千金賂免。延祚知其易與，再行千金，即薦之。其行事多類此。（明史列傳。）比還朝，左都御史高攀龍盡發其貪污狀。趙南星議戍之。詔革職候勘。呈秀大窘，求解於李應昇，昏夜欵門，長跪乞哀不得，乃走魏忠賢所，叩頭涕泣，乞爲養子。因言：南星、攀龍及楊漣等皆東林挾私排陷，不去之，我兩人未知死所。忠賢方思藉外廷爲助，得呈秀，相見恨晚，遂用爲腹心，日與計畫。（明紀五十一。）高疏留内不發。（明季北略二。）明年正月，給事中李恒茂爲呈秀訟冤。（明史列傳。）忠賢先後矯旨，免崔呈秀戍，復御史。（明紀五十一。）於是羣小歸附，暮夜乞憐者，莫不緣呈秀以進，其門如市。

明史列傳。呈秀尋督三殿工，忠賢以閲工故，日至外朝，相與屏人密語。呈秀造天鑒、同志諸録，盡羅入不附忠賢者，號曰東林黨人，獻於忠賢，明紀五十一。令忠賢憑以陟黜。善類爲一空。累擢工部右侍郎，並兼御史，督工如故。御史田景新言：侍郎兼御史非便，請改僉都御史。從之。忠賢嘗修鄉縣肅甯城，呈秀首上疏稱美。六年二月，復疏頌忠賢督工功，請賜敕奬諭。末言：臣非行媚中官者，目前千譏萬駡，臣固甘之。疏出，朝野轟笑。時方刱三朝要典，呈秀疏陳要典之源，追論並封、妖書、之藩三事，凡擁衛光宗者，悉加醜詆。忠賢悦，宣付史館。其年七月，進本部尚書。十月，皇極殿成，加太子太保兼左都御史，仍督大工。母死，不奔喪，奪情視事。明史列傳。於時忠賢門下，通鑑輯覽一百十三。有五虎之目，明史列傳。而呈秀尤爲之魁。或不附己，及勢位相軋者，輒令其黨排去。諸所傾陷，不可勝數，雖其黨亦深畏之。通鑑輯覽一百十三。子鐸，不能文，囑考官孫之獬，獲鄉薦。所用其弟凝秀爲浙江總兵官，女夫張元芳爲吏部主事，妾弟、優人蕭惟中爲密雲參將。所司皆不敢違。明史列傳。不二歲，即晉兵部尚書兼左都御史，出入烜赫，勢傾朝野。通鑑輯覽一百十三。熹宗崩，明史列傳。遺詔以信王嗣位。通鑑輯覽一百十三。廷臣入臨，內使數十人傳呼崔尚書甚急。呈秀入，見忠賢，密謀久之，語祕不得聞。或言忠賢欲篡位，呈秀以時未可止之也。明紀五十一。莊烈帝即位，明史列傳。神明默操，明季北畧三。其黨知忠賢必敗，內相攜。明史列傳。副都御史楊所修首請允崔呈秀守制，御史楊維垣繼之，明紀五十二。賈維春亦參崔呈秀説事賣官，娶娼宣淫，但知有官，不知有母，三綱廢弛，人禽不辨。明季北略三。呈秀乞罷。帝猶慰留，章三上，温諭令乘傳歸。明紀五十二。已而言者劾呈秀宜肆市朝。詔逮治，籍其貲。明史列傳。時呈秀在薊州，一閉目卽見受刑諸臣。忽報會勘，知不免，明季北畧三。羅諸奇異珍寶，明紀五十。與寵妾蕭靈犀明季北畧二。呼酒痛飲，盡一卮，卽擲壞之，飲已，自縊。詔戮其屍。子鐸除名，弟凝秀遣戍。後定逆案，以呈秀爲首。明史列傳。

魏藻德，字師令，順天通州人。甲申傳信録四。崇禎十三年，舉進士，既殿試，帝思得異才，復召四十八人於文華殿，明史列傳。問：邊隅多警，何以報讐雪恥？藻德對曰：使大小諸臣皆知所恥，則功業自見。娓娓數百言，明季北畧十六。又自敘十一年守通州功。明史列傳。上心識之，明季北畧十六。擢置第一，授修撰。十五年，都城戒嚴，疏陳兵事。明年三月，召對稱旨。藻德有口才，帝以己所親擢，且意有抱負，五月，驟擢禮部右侍郎，兼東閣大學士，入閣輔政。藻德力辭部銜，乃改少詹事，明史列傳。卽主癸未會試。自居相，無一建明，而爲上所信重。甲申傳信録四。十七年二月，詔加兵部尚書，兼工部尚書、文淵閣大學士，總督河道屯田練兵諸事。駐天津。有言百官不可令出，出卽潛逃，遂止不行。明史列傳。乙巳，賊薄近郊，李邦華亟詣内閣言事。藻德漫應曰：姑待之。邦華太息而去。明紀五十七。賊駕梯攻西直、平則、德化三門，勢甚危急。太常少卿吳麟徵紀事本末七十九。趨入朝，欲見帝白事，至午門，藻德引麟徵手曰：國家如天之福，必無他虞。遂引之出。明日，明史吳麟徵傳。都城陷，明史列傳。賊騎塞巷。紀事本末七十九。藻德未聞變，猶傳單醵金。自成據宮掖，僭大位，甲申傳信録四。藻德率百官入賀，通鑑綱目三編十二。首向自成叩頭求用。自成旁揖之。藻德請試題。自成有所命，藻德聽之不真，而又不敢再請，皇遽而起。一日殿上唱名，急呼魏藻德來見，欲爲周延儒等報仇。三呼，藻德不應，卽令速拿，少頃，縲繫至。明季北畧二十二。發營中羈守之，辱加考掠。甲申傳信録四。賊下令，勒内閣十萬金。藻德輸萬金，賊以爲少。明史列傳。四月朔，宗敏夾訊藻德曰：若居首輔，何以致亂？藻德曰：本是書生，不諳政事，兼之先帝無道，遂致於此。宗敏曰：汝以書生擢狀元，不三年爲首輔，崇禎有何負汝，指爲無道？甲申傳信録四。呼左右批其頰，夾二夾。明季北畧二十二。藻德謂用事王旗鼓曰：願以息女奉將軍爲箕箒妾。王旗鼓鄙而蹴之，唾駡不絶。甲申傳信録四。酷刑五日夜，腦裂而死。復逮其子追徵，訴言家已罄盡，父在，猶可丐諸門生故舊，今已死，復何所貸！賊揮刃斬之。明史列傳。有僕呂承恩，向賊乞其父子屍，賊義之，承恩負歸，殮葬。通州高志。

國朝

魯國男，大興人。明昌平副將，本朝順治元年，英順王阿濟格追勦流賊於山西，國男詣軍門降，委署總兵官。二年，授永平中協副將。四年，遷正定總兵，加都督僉事。十一年，刑科給事中張時成列欵劾其貪淫殘縱狀。詔下督撫嚴查。得實，革職。十八年，山東巡按朱裝疏劾國男戀居臨清，應勒令回籍。尋病死。貳臣傳。

王之綱，宛平人，明總兵。福王時，以之綱鎮河南開封府。順治二年，大兵下河南，之綱走江甯。大兵渡河，從忻城伯趙之龍降，署徐州總兵。徐州平，授福建雲霄總兵。六年，加都督僉事，鎮汀州。十二月，叙平延平積寇功，加都督同知。十五年三月，以交結内監吴良弼，納賄營私，奉旨逮問，革職，擬斬，改流。流徙尚陽堡，未至，道死。貳臣傳。

吴惟華，順天人。先世本蒙古。有巴圖特睦爾者，仕明，賜姓名曰吴允誠，封恭順伯。子克忠，進侯爵。七傳至惟英，崇禎十六年卒，未襲。惟華，其弟也，明諸生。本朝順治元年，睿親王多爾衮至京師，惟華縋城投順，自稱應襲恭順侯，請招撫山西自効。許之。遣都統葉臣及覺羅巴哈納等西征，令惟華悉心襄贊。九月，隨大兵攻太原，克之，汾州、平陽、潞安俱下，擢授總兵，鎮太原。明年，叙迎順功，封恭順侯，尋加太子太保，招撫廣東。三年五月，以廷議徹諸省撫官，惟華還朝。四年，兼户部右侍郎，總督漕運。六年，裁鳳陽巡撫，命漕臣攝其事。明年，加右都御史。先是，惟華專事權，任用匪人，恣意貪黷，偏聽副將振武、同知陳標、推官蔡國傑等，蠹剥欺公。泰州、高郵患澇，漕糈無出，知州請具疏改折，不可，納賄三千金，而後許之。廢官李寓庸家僕爲盗斃於獄，惟華拘治寓庸，寓庸恐，重賂乃釋。凡委署州縣及各税務僉差差察緝稽覈驛遞，因事受財，動輒千百。修築城工，假稱率屬捐助，苛派閭閻。復縱奸宄侵蝕漕糧，漫無覺察。給事中李賓尹、御史魏琯並劾其營私誤漕。下部議，革職。至是，巡漕御史張中復列欵劾其貪婪不職狀，遂逮訊。九年八月，讞成，皆實，論死。上念其投誠功，詔免死，削封爵，褫職，永不叙用。十五年，與原任大學士陳之遴等交結内監吴良輔，事覺，應絞決，又奉詔貸死，杖戍甯古塔，籍其家。聖祖仁皇帝御極，惟華以輸工作贖罪。恩旨赦還原籍。康熙七年七月，密疏請徵各州縣鎮市屋税，及江南沿江洲田三十餘處，令民納價領種。上惡其害民斂財，下部論罪，應流徙，復得旨免罪，令入旗。尋死。貳臣傳。

羅森，字約齋，大興人。香祖筆記十。順治四年，進士，逆臣曹申吉傳。舌短，語音不正。自縣令香祖筆記十。累官江西湖東道、陝西督糧道、浙江按察使。逆臣曹申吉傳。所至以賄聞。爲四川巡撫，黷貨不已，諸子從容諫曰：大人位中丞，齒高矣，家已粗給，何必孳孳於此？羅諦聽之久，答曰：汝曹何知！多多益善。（香祖筆記十。）康熙十五年五月，以招民開墾，議加工部侍郎銜。十一月，吴三桂反。十三年正月，犯四川，森遂降。先是，森有能吏聲，至是降賊，聞者切齒。三桂性急忌，降者多以事被殺。及三桂死，其黨自相屠殺，森遂不知所終。（逆臣曹申吉傳。）所著有麻姑山丹霞洞天志十七卷。（四庫全書總目七十六。）崔之瑛，霸州人。順治十三年授陝西漢羌道。康熙二年，擢雲南布政使。十二年從逆，二十年雲南平，論死。（逆臣傳。）

華陽吴祖椿校

光緒順天府志一百八

黄岡洪良品纂　江陰繆荃孫覆輯

人物志十八

方技

宋

高益

遼

常思言

元

劉元

李有

盧昶

李衎

明

陳復 弟後

李近樓

許紳

周鳳

高鏊

高松

國朝

金可礪　馮源濟　劉　某

梁九公　邵　公　高二爸

曹顯宗　邱庭樹子桂山　王晴溪

呂聖功

方技有略，著於劉向；方術有傳，始於蔚宗。雖一藝之微，非窮年累月極深研，幾不能成夫名而傳於後也。邦畿千里，羣材萃止，呈能騁妍，翕然畢集，藝成而下，雖小道亦有可觀者乎。志方技。

漢

李定，涿人，有相術。劉先主少孤，與母販履、織席爲業。舍東南角籬上有桑樹生，高五丈餘，遥望見，童童如小車蓋，往來者皆怪此樹非凡。定云：此家必出貴人。蜀志先主二。

唐

范陽山人，不知其姓字。李叔詹常識之，停於私第，時語休咎必中，兼善推步禁咒。止半年，忽謂李曰：某有一藝，將去欲以爲别。所謂水畫也。乃請後廳上掘地爲池方丈，深尺餘，泥以麻灰，日汲水滿之；候水不耗，具丹青墨硯，先援筆叩齒良久，乃縱筆毫水上，就視，但見水色渾渾耳；經二日，搨以𦈡絹四副，食頃，舉出觀之，古松、怪石、人物、屋木，無不備也。李驚異，苦詰之。惟言善能禁彩色，不令沈散而已。酉陽雜俎。

胡瓌，范陽人，工畫蕃馬，圖畫聞見志。鋪細巧密，近類繁冗，而用筆清勁，宣和畫譜。骨格體狀，富於精神。至於穹廬部族，帳幙旌旆，弧矢鞍韉，或隨水草放牧，或在馳逐弋獵，胡天慘冽，沙磧平遠，曲盡塞外景趣。涿州吴志。凡畫駝馬騣尾人衣毛毳，以狼毫縛筆，疏渲之，取其纖健也。有陰山七騎、下程控馬射雕等圖傳於世。圖畫聞見志。後以筆法授其子虔。圖繪寶鑑二。世謂虔丹青之學有父風、家學之妙，殆未可分真贋也。涿州吴志。

後唐

周元豹，燕人，世爲從事。元豹少爲僧，其師有知人之鑒。從遊十餘年，盡悴無憚。師知其可教，遂傳其秘旨。既長，還鄉歸俗。冊府元龜八百六十。時盧程猶爲道士，北夢瑣言。與同志二人謁焉。元豹退謂鄉人張殷衮曰：適二君子，明年花發，俱爲故人，唯彼道士，他年甚貴。來歲二子果零落於趙、魏間。又二十年，盧程登庸於鄴下，後歸晉陽，張承業信重之，言事數中。明宗時爲内衙都指揮使。承業俾帝易衣，列於諸校之下，以他人詐之，曰：此非也。元豹指帝於末，綴曰：骨法非常，此爲内衙太保歟？咸服其異。或問帝之前程。惟云：末後爲鎮州帥。時懿皇后夏氏方侍巾櫛，時有忤旨，大犯檟楚。元豹偶見之，曰：此人藩侯夫人之位，當生貴子。赫怒因解。其言竟驗。太原察判司馬揆不同舍，留其居，忽謂揆曰：公五日之内，奉使萬里，未見回期。揆數日後酒酣，坐爲衣領扼之而卒。冊府元龜八百六十。明宗自鎮帥入纂，謂侍臣曰：周元豹昔曾言朕事頗有徵，可詔北京津置赴闕。趙鳳曰：袁許之事，元豹所長，若詔至輦下，即爭問吉凶，恐近於妖惑。乃令就賜金帛。官至光禄卿，年八十而卒。又嘗與蜀高祖預説符命，嗣主之事，至於雲龍將相，其言無不符驗。北夢瑣言。

宋

高益，涿郡人，工畫釋道鬼神，蕃漢人馬，用墨重，傅色輕，變通應手，不拘一格。圖繪寶鑑。太祖朝，潛歸京師，始貨藥以自給。圖畫聞見志。每售藥，必畫鬼神或犬馬於紙上，藉藥與之，得者驚異，由是稍稍知名。時有孫四皓者，廣延藝術之士。益往，客之，爲禮甚厚。畫鬼神搜山圖以酬其意。歲初，復畫鍾馗一軸。孫張於賓館，或曰：鬼神須用力，此傷和重。益乃奮筆畫一異狀者，舉石狻猊以擊厲鬼。復張於舊所。觀者驚其勁捷，握手滴汗。嘗於四皓樓上畫卷雲芭蕉，京師之人摩肩争玩。孫乃神宗近戚，進益前所畫搜山圖，上歎賞，遂待詔圖畫院。勅畫相國寺廊壁。會上臨幸，見益寫阿育王戰像，問益曉兵否，對曰：臣非知兵者，命意至此。上善之，又畫崇夏寺大殿東西壁善神，筆力絶人。有南國鬬象、衛士騎射、蕃漢出獵等圖傳於世。涿州吴志。

遼

常思言，燕京布衣，善畫山水林木。求之者甚衆，遼史拾遺二十一。然必在渠樂與，卽爲之。圖畫聞見志。既不可以利誘，復不可以勢動，此其所以難得也。遼史拾遺二十一。

元

劉元，字秉元，薊之寶坻人。按：帝京景物略引作藝元。蓋因讀元史而誤其句讀。析津日記嘗辨之。官至昭文館大學士、正奉大夫、秘書監卿。輟耕録。始爲黄冠，元史方技傳。師事青州杞按：元史亦作杞，而續宏簡録及帝京景物略乃作把。道録，傳其藝非一。輟耕録。嘗從阿納噶木原作阿尼哥。學西天梵相，亦稱絶藝。元史方技傳。當世祖時，兩都名刹，塑土範金，摶換爲佛像，出元手者神思妙合，天下稱之。續宏簡録。所謂摶換者，漫帛土偶上而髹之，已而去其土，髹帛儼然像也。昔人嘗爲之，至元尤妙。摶換又曰活脱。輟耕録。其上都三皇尤古粹，識者以爲造意得三聖人之微者。由是兩賜宫女爲妻，命以官長其屬，行幸必從。仁宗敕元，非有旨不許爲人造他神像。元史方技傳。大都南城長春宫都提點馮道頤，始作東嶽廟於宫之東，謀於其徒曰：不得劉正奉名手，無以稱吾祠。且正奉嘗從吾徒遊，將無靳乎！即詣元言之。元以前敕未之許也。是時廟未成，民間以靈異禍福相恐動，事未甚顯灼。馮去後，元果恍惚若有所感，病不知人者三日。或爲之禱，乃起謂其門人子孫曰：速爲我御，我且之東嶽廟。至廟，疾良已。會立廟事奏御，元祝曰：願親造仁聖帝像。既而疾大安，又進秩二品。益喜曰：是神之賜也。因又造炳靈公司命君像，而佐侍諸臣，有弗當其意，悉更之，蓋幾有神助者。仰瞻仁聖帝，巍巍然有帝王之度。其侍臣像乃若憂深思遠者。道園學古録。始元欲作侍臣像，久之未措手，適閲秘書圖畫，見唐魏徵像，瞿然曰：得之矣！非此莫稱爲相臣。遽走廟中爲之，即日成。元史方技傳。觀者咸歎異。帝京景物略。其所作西番佛像多秘密，人罕得見。續宏簡録。按：東嶽廟像，劉元塑也。而燕都遊覽志以爲劉鑾。元都勝境，建於元代，其像劉鑾塑也，而金鼇退食筆記以爲劉元。析津日記云，説者疑鑾與元音相近而誤。考郝伯常陵川集，燕有四賢祠，其像塑自劉鑾。則鑾別是一人，著于正奉之先者也。謹按：元都勝境，本朝乾隆二十五年重修，賜名天慶宮。恭讀高宗御製詩云：南雕北塑古所傳，大都神塑猶存元。名手劉姓元與鑾，東嶽摶換稱元賢，茲天慶像鑾坯埏。可以證相沿之誤矣。

盧昶，霸州文安人，世以方技有名河朔。政和二年，補太醫奉御，被旨校正和劑局方，刪補治法。累遷尚藥局使。自幼傳家學，課誦勤讀，老不知倦。岐黃、雷扁而下，其書數百家，其説累數百萬言，閎衍浩博，纖悉碎雜，無不通究，而於孫氏千金，尤致力焉。故其診治之驗，頗能似之。春秋雖高，神觀精明，望之知爲有道之士。年壽八十有七，自剋死期，留頌坐逝。著醫鏡五十篇，傷寒片玉集三卷。今其書故在，方技之外，復達治心養性之妙。如云：人生天地中，一動一息，皆合陰陽自然之數，卽非漠然無關涉者。所爲善惡，宜有神明昭察之。又曰：人爲陽善，人自報之；人爲陰善，鬼神報之；人爲陽惡，人自治之；人爲陰惡，鬼神治之。又曰：養氣莫若息心，養身莫若戒慎。又曰：冥心一觀，勝負俱捐。此雖前賢所已道，至於表而出之，既以治己，又以及人，非仁者之用心乎！其康甯壽考，五福俱備，非偶然也。元遺山集二十四。

李衎，字仲賓，號息齋道人，薊邱人。官至浙江行省平章政事，致仕，封薊國公，謚文簡。圖繪寶鑑七。衎博學多通，少時見人畫竹，從旁窺其筆法，始若有喜，旋覺不類，輒歎息捨去。後從黃華子澹游，已觀華所畫墨蹟，又迥然不同，乃復棄去。至元初，來錢塘，元史類編三十六。見文湖州墨竹數十，皆以爲不佳，且疑東坡、山谷與湖州文字交特多曲筆，過與也。錢塘王子慶謂曰：子所見，皆非真湖州筆耳。持一幅示之，竹凡五竿，濃淡相依，枝葉間錯，曲折向背，欹側低昂，各有態度，於是叫絶，深悔從前議論之非。六研齋筆記。自後一意師之，元史類編三十六。用紙臨摹，髣髴，攜歸盡力學之。又獲三本，又得南唐李頗叢竹圖、蕭協律筍竹圖，參閱衆妙，而後成家。六研齋筆記。其畫竹法，加青緑色。嘗曰：墨竹畫竹，皆起於唐，自吳道子以來，名家纔數人。王右丞妙蹟，世罕其傳。蕭協律雖傳，昏腐莫辨。黄氏神而不似。崔、吳似而不神。惟李頗形神兼足，法度皆備。然文湖州最後出，不異杲日升空，爝火俱息，黄鐘一振，釜瓦失聲矣。後使交趾，深入竹鄉，於竹之形色情狀，辨析精到。作畫竹、墨竹二譜，凡粘幀礬絹之法悉備。元史類編三十六。子士行，字遵道，官黄巖知州，畫枯槎竹石得家學而過之，尤善山水。元史類編三十六。

李有一，名立義，字仲方，燕京人。官兩浙運司經歷。工古隸，枯木、竹石，意尤高遠。元史類編三十六。作者推服。圖繪寶鑑五。

明

陳復，字啟陽，無聲詩史六。按：續圖繪寶鑑作啟鴻。號坦坦居士，燕山人。續圖繪寶鑑。幼同弟後從伯父任南京通政司右通政，因與詩人文士交稔，是以才思充溢，詩文清奇。尤長作畫，無聲詩史六。山水松竹，皆有矩度。亦精寫照。續圖繪寶鑑。由儒士任鴻臚序班，管禮部鑄印事，用薦改國子監典籍。弟後字啟先，號厲齋，無聲詩史六。詩文書畫，與兄齊名。續圖繪寶鑑尤精堪輿之學，用薦任欽天監博士。子漢繼其業焉。無聲詩史六。

許紳，京師人。嘉靖初，供事御藥房，受知於世宗，累遷太醫院使，歷加工部尚書，領院事。二十年，宮婢楊金英等謀逆，以帛縊帝，氣已絕。紳急調峻藥下之，辰時下藥，未時忽作聲，出紫血數升，遂能言，又數劑而愈。帝德紳，加太子太保、禮部尚書，賜賚甚厚。未幾紳得疾，曰：吾不起矣。曩者宮變，吾自分不效必殺身，因此驚悸，非藥石所能療也。已而果卒。賜謚恭僖，官其一子，卹典有加。明史方技傳。

高鏊，字器之，大興人。初受業於醫者徐浦，故又姓徐氏。曾奏藥乾清宮，授冠帶。值武皇帝南巡，鏊借醫切諫曰：郊行野食，風雨罷勞，動傷不測，陛下即自輕，奈宗廟何！臣職在調護，失職當死，不言當死，而犯忌諱亦當死，惟陛下裁之。時諫者百二十人皆遷官徙外，鏊獨以小臣妄言，論成極邊。會有詔徵還，歷進太醫院判，食四品俸，免官。鏊以藝諫，濱死卒榮仕，善終。萬曆沈志。

李近樓，京師瞽者，籍錦衣千户。善琵琶，能左右手彈，新聲古曲，無不絕妙。平生羈愁、哀怨及人己胸中事，皆於鵾絃、鐵撥發之，令人髮上指、淚交下。忽作魚山梵唄，泠然孤僧雲水，復作蘇臺圍獵，淒然百獸鳴嗥。有言瞽者習琵琶，穿被作二孔，寒夜舒手出其中，時時弄撥，故幾于神若此。耳譚。

周鳳，東安人，以農爲業。居常與洪蓮爲友，授以撫病之法，撫處卽愈。又授以數術，算人生死無失。鳳自言，某月日當死。至日，闔户以謹避之，忽下床一跌而歿。其時有均智者，曾授數術於鳳，亦能知生死，不爽毫髮云。東安李志。

高松，字守之，號南厓子，文安人。不仕，善書擘窠大字，書史會要。潛心六書，取崔瑗受師蔡邕永字八法，推廣而變通之，側化十七法，勒化十法，努化六法，趯化十三法，策化七法，掠化十法，啄化四法，磔化四法。文安楊志。能繪小景，并梅、蘭、松、菊之類，如鉤勒竹、葡萄甚佳。其雲山、墨竹，尤所長也。無聲詩史六。書品畫格，擅名一時。所傳論序之法，及竹態、墨竹等説，具詳畫譜。文安楊志。

國朝

金可礪，字子卓，永清人，善方技。初爲某王門下醫藥房供役，年老退居鄉村。村中有病者，可礪不問貧富，皆爲治之。人有邀視者，雖寒暑風雨，無所避，治之往往有效，人以是争重焉。有張生，年四十，得勞損疾，久不治，奄奄待自斃矣。可礪一診，即有起色，爲處方劑，數月而痊。有河務曹官妻某，卧病數月，初若癥結，其後每語，腹中輒作應聲，諸醫不知所爲。可礪曰：此痰也。痰消，聲自息矣。處方治之，匝月所患良已。人有怪症疑病，可礪一見輒能治之，自謂善讀醫經，不如多所閲歷，臨症既多，病理自不能遁。可礪年八十八矣，精神健如壯歲，猶納妾生少子云。永清周志。

馮源濟，字昭仙，號穀園，涿州人，銓仲子也。涿州吴志。順治十二年進士，畿輔詩傳十二。由庶吉士授翰林院編修，充日講官，以御試第一，遷侍講，轉侍讀。聖祖御極，遷秘書院侍讀學士。坐事罣誤，降東城兵馬指揮，遷河南歸德府通判，陞淮安河務同知。丁父憂，服闋，詔授翰林院侍讀，遷左庶子，尋拜國子監祭酒。卒。涿州吴志。源濟好書畫，圖繪寶鑑。山水學董、黄，布置宏濶，畫徵録。閒淡簡遠，圖繪寶鑑。筆墨深厚，畫徵録。藴雅非常。圖繪寶鑑。著有穀園恰宜樓詩集。涿州吴志。

劉某，忘其名，寶坻人。少游湖南，遇異人授誅邪術。其術，五月五日擇明净黑豆百粒，設巨案，覆以紅氍毹，中置一盤，每拈一豆，息諸念持呪四十九度，擲盤中，盡百豆乃已。念或少弛，豆即自盤躍出，並前豆悉成棄擲。需次年午日，竭誠重鍊。鍊成，囊豆繫腰際，寢食動作不少離，名曰母砂。持此，妖不敢犯。他人或祟於妖，招劉劾治，劉別用黑豆升許，每豆持呪三度，曰子砂，匊以擊妖，妖立斃。邑朱某爲妖所攝，日迓以白騾車，僕曰老安，至一宅，有美婦二，更番媟嬲，朱日見羸瘠。後妖就朱家，蠱益甚。家人延劉至，擊以豆，二女妖現蛇形死。老安是日亦駕車來，蓋蠹妖，騾則白鼠也，擊之，並死。自是名噪甚，遠近爭延致之。年七十餘，預識死期，徧別周親，至期果逝。母砂一囊納棺中以殉。呪失傳，後遂無習其術者。劉行四，善鼓琴，人皆呼爲劉四先生。蜨階外史三。

梁九公，太監也。北地多蟈蟈，好事者率盛以葫蘆，置暖處，可經冬不死。葫蘆長者如雞心，截其半，嵌以象牙或紫檀爲蓋，其扁者旁拓玻璃窗，以刀刻諸花卉，都下尤貴重之。九公居輦下，種此爲業，售必獲巨值。方葫蘆未成時，束以範，方員大小，唯所欲，大者如斗，可爲果盒；嘗見一盒，蓋與底各一葫蘆，內外同色，不見瓤，亦無合縫處，上下鬬筍，渾然天成，毫無枘鑿，質輕而堅，歲久不裂，尤奇。極小爲婦人耳璫，尤精巧。其他奇形詭製，不可殫述。文備山水花鳥之狀，細入毫髮，非由刻鏤，空隙處皆有梁九公製小方印，他人效之，不能及也。蟈蟈葫蘆尤佳，人皆呼爲梁葫蘆。蜨階外史二。

邵公，大興人。家世業賈。持朱提一對，向耳畔搖之，擲案上，聲鏗然，曰銖兩若干、色若干，權以衡，不差絫黍，鎔以爐，色符合，若既傾而後言也，百試百中。問其故，曰：熟能生巧耳。以是都中銀市非邵至價不定，亦藉是資其生計云。蜨階外史一。

高二爸，寶坻人。爲捕役。藝絶倫，盗相戒不敢犯其境。歷任令頗優禮之。年七十餘，屢求退，令不許。會武清有盗拒捕、殺事主案，捕不能致，令訪知高，遣僕卑禮厚幣以聘，並函致寶坻大尹，以邮鄰大義婉致之。高不獲已，敦迫而去。至某處盗窟，其渠迎之入，令其下劇盗二、三十人一一謁，曰：爾等皆非二爸敵也。問來意，曰：二爸亦太多事，我等相戒不犯公境數十年，今又理越境事耶？二爸曰：我來不獲已。因歷述武清縣令禮聘狀，邑令敦迫狀，且曰：我年已七十，既敢來此，數莖朽骨尚自惜耶！不得案中人，有決一死鬬耳。渠曰：遠來大不易，且共飲。羅列酒肴，延之上坐。酒三巡，獻肉一盂，一盗曰：我欲敬二爸肉一方，敢食否？應曰：敢。盗持刃之鋭者刺肉，置高口。高張其口，承之，盗並力戳。刃穎已爲齒所格，力既竭，不能進毫末，拔之亦不能出，相持逾炊許。渠曰：休矣，敢不令案中人隨公去！高張其口，盗持刀坐數武外。洗盞更酌，三更向盡，飲噉畢，卒獲二賊歸案。邑令員家駒榜其門曰：勤公勵俗。年八十餘，卒。回部之尊稱曰爸。高，回人，至今呼高二爸云。蜨階外史二。

曹顯宗，字思皇，通州人，國輔子。穎敏嗜學，懷抱不羈。年十三，補州諸生，絶意進取。嘗得異授，精岐黄術，著有脉訣一卷。然不樂泛應，人亦不敢輕致。遇沈疴怪症，固請乃至。至則輒效。初，顯宗愛江南山水，遊竟歲歸，性嗜花，羅植庭院，瀹茗、賦詩以自樂。當事造其門，謝不肯見。晚年亦超悟，有與乩仙唱和詩一卷，及古今體詩甚富，惜散佚不傳。年七十三，無疾而逝。通州高志。

邱庭樹，字孟直，號醒蘭，宛平人。乾隆二十七年舉人，歷官工科給事中。畿輔詩傳四十四。工畫山水，蒼秀縱横，獨運靈機，一空倚傍。墨香居畫識。子桂山，乾隆四十年進士，召試，授内閣中書，歷官廣東潮州府同知，有依緑山房詩賸一卷。畿輔詩傳四十八。

王晴溪，寶坻人。工打盤術，卜人休咎。術用羅盤置木尺，問者預書事覆盤下，令人持尺撥盤，視尺押何度，當作何字，畢集諸字偏旁湊合之，文詩詞不一格，閒有似古謡諺，識之，事後歷歷應。晴溪素不甚晰文義，以此知非僞託。嘗挾其術走京師、四方，所至傾動，争延致之。當和相盛時，或決其必敗。當問在何時，書一絶，中有句云：玉猴授首在羊年。玉猴隱珅字，後和果以己未年伏法，其奇中皆類此也。性警敏，髯長尺餘，貌偉甚，如世所繪鍾離權狀。欲試其術者，飲以酒，盡數升；許，乃欣然爲之；否，雖王公不顧也。卒，年七十餘。蜨階外史一。

吕聖功，順天人。善卜筮。設庵於阜成門大街四十餘年，多奇中，家賴之小康。善與人息訟事。其爻辭一本易經，而多别解，爲經傳所未備。於道光辛巳冬始卒，亦術士中之立品者。嘯亭雜録三。

人物志十九

列女一

黄岡洪良品纂　江陰繆荃孫覆輯

昔召伯循行南國，以布文王之政，一時婦人、女子類皆貞節自持，此行露、摽梅諸詩所爲作也。今之順天，公之封地，其遺化之所漸被，有非尋常所能及者。况聖朝化始刑于，徽音篤嗣，閭閻之觀感興起，炳焉與三代同風者乎！考列女有傳，肇自劉向，其賢明、貞慎、節義等編，實垂千古閨襜之誡。蔚宗撰史，秉其義法。歷代史家無不宗之，則帷範所著，甄採編摩，勒成一書，亦足以見一時風化之盛云爾。若夫搜輯未廣，遺漏尤多，續而成之，望諸來哲。志列女。

魏

漁陽太守陽尼妻高氏者，北史列傳。學識有文才，魏書列傳。於時婦人莫能及。魏書崔覽妻封氏傳。高祖勑令入侍後宮。魏書列傳。孝文幽皇后，馮熙女，有姿媚，偏見愛幸。未幾疾病，太后乃遣還家爲尼。帝猶留念，頗存訪之。又聞后素疹痓，除遣閹官雙三念璽書勞問，遂迎赴洛陽。北史孝文幽皇后傳。幽后表啟，悉其辭也。魏書列傳。

貞孝女宗者，趙郡柏人人，范陽盧元禮之妻也。北史列傳。性至孝，聞於鄉里。父卒，號慟幾絶者數四，賴母崔氏慰勉之，得全。三年之中，形骸消瘠，非人扶不起。及歸夫氏，與母分隔，便飲食日損，涕泣不絶，日就羸篤。盧氏合家慰喻，不解，乃遣歸甯，還家乃復故。如此者八、九焉。魏書列傳。及元禮卒，追亡撫遺，事姑以孝謹著。北史列傳。母崔，以神龜元年終於洛陽，凶問初到，舉聲慟絶，一宿乃蘇，水漿不入口者六日。魏書列傳。其姑慮其不濟，親送奔喪，而氣力危殆，自范陽向都，八旬方達，攀櫬號踊，遂卒。北史列傳。有司以狀聞。詔曰：孔子稱毁不滅性，蓋爲其廢養絶類也。李既非嫡子，而孝不勝哀，雖乖俯就，而志厲義遠，若不加旌異，則無以勸引澆浮。可追號曰：貞孝女宗，魏書列傳。易其里爲孝德里，樹李、盧二門，以惇風俗。北史列傳。

隋

盧氏，趙郡李士謙妻。涿州吴志。按：隋書李士謙傳云，其妻范陽盧氏。士謙家富於財，躬處節儉，每以振施爲務。州里有喪事不辦者，士謙輒奔走赴之，隨乏供濟。其後出粟數千石以貸鄉人，值年穀不登，債家無以償，於是悉召債家，爲設酒食，對之燔契，各令罷去。開皇八年，卒於家。盧氏亦有婦德。夫終，所有賻贈，一無所受。謂州里父老曰：參軍生平好施，今雖殞歿，安可奪其志哉！隋書李士謙傳。乃散粟五百石，以賑窮乏，免奴婢六十人。涿州吴志。

元務光母者，范陽盧氏女也。隋書列傳。少好讀書，北史列傳。甚有禮度。北史趙元楷妻傳。盛年寡居，諸子幼弱，家貧，不能就學，盧氏每親自授教，北史列傳。世以此稱之。仁壽末，漢王諒舉兵反，遣所署大將軍綦良出滏口，以趣黎陽。隋書庶人諒傳。良以務光爲記室，北史列傳。尋爲官軍所敗。隋書列傳。隋書鍾士雄母傳。慈州刺史上官政，簿籍務光之家，見盧氏悅而逼之。盧氏以死自誓。政爲人凶悍，隋書列傳。怒甚，以燭燒其面。盧氏執志彌固，竟不屈節。北史列傳。

唐

鄭義宗妻盧氏，幽州范陽人，盧彦衡之女也。舊書列傳。按：新唐書本傳云，范陽士族也。涉書史，善事舅姑。新書列傳。嘗夜有强盜數十人，舊書列傳。持兵劫其家，新書列傳。鼓譟踰垣而入。家人悉奔竄，唯有姑獨在室，舊書列傳。不能去。盧冒刃立姑側，爲賊捽捶幾死。新書列傳。賊去後，家人問曰：羣兇擾横，人盡奔逃，何不懼？答曰：人所以異於禽獸者，以其仁義也。昔宋伯姬赴火，流稱至今，吾雖不敏，安敢忘仁義！舊書列傳。今隣里急難，尚相赴，况姑可委棄耶！若百有一危，我不得獨生。新書列傳。其姑每歎云：古人稱歲寒，然後知松柏之後凋也，吾今乃知盧新婦之心矣。貞觀中卒。舊書列傳。

崔繪妻盧者，鸞臺侍郎獻之女，新書列傳。幽州范陽人也。爲山東著姓。父獻，有美名。則天時歷鸞臺侍郎、文昌左丞，天授中爲酷吏來俊臣所陷，左遷西鄉令而卒。舊書列傳。繪喪，盧年少，新書列傳。諸兄常欲嫁之，盧輒稱疾，舊書列傳。不許。女兄適工部侍李思沖，早亡。新書列傳。神龍初年，舊書列傳。思沖表求繼室，詔許家内外姻皆然可。思沖歸幣三百轝，新書列傳。時思沖當朝美職，諸兄不敢拒，將婚之夕，方以告盧。盧又固辭不可，仍令人防其門。盧謂左右曰：吾自誓久已定矣，舊書列傳。豈再辱於人乎！甯没身爲婢。是夕出自竇，糞穢蠛面，還崔舍，斷髮自誓，新書列傳。宗族見者，皆爲之垂淚。舊書列傳。思沖以聞。武后不奪也，詔爲浮屠尼。新書列傳。諸尼欽其操行，皆尊事之。開元中，以老疾而卒。舊書列傳。

李夫人，本姓張，諱□，字□，幽州高士李感之女也。大父元悊，官至安東大都護長史，與太宗有故，賜姓李氏，仕歷澶州司馬，始家薊城。夫人幼而韶異，長而婉穆，金聲玉澤，張説獨孤公燕郡夫人李氏傳。有肅邕之譽。鄭萬鈞代國長公主碑。初，汝陽公夫人元氏生一男四女而卒。繼室以夫人封諸燕郡，永甯里有通渠轉池，巨石嶔嵰，噴險淙瀯，洄潭沈沈，殊聲異狀，而爲形勝遊衍之處者，十四、五。前夫人之孫蘇氏之婦，弱歲嬉而墮焉。舉家環流，憚莫能救。夫人投身赴水，久之提挈僅免。其行己也，寔多此類。張傳。

臨淄李伯魚妻，范陽張氏女，諱德性。能日誦數千言，習禮明詩，達音妙績，德音容工，蓋出人也。伯魚善爲文，擢校書郎，出爲青州司功而卒。夫人寡居，張説李氏夫人傳。克彰義烈，舊書盧甫妻李氏傳。夫亡而未有子，舊書王阿足傳。以歸宗焉。張傳。

王氏，盧某母。于景龍中撰天寶迴文詩，凡八百一十二字。誡其子曰：我殁之後，爾密記之，若逢大道之朝，遇非常之主，當以真圖上獻，至元宗朝，東平太守始上之。涿州吴志。

韋雍妻、蘭陵縣君蕭氏。册府元龜百四十。張宏靖鎮幽州，表雍在幕府。朱克融亂，雍被刼，蕭聞難，與雍俱出，新書列傳。左右格去，以死不從。雍臨刃，蕭氏涕而告曰：妾不幸年少，義不苟活，册府元龜。願今日死君前。刑者斷其臂，乃殺雍。蕭意象晏然，新書列傳。雖兇悍圜視，無不傷歎。其夕，蕭氏亦卒。太和六年九月，幽州節度使楊志誠表明其事，册府元龜。詔贈蘭陵縣君。雍字叔和，擢進士第。新書列傳。

金

劉氏，宛平劉仲洙女也，嫁許古。貞祐初，古仕于朝，留妾并二女于蒲，大兵圍之，劉泣語女曰：兵勢危廹，城不可保，若一旦被驅，污及乃父，不若死以自全。遂咸自縊。

追封劉氏貞潔郡君，長女謚定姜，次肅姜，以其事付史館。（宏簡録劉仲洙傳。）

元

程氏，史天倪妻，永清人。武仙謀作亂，設宴邀天倪。天倪往，遂爲仙所殺。程氏聞亂，懼污於賊，乃自殺。子五人，其三人尚幼，俱死於難，惟楫在，乃天倪父秉直攜還北京。（元史史天倪傳。）事平收葬，顏色如生，刃猶在手。旌表其墓。（永清周志。）

度娥，順天張萬户第八女，（案：霸州朱志云，郝文忠原聘張夫人，汝南忠武王第八女，即度娥也。）姿質秀爽。丙午入小學，生七年矣，日誦數百言。比戊申二月，女史屬詞，孝經、論語、孟子、易乾傳至下繫，詩二南、曲禮內則、少儀、中庸、大學、儒行、祭統、祭義、經解、冠婚諸篇，班氏女戒、郝氏內則、內訓、通喪記六卷，皆成誦；日兼二詩，古律十篇；學書，下筆卽有成人之風。旦夕家居，見家人或不整肅，以禮責之。又所誦書多能通大義，時爲講説。其屬對，才思敏捷，無小兒女子語，（續夷堅志三。）如：睡思昏昏如醉思；間心寂寂似禪心。洗硯黑雲浮水面；折花紅雨落牆頭。滿地梨花三月暮；隔牆楊柳兩家春。秋水芙蓉妝鏡曉；暖風楊柳畫屏春。皆有思致。（霸州朱志。）又，桃李東風蝴蝶夢；關山明月杜鵑魂。識者謂此詩不佳。後日果得病，又四日亡。甫九歲。（續夷堅志三。）

盧孝，昌平人，妻祝氏月英。孝始聘其姊，爲權力奪去。父母以英續盟。英貌莊性慧，事舅極禮敬，女紅、經史、樂音皆通曉。日不廢書，夜必刺繡。夫婦未嘗離舍。勢力者復欲奪英，英憤恚死。歸孝三年，年三十一。耳談。

燕山項氏，其夫江南人，行賈燕薊間，聘項與居。未幾夫死，項時年二十，奉柩回江南，誓以夫餘資養姑以自終。比至姑已改適，勵志子居，以守夫祀。盱江李宗列閔其事，而賦之詩曰：少無依倚老何堪，白髮婆娑亂不簪。夢裏尚思江北好，悔將夫骨葬江南。輟耕録。

王氏者，良鄉費隱妻也。隱有疾，元史類編列傳。病且死，囑曰：我家貧，一子一女，雖妾所生，無異汝所出也。遂歿。王氏居喪，撫其子女。既而子又死，服除，謂其親屬曰：妾聞夫乃婦之天，今夫已死，妾生何爲！元史列傳。乃執女手曰：汝已稍知人事，管鑰在此，汝自司之。遂相抱痛哭。是夜縊死園中。元史類編。

柳氏者，薊郡人，爲户部主事趙野妻。未成婚而野卒。柳哭之盡哀，誓不再嫁。元史列傳。兄將奪其志，柳曰：業已字趙，夫婦之義已定，雖死豈有他志哉！後寢疾，不肯服藥，曰：我年二十六而寡，今年逾半百，得死此疾，幸矣。遂卒。元史類編列傳。

武用妻蘇氏，正定人，徙家京師。用疾，蘇氏刲股爲粥以進，疾卽愈。生子德政四歲而寡。元史列傳。夫兄利其資，欲嫁之，不聽。未幾，夫兄舉家死，惟餘三弱孫，蘇取育之如己子。元史類編列傳。德政長，事蘇氏至孝。蘇死時，天大旱，德政方掘地求水，以供葬事。忽二蛇躍出，德政因默禱焉。二蛇一東、一北，隨其地掘之，果得泉，元史列傳。人謂蘇氏孝義之報。元史類編列傳。有司上其事，旌復其家。元史列傳。

節婦魏阿張，大都路左警巡院咸甯坊人。適魏明子蔓，元典章。家貧，事姑孝。元史趙孝婦傳。其夫不事家業，取回回債銀二錠，逃竄不知所往。阿張元典章。家居養姑元史朱甲妻郎氏傳。十年，甘旨不闕。後其夫還家，復合，生一子。至元三年，夫病故，賃房以居。其子七歲，老姑年九十五歲，本坊巷長朱進、社長何常等具狀聞，詔加旌表，以勵風俗。元典章。

王氏，燕京人，張買奴妻也。元史類編列傳。年十六，買奴官錢塘，病歿，葬城西十里外。王氏每旦被髮步往奠之，伏墓大慟欲絕。久而致疾，舅姑力止其行，乃已。服闋，元史列傳。舅姑欲嫁之，謂之曰：吾子已歿，新婦尚少，宜自圖終身計，毋徒淹吾家也。王氏泣曰：父母命妾奉箕帚於張氏，今夫不幸早逝，天也，此足豈可復履他人門乎！元史列傳。舅姑迫之力，元史趙美妻王氏傳。固不從，貞白無少玷，煢居三十年而卒。元史類編列傳。

王氏，大都惠士元妻。元史類編列傳。至正十四年，士元病革，王氏曰：吾聞病者糞苦則愈。乃嘗其糞，頗甘。王氏色愈憂。士元囑王氏曰：我病必不起，前妾所生子，汝善保護之，元史列傳。待稍長，從汝自嫁。元史類編。王氏泣曰：君何爲出此言耶！元史列傳。妾自得侍巾櫛，誓與偕老，君今不幸，疾若是，脱有不諱，元史鄭伯文妻丁氏傳。妾義當死，有他説乎！元史類編。君幸有兄嫂，此兒必不失所。居數日，士元卒。比葬，王氏遂居墓側，蓬首垢面，哀毀逾禮，常以妾子置左右。歲餘，妾子亦死，乃哭曰：無復望矣！屢引刀自殺，家人驚救得免。元史列傳。終喪，親舊皆攜酒醴祭士元於墓，祭畢，衆欲行酒，王氏已經於樹。元史類編列傳。

劉翠哥，房山李仲義妻也。涿州吴志。至正二十年，縣大饑，劉哈喇布哈原作不花。兵乏食，執仲義，欲烹之。元史類編。仲義弟走告劉氏。劉氏元史列傳。歎曰：我何生爲！元史類編黄仲起妻朱氏傳。遽往救之，涕泣伏地，告於兵曰：所執者，是吾夫也，乞矜憐之，貸其生。吾家有醬一甕，米一斗五升，窖於地中，可掘取之以代吾夫。兵不從。元史列傳。劉氏曰：吾夫瘦小，不足療饑。元史類編列傳。吾聞婦人肥黑味美，吾肥且黑，願就烹以代夫死。兵遂釋其夫，而烹劉氏。聞者莫不哀之。元史列傳。

李賽兒，房山王士明妻也。至正二十五年，珠展軍至縣，元史類編作叛將竹貞。李氏及其女、家奴皆被執。士明隨至軍，軍怒，逐之。李氏謂其女曰：汝父既爲軍所逐，吾與汝必不得脱，元史列傳。人苟愛其生，萬一受辱，不如死也。元史類編李伯通妻周氏傳。女曰：母先殺我。元史列傳。賽兒即以軍所遺鐶刀殺其女，遂自殺。元史類編列傳。珠展聞之，爲之葬祭，仍書其門曰王士明妻李氏貞節之門。有司上其事，爲樹碑焉。元史列傳。

趙氏，大都宋謙妻也。明兵破大都，元史類編。趙氏子婦温氏、高氏，孫婦高氏、徐氏皆有姿色，合謀曰：兵且至矣，我等豈可辱身以苟全哉！趙卽自經死。諸婦四人，諸孫男女六人，衆妾三人，皆赴井而死。元史列傳。

徐猱頭妻岳氏，大都人。元史列傳。明兵入都城，元史類編忠節傳。岳氏告其夫曰：元史列傳。寇至，我等恐被驅逼，將奈何？元史類編忠節傳。其夫曰：事急，惟有死耳，何避也！遂火其所居，元史列傳。夫婦挽手，同投烈焰中。母王氏及二女一子見之，號慟不已，亦皆抱持赴火死。元史類編忠節傳。

觀音努妻布延德濟，蒙古氏宗王赫嚕之女。大都被兵，布延德濟謂其夫曰：我乃國族，豈惜一死以辱家國！遂自縊。時張楝妻王氏語家人曰：吾爲狀元妻，義不可辱。赴井死。其姑哭之慟，亦赴井死。元史列傳。

王宗仁妻宋氏，進士宋褧之女也。元史列傳。世居大都。夫宗仁，家永平路。永平被兵，元史類編列傳。宋氏從夫避於鏵子山，元史列傳夫婦皆爲軍所掠。元史類編列傳。行至玉田縣，有窺宋氏色美欲害宗仁者。宋氏顧謂夫曰：元史列傳。賊必以吾故，害及君矣，勿以我婦人相累。元史李宏益妻申氏傳。言訖，遂攜一女投井死。時年二十九。元史列傳。

金氏，詳定使四明程徐妻也。元史類編列傳。京城既破，謂其女曰：汝父出捍城，我三品命婦，汝又進士妻，元史列傳。豈可虧節辱身以苟生哉！元史王履妻齊氏傳。抱二歲子及女赴井死。元史列傳。

李哥，霸州倡女。年十二、三時，母教之歌舞，泣不肯學。告以業不可廢。哥曰：若此，聽母。母亦當從我好。否則有死而已。母陽許之。因是不粉澤，不茹葷，所歌多仙曲、道情。有召則先詢主客姓名，然後往。人亦相戒毋戲狎。哥凝立筵前，酒行歌闋，目不流盼。與之酒，弗飲。州判官常忤哥，徑還，誓不與見。孟津縣達魯花赤厚賂哥母，夜抵舍。哥懷利刃閉卧内，罵之曰：汝在職牧民，而狗彘之不若，可急去，勿污吾刃矣！慚怒以回。明日知州聞之，嘆曰：州有貞女，吾不知，是一失也。吾次子明經舉秀才，真若配以禮聘娶之。未幾紅巾入寇，夫婦被執，見哥姸麗，將殺其夫，哥走前，抱夫項大呼曰：吾斷不得從賊求活！寇並殺之。續文獻通考。

明

王氏，東安紀纘緒妻。畿輔唐志八十六。年十六，適纘緒。會夫行戍，年歉而貧，氏竭力養舅姑，而自挑野菜爲食。東安李志。洪武三十三年，夫從征死。氏年二十，聞訃哀痛幾絶。姑李氏憐其少，欲再嫁之。畿輔唐志。氏曰：婦所以不死者，爲有舅姑在也，不然，請先畢命於今日。姑從之，孝養益篤。東安李志。正統四年，詔旌其門。采訪册。

陳璉妻孔氏，東安縣人。畿輔唐志八十六。年十八適璉，踰月，東安李志。璉赴南京監，遺孔氏於家。事姑孫氏，克盡婦道。越三年，夫以疾卒於客邸。氏迎櫬還。姑憐其無子，欲適之。氏曰：夫既早逝，姑老且疾，婦若他適，姑將何依！哭而不從。畿輔唐志。時值兵荒，人民奔竄，氏事姑甚謹。東安李志。姑卒，盡典簪珥，葬如禮。孀居五十八年，正統旌表。畿輔唐志。

戍卒妻劉氏，其夫松江人，失其姓名，以罪戍薊州，詐稱無妻，遂娶氏爲室。薊州沈志。既而遇赦歸，紿劉氏曰：吾暫歸省。久之，不復至。劉氏抵松江訪之，夫拒不納。明史本傳。氏乃仰天哭曰：良人棄我，我將何歸！獨有效死伊前耳。遂翦髮爲尼，行乞市上，人多憐而周之。乃製一棺，夜臥於內。如是者五十餘年。一日，鄰家火起，沈志。劉氏入棺，呼曰：乞與闔棺，以畢吾事。遂焚死。明史列傳。

劉氏，流寓民劉宗仁之女。年十八，適朱孔思爲繼室。孔思浙江紹興府餘姚縣人，曾爲陝西平涼府鎮原縣縣丞，僑居於薊州，時食貧，年五十餘矣，娶劉氏僅八載而疾作。劉初進粥，不啖；繼進藥，不愈；再割股以進，竟不起。慟其死，不忍獨生，思殉夫焉。引繩不遂，遂以刀自刭，死於夫側。時士民觀者如堵，當事者奏聞，得旨如例旌之。薊州志李之芬烈婦劉氏碑記。

張氏，楊應時妻，順天府人。應時登進士，筮仕平原令，死。遺二子，張曰：欲殉夫以死，不爲夫立後，所損多矣。乃忍死撫二孤。後二子俱夭。張乃呼天號泣曰：吾偷生二十年，爲楊嗣也，今皆夭折，若更少延，何顔見夫地下耶！遂絶食死。畿輔唐志八十六。

張氏，吴恕妻。謝氏，恕子達妻。大興人。恕旅死，張生一子，父母欲改嫁之，氏曰：夫病不及視湯藥，恨不能死，忍棄其孤耶！撫子達年十六，爲娶孝廉謝暠女，生一子，達又卒。妻謝氏年十九，婦姑同以節終。墓産靈芝二本，人謂節孝所致。畿輔唐志八十六。

楊氏，李信妻，順天府人。性嚴潔。信收迷失女子爲妾，寵嬖之，待楊寖薄，楊執婦道不衰。後妾家訟信繫獄，楊丐貸錢米饋食，期年獄解。後信疾卒，信之母與弟欲嫁氏爲葬資，氏聞，遂觸牆死。畿輔唐志八十六。

梁氏，大城尹之路妻。嫁歲餘，明史列傳。尹家貧無資，出遊山海關，賣熟食爲生，大城張志。又娶馬氏，生子，二十餘年不通問。氏事翁姑，艱苦無怨言。明史列傳。夫客死，悲痛欲絶，徒步行乞，迎夫喪，往返二千里，挾柩與後妻及二子以歸，撫其二子成立。里人異之。大城張志。

孝女萬氏，文安人，邢惟式之妻。幼嫻姆訓，深諳内則諸經女史，頗知大義。母劉氏病勢甚篤，百藥無效，醫僉曰：病入膏肓，盧扁莫能爲矣。女聞之，驚泣欲絶。時家供觀音並關帝像，女素事之最虔。一夕屏去侍婢，焚香拜祝於神，請以身代。又聞古有割股救親者，倣而行之，隨咬腕下肉，自煎入藥，不令人知。而其母飲之果愈。時女年甫十一歲。是夕也，神堂中尺餘青衣人十數往來左右，女毫不怖懼，而咬時亦不甚痛楚，血痕俱泯，殆至誠所感格也。迨長，適邢氏，執婦道。其姑每語人曰：是真吾家賢婦云。文安楊志。

吳氏，名淑廉，通州庠生孫禄妻。禄早嬰疾，吳于歸後，侍奉湯藥者八年，尋篤。吳慟曰：夫有嗣，吾爲夫後活也，今且死無嗣，吾何以生爲！悉散篋中衣飾於娣姒親舊，即絕食。親黨有泣勸者，不聽，曰：與其後夫死，不若先夫死，迨其見吾目瞑矣。一日，沐浴更衣甫畢而絕。旬餘，夫亦卒。正德十一年旌表。通州高志。

宋氏，涿州人，配諸生弭文。文卒，宋水漿不入口者三日，涿州吳志。既葬之次日，詣墓哭奠，畿輔唐志八十六。恐父母奪志，遂自縊於墓側。即時迅雷烈風拔墓樹一株，衆謂貞烈所感。有司上其事，建坊旌表。涿州吳志。

劉氏，李鑑妻，文安人。正德壬申，流賊之變，氏被執。畿輔唐志八十六。賊悦其姿容，曰：汝不我從，我必磔汝。氏知其不可逃，乃厲聲罵曰：我誓不汝污，何不速殺！賊大怒，剖腹流血，氏猶罵不絕口而死。保定成志。

葉氏，浙江蘭谿人，通州神武衛舍人許紳妻。紳故饒家業，好任俠，揮霍無節。葉嘗諫曰：物力可惜，作法貴儉，以君所爲，恐暴殄爲天所忌。一旦蓋藏告詘，將奈何？紳不聽，果罄所有，衣食且不繼，攜葉出投所親，路死於舊城西門外。通州高志。氏守屍，晝夜跪哭。或遺之食，或餽之金，或勸以改嫁，俱卻不應。水漿不入口者十四日，竟死尸傍，年二十餘。州人爲買棺合葬。明史列傳。適巡撫御史錢學孔按通，親見之，疏聞，下禮部議，請旌表，建坊立祠。高志。又涿州人徐氏，適徽人吴正文。正文死，徐七日不食，亦死。時當盛暑，冷風襲人，蠅蚋退飛，若有驅之者。觀風者旌其門。涿州吴志。

貞烈竇孺人者，餘姚姜工部榮側室也，名妙善，又名妙惠，世居京師崇文坊。年十五歸榮。西河集五。正德中，榮以瑞州通判攝府事。華林賊起，寇瑞。明史列傳。榮出城，將制其險。賊驟入，執孺人倪暨婢等，使告榮所。西河集。時妙善居別室，急取府印，開後牎投荷池，衣鮮衣前曰：明史列傳。吾爲官人妻，尚不知官處所。指孺人倪曰：此婢也，焉從知之！西河集。賊意其夫人也，解前所執數人，獨輿妙善出城。適所驅隸中有盛豹者，父子被掠，其子叩頭乞縱父。賊許之，妙善曰：是有力，當以舁我，何得遽縱！賊從之，行數里，明史列傳。呼豹前，使近輿，初語他，語少間，曰：唶，吾所以呼汝來者，爲太守印在官池，官未知也，西河集。欲藉汝告之。今當令汝歸。幸語太守，自此前行遇井，卽畢命矣。明史列傳。遂縱之歸。時至花塢，度豹行遠，乃言曰：吾以丐諸君：吾口燋，不可耐，假使前途有井者，吾思飲焉。既而果有井在道傍，西河集。賊如其言。妙善至井旁，跳身以入。明史列傳。賊驚救不得，悔且恨，填井以礫。既而桀入保，遇盛豹歸，告印所，取之。西河集。引至花塢覓井，果得妙善屍。越七年，郡縣上其事，詔建特祠，賜額貞烈。明史列傳。

三烈女者，李堂、李欒及劉聰之女也。寶坻洪志。俱寶坻人。一統志。二李女長年十七，次年十五，劉女小字曰韓女兒，年十六，皆有殊色。正德八年，大盜劉六、劉七、齊彦名等作亂畿輔間，掠得之，阱於一室。三烈女相抱痛哭曰：吾三人今日死耳，誓結姊妹，魂魄聚於一處，義不爲賊辱。賊欲污之，三女同聲罵詈。賊曰：不從，齒吾劍。益罵曰：吾輩死有餘香，不若賊奴萬段，犬彘不食其餘也。賊怒，支解之。比死，罵不絶口。寶坻洪志。嘉靖中，知縣吴與之爲之立三烈祠。一統志。

老二姐，老勳女，順天固安縣人，有殊色。畿輔唐志八十六。正德初，劇盗萬餘自山東轉掠畿甸，入縣東境，二姐與二鄰女共匿牀下，引席自蔽。盗尋得之，固安陳志。掖上馬。二姐義不受辱，畿輔唐志。自墮於地者二次。盗怒，殺之。盗平，有司上其事，旌表其門。陳志。

李玉英，順天人，錦衣衛千户李雄女也。正德中，李雄西征陣没，遺孤五人，子二，曰承祖，曰亞奴；女三，曰桂英，曰玉英，曰桃英。諸子皆前妻所産，惟亞奴後妻焦氏生。焦欲親兒繼襲，雄死，令承祖往戰場尋父骸骨，覬其陷於非命，而承祖竟抱骨以歸。焦乃鴆死承祖，支解而埋之。又以桂英鬻豪家爲婢。玉英頗知典籍，年十六，伶仃窮迫，作送春詩云：柴門寂寞鎖殘春，滿地榆錢不療貧。雲髻霞裳伴泥土，野花何似一愁人！又作別燕詩云：新巢泥滿舊巢欹，泥滿疎簾欲掩遲。愁對呢喃終一别，畫堂依舊主人非。焦指詩詞，謂有外通等情，俾舅焦榕執送錦衣衛，誣以姦淫不孝，擬淩遲。嘉靖四年夏，差太監審録罪囚，凡有事枉人寃，許行陳奏。於是玉英具本，托其妹桃英賫奏訟寃。玉英疏畧云：臣年十二，遇皇上嗣位，徧選才人，府尹以臣應選。禮部憫臣孤弱，未諳侍御，發臣甯家。臣年十六，伶仃無倚，是以濫形吟詠，感諸身心，形諸筆札，蓋有不得已而爲言者。奈何母恩雖廣，弗察臣衷，但玩詩詞，以爲外通，拿送錦衣衛。本官昧審事理，誣臣姦淫不孝，問擬剮罪。臣在獄日久，有欺臣孤弱而興不良之心者，臣撫膺大慟，獄中莫不驚惶。臣素不才，鄰里何無糾舉！乃以數句之詩，尋風捉影，陷臣死罪，臣之死固無憾，十歲之弟，毒藥鴆死，肢解埋棄，果何罪乎？臣母之罪，臣不敢言，凱風有詩，臣當自責。陛下俯察臣情，將臣詩句付有司委勘，有無姦淫實情，推詳臣母之心，盡在不言之表，則臣亡，父母之靈亦可慰於地下矣。有旨，命三法司會勘。焦氏論斬，玉英著錦衣衛選良才作配焉。查浦輯聞。

張氏，柳廷元妻，浙人也，徙於通，爲州人。嘉靖間，廷元病篤，慮弟廷政淩之，囑張曰：兒女幼，爾又年少，不如改適以存孤。張聞，願自盡明志。廷元曰：吾恐爾母子難以自存耳，果能撫之，吾目瞑矣。廷元歿，張年二十七。廷政盡奪其家貲，逼改嫁。張携子女别居，紡織自給。子女既長，爲營婚嫁，苦節五十餘年，卒，年八十二。通州高志。

孫氏，孫逢吉女，涿州吳志。順天府人。畿輔唐志八十六。適武生張肅紀。涿州吳志。肅紀患病歲餘，氏侍湯藥，晝夜無怠容。肅紀亡，畿輔唐志。孫誓以身殉。家人防之甚嚴。一日，早起，號泣詣柩，上食畢，回室，櫛沐易新衣。人問其故，答曰：場中莜麥露積，將往收之。其家人見其經理家事，遂不之防。孫從容至場，一一指揮傭工畢，回家閉門，自經於柩側。啟視，面如生。州守某旌其門。涿州吳志。

單門三節，蘇氏、姜氏、單氏。嘉靖癸未進士單鉞之妻、之妾、之次女也。鉞登第後，旋卒。時蘇氏年二十六，有二女，無子，欲自裁，因姑老，姜有娠，忍死待之。守節五十餘年，卒。姜氏於鉞卒後六日，生一子，八歲夭。蘇憐姜年少，喻以他適意。姜泣曰：是何言也！節義何常，惟人所蹈，吾奉嫡於終身，得同歸單氏塋，幸矣。豈謂婢妾遂無至性哉！妾志已決，請無他慮。蘇敬禮之若姒。卒，年七十。次女單氏，歸宣城張正甫於京邸，未三年，正甫没，櫬南旋，單依母蘇以居。一日，告母曰：兒張家婦，終當歸張，且壻墓已宿草，而兒未一展拜，心旦夕怦怦然，何能久侍母也！辭歸宣城，未幾，卒。州人楊行中作單門三節傳紀之。通州高志。

汪門雙節，徐氏、謝氏，皆萬曆進士副使岑應春妾也。應春初娶於陳，無出，又娶於王，生子廣序。陳、王俱先卒。應春没時，徐與謝皆年少，廣序亦在弱齡。徐、謝矢志撫孤，視如己出，守節三十餘年，教養成立。崇禎癸酉，廣序舉孝廉，歷官監司、苑馬寺卿。徐、謝乃出家譜示曰：汝父本姓汪，臨終猶以未復姓爲恨。今汝貴，當成父志。廣序呈於提學，上聞。下禮部議。議云：徐氏、謝氏分忝緑衣，志堅白首，痛夫早逝，勵苦節於卅年，督子歸宗，復本源於一旦，閨閣既罕，媵妾尤稀。詔准復姓，旌其居曰：一門雙節。（通州高志。）

謝氏，直隸順義人。灤人都指揮聶敏妾。敏卒，謝所出二子應元、啟元俱幼，謝矢志撫孤，不以諉諸嫡長。值歲荒，族黨覬其家貲，嗾令改適。謝厲聲曰：吾有二子，可使成立，卽天不遂吾意，吾身死得附於都司君墓，亦何憾！族人慚懼而退。治家以禮法，門庭肅然。卒，年八十四。子啟元，以明經官長葛令，曾修灤志。萬曆間，知縣趙廷儼旌其門曰貞節。（通州高志。）又有余氏，豐城侯李賢妾。侯病，余侍甚謹。及卒，余沐浴更衣，泣柩前曰：妾侍侯房帷，榮矣。今侯卒，妾從死，分也。遂不食，死。事聞，追封淑人，賜葬西山。（宛平王志。）

節婦王氏，盧長青之室也。長青讀書，喜交遊賓客。王氏脫簪珥，治具必潔且豐。長青既不得志於時，適里有災祲之役，爲族人所波累，至鬻己之田以代完催科，雖逋負，無交謫語。未幾，長青卒，王氏欲投繯以殉，繼念二子單弱，勉稱未亡人，主家育孤。族有無良子覬其産，視孀孤爲奇貨，欲得而甘心焉。王氏控之官，又爲族人所斬。於是襁背其子宵奔，值天黑迷路，有火光前導，始得達，泣籲于邑宰，寃苦以白，遺孤迺無恙。盧氏産故豐，後漸貧，迺盡貨其産，挈二子徙居京師，教子讀書，成父志。（文安楊志。）

東安生員郭佃妻張氏，年十六，歸於郭。四年，佃死而無子，氏以死殉，中夜自縊於靈床。姑救得免。泣喻之曰：汝死則得矣，如吾老人何？氏從之。躬勤紡績，以資奉養，而私挑野菜以爲食。姑見之，一慟幾絶，固勸氏改適，囑鄰婦慫恿之。氏曰：此非我所爲也。若迫之，第有死耳。誓志益堅。及姑亡，貧不能斂，鄉黨哀其志，悉贍給之。東安李志。苦節五十餘年，萬曆三十年旌表。畿輔唐志八十六。

王氏，漷庠生馬龍圖妻，通州高志。明府志作馮。操杵臼，執婦道有禮法。馬病篤，焚香籲天請代。弗愈，尋卒，年二十五。子泰甫七歲。氏不食欲絶。嫗諷曰：夫死不死，在一孤耳。孤如生，卽爾夫生之年，爾卽從夫死地下，孑孑之孤，將誰適爲命乎？氏聞稍解，强啜糜而謝曰：吾不可死，吾心死可矣。早夜敝形垢容，坐卧一房，不窺閫外。當關白者，女奴以次傳，終不令一童將命。蓋不惟圭潔其身，而庭以外肅如也。訓泰法嚴如父，泰績學勵行，爲名諸生。知縣魏之幹給額旌獎。萬曆三十五年卒，年七十三。知縣艾友芝申請巡撫以貞節旌其門。通州高志。

大姑，京師人。光廟在青宮時詔選元妃，大姑與郭后及后女弟同入選。郭后選中，后女弟及大姑賜金幣還。凡落選女子，貴家爭聘致爲重，后女弟遂爲成山伯夫人。大姑獨不肯嫁，貴戚納聘，悉卻之，謂母曰：被選後，與今元妃同卧起三月，外間何等子，乃議婚耶！遂守貞以歿。廿二史劄記三十二引趙爾沂劉大姑傳。

焦存兒者，明萬曆中京師瞽女也。幼失父母，無所依，乞食於明智坊。羣乞欲犯之，則以頭搶地號哭，曰：薄命之身，即無媒妁，寧肯爲淫婦作罵名乎！宦官魯朝者憫之，爲配一瞽兒，習拍板，唱挂真兒。夫婦跪歌乞食。時存兒年十九。踰年，瞽兒死，魯瘞之，又憫其獨乞，將再耦。存兒痛哭曰：苦命人不即死，嫁一夫經年而亡，是我不當有夫也。且吾學夫之歌以乞食，食多於爲女時，忍以其歌共他人食乎！誓不再嫁。魯給之門房，與一跛嫗共朝夕，存兒跪乞如故。湖海文傳六十六。

牛氏，張拱耀妻，順天香河縣人，年十六，歸拱耀。拱耀性至孝，因父喪，哀毀骨立，疾作。畿輔唐志八十六。氏衣不解帶者數月，藥餌不效，禱天割股和羹以進，竟不救。香河劉志。氏號哭絕粒五晝夜，不止，勸之食，不聽。姑泣曰：子死矣，畿輔唐志。我見媳猶見吾子。新婦如不食，汝死我亦死矣。劉志。幸少留，以終我餘年。氏不得已，勉就食。畿輔唐志。氏時年十八，劉志。苦節四十年如一日。畿輔唐志。邑諸生王永明等公舉旌其廬曰貞節。劉志。

鄭氏，寶坻尚文夏妻。文夏亡，無子，伯、叔逼之他適。氏以死拒。伯、叔悉奪其有，謂不堪寒餓，終必去也。氏節益堅，恆掘草根，雜糠粃食之，衣不蔽體，作勞霜雪中，見者酸鼻。歷年七十餘，伯、叔相顧語曰：不信天壤間有如此耐苦嫗！寶坻洪志。

樊氏，楊香哥妻，順天涿州人。年十七，歸香哥，甫期年，香哥暴卒。涿州吳志。氏誓以身殉。其母欲奪其志，畿輔唐志八十六。或言及改適事，樊輒涕泣不食。後母迎還家中，密與其姑商，所適已成議矣，姑以好言諭之。樊漫應曰：到塚上一辭夫靈可也。姑令一老嫗持香帛偕去。樊故蹴滅火，遣老嫗回家取之，乘間解衣帶縊塚傍酸棗樹上。及老嫗至，氣已絶，不能復甦矣。吳志。詔旌表。畿輔唐志。

馬氏，通州人，户部尚書李三才妾。三才卒，氏絶食十二日死。時天啟四年二月四日。有諸生吕完聲妻陳氏，完聲疾，亟集族人計後事。族人畢至，以陳在側不即言。陳氏心知其爲己也，出户外。完聲告族人曰：我旦夕且死，婦少無子，我不忍其煢獨。語未竟，陳遽入，問：適語云何？夫不應。陳曰：我耳之矣，請自今君飯妾亦飯，君不食，妾亦不食，與君俱耳。未幾，夫卒。陳不食十四日，死。太常彭瑞吾聞而嘆曰：不三月間，而有兩烈婦！古云燕多慷慨奇節，知不獨丈夫然也。通州高志。

烈婦林氏，通州人。年十七，適廪生劉杞芳。居恆倡隨以道，好聽其夫陳説古先節義事。林烈婦墓碑。年二十，夫歿，只一女，誓欲絶粒死，通州高志。而以翁姑及太翁姑年老，不忍遽言傷其意。每家人進食，爲匿少許，若飲啜狀，而實不以濡諸口脗。越五日，困憊仆地。夜半乃甦，家人從所匿飲食處究其故，烈婦從容對曰：婦無子，今欲從夫於地下，不克事翁姑與太翁姑矣。姑大哭，烈婦亦哭。姑謂烈婦曰：汝縱不念吾，獨不念此幼女乎？烈婦曰：墓碑。婦將從夫，且不獲終事堂上，奚惜此呱呱！高志。戒他人勿復抱持來前。大哭出寢門，卧夫柩旁不起。翁姑及諸姻屬累日勸解，不爲動，仰天歎曰：吾天乎！吾天乎！素以節義教我，我今日惟知節義是適，安知其他！墓碑。絶食二十一日死。巡按御史聞於朝，高志。詔建坊旌表，立祠祀之。墓碑。

劉方者，軍人方姓女也。年甫及笄，因母喪，僞爲男子，偕父扶柩歸葬。道走武清蒙邨，父客死於劉叟家，遂子劉氏而名方焉。越二年，山東張湫劉奇罹難河下，控之叟家，叟亦收之，與方爲伯仲。又一年，叟夫婦齊没，奇以服闋議姻，而方不可。奇感巢燕而題於壁曰：營巢燕，雙雙雄。朝暮辛勤巢始成。若不尋雌寄殼卵，巢成畢竟巢成空。方笑而和曰：營巢燕，雙雙飛。天設雌雄事久期。雌兮得雄願已足，雄願得雌胡不知！奇見而疑曰：嘉則嘉矣，能再和乎？方復曰：營巢燕，聲呷呷。莫使青年空歲月。可憐和氏忠且純，何事楚君終不納？奇遂大駭曰：若然，弟其木蘭之隱乎？方首肯，唯唯。奇復請曰：既爾，吾當爲兄妹乎？抑爲夫婦乎？方亦唯唯。奇避席再四，方乃泣下曰：妾父方也，因母喪歸葬，而卒於兹，妾恐不便於塗，而乃爾爾，幸義父收育，與兄萍集，誠不偶也。脱爲兄妹，又將他適。妾父母墳墓終爲旅魂，將奈何哉？兄試思之。

奇驚喜不已，欲揖就寢。方止曰：妾今見托於兄，非若世之鶉奔雀合亟婚媾者比，欲以續三家之嗣，成三義之名，必當集禮告廟乃可。二人共坐待旦，諏日行禮，遂成巨族，時人謂之劉方三禮云。武清吴志。

王門雙節，胡氏，王化浹妻；徐氏，化浹子德謙婦也。胡年十六歸於王，年二十三生子德謙，甫三月，而化浹殁。胡哀號絶粒，舉家勸之曰：此呱呱兒何以自活？願少忍撫之，孤存卽夫存也。乃勉進飲食，撫孤自任。德謙稍長，教以力學。年二十，補諸生，爲娶婦徐氏。未幾德謙又夭，遺孤在襁褓中。胡偕婦養孤孫，以繼夫祀，兩世孀居，同心荼蘗。胡苦節六十五年，卒年八十七；徐亦苦節終其身。崇禎間督學奏旌其門。通州高志。

張氏，通州庠生王大治妻。年二十七，大治卒，子立極甫生。張自矢於夫之靈曰：願佑此三尺孤，以延王氏嗣，且願未亡人他日歸骨王氏先壠，吾志畢矣。守節教子四十二年，卒，年六十八。崇禎時，兵備道王鼇永額旌曰：節慈裕後。又有王賁德妻劉氏，順天府人，歸賁德三歲，而賁德殁。氏年十九，誓以死殉。畿輔唐志八十六。時有遺娠兩月，家人解之曰：儻天不絶王氏，幸而生男，則祖宗一脈於是乎在。殉夫死，不若延夫祀也。通州高志。氏悟，畿輔唐志。强舉饘粥，後果生男凱，撫之成立，補諸生。劉乃慨然歎曰：今而後可見夫於地下矣。高志。遂哀悴不食，死。畿輔唐志。

楊門三節：馬氏、蔡氏、雷氏，皆吏部尚書楊行中孫、泗水令鎬子婦也。馬氏，御史經綸女，讀書通大義，歸鎬三子庠生世昌。馬年二十三，世昌卒。子辰生十五歲夭。乃誦佛書，茹素終身。嘗曰：吾每觀儒書不入，觀佛書則入，以所歷皆苦境也。知州楊聯芳旌曰：柏舟賢節。國朝順治十二年卒，年七十五，守節五十三年。蔡氏，通州人，刑部郎成己女，歸鎬第四子庠生世喬妻。夫卒，將以死殉，家人慰解不從。鎬五子世顯曰：嫂賢如此，聽其死則不忍，無子勸之守，促之死耳。會鎬六子世法妻歿，，遺子嶽生在襁褓。世顯乃語弟，舉以畀蔡曰：今有子，嫂可勿死矣。蔡遂撫之如已出。嶽生既長，改名宏，補諸生。崇禎十年，蔡卒，年五十，守節二十八年。雷氏，通州人，五臺令應科女，歸鎬五子庠生世顯。世顯早卒。雷年四十九，撫子宗敬，教之成立。治家謹嚴，操持有丈夫概，門内外肅寂無訢誶聲。國朝康熙六年卒，年七十一，守節四十三年。子宗敬補諸生，後改名寀。最循謹，蓋遵母教云。通州高志。

潘氏，李永達妻，廣平教授涵母也。姑病胃，不能飲食，潘乳之一載；侍奉湯藥，朝夕不怠，歷三年如一日。病愈，潘積勞成疾。崇禎三年卒，年三十六。親黨以孝婦稱之。通州高志。

劉氏，劉永祚女，保定縣人。崇禎辛巳，女年十六，縣城破，畿輔唐志。爲賊所獲，曳至柴家井邊，扶之上馬，從馬上墜下，將以身投井，兩賊挾持之，不從，被殺井邊。（保定成志。）

王氏，馮文烓妻，保定人。崇禎辛巳，賊執不從，以刃壓其頸曰：爾不畏死耶？（畿輔唐志八十六。）氏曰：但蚤賜死。復大罵，執刃者怒，斫其腸，拖於地而死。（保定成志。）

柴氏，劉星毓妻，保定人。（畿輔唐志八十六。）崇禎辛巳，賊圍霸州，星毓語氏曰：計將安出？氏曰：君可相機而行。我婦人也，脱有不測，惟有一死，決不負君。既而城破，賊驅之以行，殺於堂下。其夫星毓縋城，亦被賊殺。（保定成志。）

趙氏，永清監生應啟女也。崇禎丙子之亂，與姊同爲兵擄。女不受辱，强擕上馬，罵不絶口。殺之，棄屍郊外二日。祖母往收女屍，顔色如生。縣人哀之。（永清周志。）

劉孝女，京師人。（明史本傳。）頗知文墨，并習女工。萬曆二十七年，曾經被選貴人不中。（崇禎長編。）父蘭卒，矢志不嫁，以養其母，（明史本傳。）足跡不出閨門，日惟閉户誦經、讀書，兼作女工，卽至親比鄰，未嘗見其顔色。（崇禎長編。）崇禎元年，年四十六。（明史本傳。）八月，母張氏病篤，女盡心奉侍。母進食，女亦進食；母不食，女亦不食。至二十三日，張死，女跪靈前泣血。水漿絶，不食，至九月初三日，女亦氣絶。死時異香滿室，人咸異之。巡城御史曹選以聞。（崇禎長編。）

崔氏，王錫田繼妻，香河縣人。崇禎己巳，城破，氏年少，一女在襁褓，與家人訣曰：

我義不受辱，八十六。但幼女呱呱，未免遺恨。乃乳女畢，劉志。託女於母，唐志。將自縊。衆苦勸留之，劉志。力持不得遂。兵及門，衆俱奔，氏倉皇縊於户後，恐賊見其貌或解之也。明史本傳。督學霍立扁旌之。又吴淑姐，生員吴養瀟幼女。城破，劉志。女年十六，與祖母張訣曰：身可殺，不可辱，後園井乃吾死所也。遂赴井死。兵退，視其屍，顔色如生。畿輔唐志。士民聞之，上臺給扁曰：志氣凌雲。劉志。又逯氏，生員孫正祚繼室，事姑盡孝。姑病，默禱願以身代。己巳，城破，扶姑潛藏地窖，甫封窖，兵猝至。氏曰：姑得生，吾死無恨。矢志不屈，身被重傷而死。畿輔唐志。督學霍題准樹坊賜扁，以旌義烈。劉志。

梁以樟妻張氏，大興人，明史本傳。隨夫之任商邱。畿輔唐志八十六。流賊圍急，積薪樓下，集婢女其上，俱令就縊。謂子爕曰：汝父城守，命不可知，宗祀惟汝是賴。屬乳媪匿民家。自縊死。家人舉火，諸屍俱燼。明史本傳。邑人高其節烈，爲建祠祀之。畿輔唐志。

御史陳良謨妾時氏，京師人。良謨年五十，無子，以禮納之。侍良謨百三日，城破，良謨聞帝崩煤山，大慟曰：明史陳良謨傳。吾死晚矣！痛飲，扃户爲繯於梁，欲自縊。時氏端服靚粧，候同盡。良謨曰：吾年逾五十無子，汝今有娠，倘生男，以延陳氏血食，汝必勉之。欲遣人送之母家。時氏曰：主人死，妾將誰依？臣死君，妾死主，分也。與其爲賊辱，不如無子，請先死以絶君念。遂入投繯。明季北略二十一。腕弱，結繯不急。公助之，歎曰：

一婦人乃如此：時氏氣絶，（全祖望陳良謨碑。）良謨別作繯，與之同盡。南都贈時氏孺人，同祀旌忠祠。（明季北略。）

王氏，宛平劉應龍妻，年十六嫁，應龍家貧，以女紅養舅姑。應龍父子相繼亡，王事姑撫子，（明史本傳。）備極荼苦，二十年如一日。（畿輔唐志八十六。）賊陷都城，泣拜其姑曰：留長孫奉事祖母，（明史本傳。）婦從翁、夫地下矣。（畿輔唐志。）遂攜幼子投井死。（明史本傳。）

劉太夫人杜氏，新樂伯效祖妻也，（綏寇紀畧補遺中。）宛平人。（明史劉文炳傳。）三子：文炳、文耀、文炤。（綏寇紀畧。）崇禎十七年三月，賊攻西直門，勢益急。杜氏聞之，卽命侍婢簡笥緜於樓上，作七八繯，命家僮積薪樓下，隨遺老僕鄭平迎李氏、吴氏歸，曰：（明史劉文炳傳。）大家一處死，死卽焚之。謂文炳曰：爾疾馳去，殺一賊猶快我。謂文炤曰：不可從死，瀛國太夫人在，當奉之潛匿。且劉氏不可無後。城破，（綏寇紀畧。）家人急入，曰：城陷矣！（明史劉文炳傳。）夫人服命服登樓，（綏寇紀畧。）二女從之。文炳妻王氏亦登樓，懸孝純皇太后像，率衆哭拜，（明史劉文炳傳。）曰：太后恩深，自此不得報矣！（綏寇紀畧。）各縊死。家人共焚樓。文炳叔繼祖妻左氏，見大宅火，亟登樓自焚，妾董氏、李氏亦焚死。（明史劉文炳傳。）一門死者凡四十二人。（畿輔唐志八十六。）

淑人張氏，成忠毅德母，（綏寇紀畧補遺中。）懷柔人。（畿輔唐志八十六。）忠毅初以直節爲烏程所忌，下獄。淑人廷訴，慷慨有丈夫風。（綏寇紀畧。）崇禎甲申，都城陷。德跪請於母曰：兒盡忠，不能盡孝矣。母急避難。母正色曰：兒爲忠臣，我獨不能爲忠臣之母乎！畿輔唐志。有妹年二十餘，未嫁。德顧之曰：我死，汝何依？妹曰：兄死，妹請前。德稱善，哭而視其縊。入別其母，哭盡哀。出而自縊。母見其子女皆死，亦投繯死。明史成德傳。繼妻霍氏，按綏寇紀畧作張氏。一時皆自縊死。畿輔唐志。霍氏妹育於姊，年未及笄，亦死。懷柔吴志。

恭人章氏，金忠節鉉母。綏寇紀畧補遺中。順天府人。鉉爲兵部主事，賊薄都城，畿輔唐志八十六。鉉奔告母：母可且逃匿，兒受國恩，義當死。章時年八十餘矣，呵曰：爾受國恩，我不受國恩乎！廡下井是吾死所也。鉉哭而去。城陷，母聞即投井，妾王氏隨之皆死。明史金鉉傳。

烈婦梁氏，真定人，鄜延兵備道王原膴配也。幼讀書，明大義。賊破都城，烈婦與其小姑名慶者，毁容深藏。乃賊遁，祖姑許曰：我輩不乘此還鄉里將何待！遂擕以行。踉蹌至彰義門，見婦女有爲賊所驅以行者，有與賊並行者，有騎而歌笑自若者，烈婦曰：夫非良家婦與？何不知恥若此！倘吾爲所掠，則有死而已。然死於道路，何如死於此地之爲愈也。許曰：吾尾賊，賊不返顧。婦曰：如返顧，奈何？語慶曰：吾死，姑能從乎？慶曰：願。視道旁有井，婦曰：清泉浩潔，吾與姑得死所矣。遂擕以投井。慶許賈氏，猶未成婚。又有烈婦陳氏，霸州人，因隨叔徙都門，遂家宣武橋。烈婦幼時，性淑姿雅，行端言正，父母珍視之。既笄，適馬應科，生一女，甫四月。會賊攻都城，人心惶惶，姑嫜妯娌舉欲逃匿，以其方商略者移時，烈婦以死自矢，獨隨以小刀，無他計也。城陷，眷屬慌懼對泣求避處。烈婦告其夫曰：大寇肆搶掠，女子安所恃？惟有全身速死。汝等自便。夫長泣，展轉不相舍。婦厲色曰：萬一賊來辱，生則不光，死亦爲賊。抱女大哭曰：我死，女亦何依？因力扼死，遂以小刀自刎，手猛刃深過喉而絶。應科他匿得免。越數日，賊稍戢，始備棺收殮，烈婦面色如生，葬於黑窯廠之東云。明史北略二十一。

潘鵬妻徐氏，宛平孝廉女；妾楊氏，臨清妓，俱美麗，相得甚歡。鵬家資數萬，開生藥坊。及京城陷，鵬對二人大哭。徐氏曰：賊兵日逼，我等有死而已。卽取砒霜入酒，與楊約曰：事急，與子偕飲。急兩賊至，鵬匿。明季北略二十一。妻酌毒酒自飲。賊笑曰：盍與我共醉乎！妻不答。妾解意，遂滿斟二甌進賊，寄園寄所寄甲申忠義傳。曰：若將軍有意，請滿飲此杯。賊見壁間琵琶，問楊：能彈否？楊卽以侑酒。二賊大悦，把酒暢飲。明季北略。俄而二賊倒，妻亦倒。寄園寄所寄。鵬急躍下，以羊血灌徐得甦。徐曰：均爲毒酒，我得不死，意者其天乎！鵬曰：固也，然亦砒石性重下沉，汝先飲且少，更得羊血解，是以無恙，若二賊，則自促其亡，非由人巧也。明季北略。拖二屍沈於後河，閉門静避，竟免於難。寄園寄所寄。又城外女子張姓者，賊見美，欲淫之。女紿曰：我渴甚，取水飲我。賊信之，至井所，女乃奮力擠賊墮井，女得奔脱。明季北略。

烈婦王氏，歸吴信，世居京師齊化門外，貨紬爲業。烈婦色麗而性剛。賊數十人至，縛信考掠，欲逼千金，徧體皆傷。烈婦知不免，閉户自縊。一賊劈門救甦，見其美，欲污之，烈婦嚼斷賊舌。賊怒，剖其腹死。賊含血奔竄，口不能言。時諸賊方在外庭拷信，見噴血賊趨出，咸以爲信家有祟，棄之逃去。信得脱。斷舌賊不能食而死。人以爲烈婦索命云。明季北畧二十一。

婦張氏，京師長班吴奎妻也，德色皆備。家雖貧，屋宇掃除甚潔。數賊至，欲主其家。婦伏宅後水中，賊去乃歸。一賊已據其室矣。猝見婦美，明季北畧二十一。强淫之，無計爲拒也。寄園寄所寄九。比賊睡熟，婦微聞叩門聲，心知其夫至，乃潛啟門迎入，以刀刺賊死，取其財物而逃。道旁遇井，婦泣曰：明季北畧。前日所以偷生者，慮君飢寒失所，不獲一訣，生死悵然，不料猝遇狂且，致成淫行，失節之愆，竊爲君羞，縱君不見罪妾，寄園寄所寄。妾何面目偷生於世乎！明季北畧。幸不復以妾爲念，寄園寄所寄。死甘心矣。明季北畧。奎力阻不可，寄園寄所寄。竟投井死。明季北畧。

有宮人魏氏者，甲申之變，當賊入宮，大呼曰：我輩必遭賊污，有志者，早爲計。遂躍入御河死。頃間從死者一二百人。明史愍皇后傳。昭仁宮婢費氏，彤史拾遺記六。年十六，自投眢井。賊鉤出，見其姿容，争奪之。費氏紿曰：我長公主也。羣賊不敢逼，擁見自成。自成曰：

主何號也？曰：昭仁耳。何名也？不應。自成命中官審視之，非是，賜帥羅甲。甲與歸，將婚，費又紿曰：我實天潢，義難苟合，今幸事將軍，請召諸貴客爲嘉會，可乎？甲大喜，召諸帥豪飲。及醉，費竊利刃，請甲入，舂其喉，出，請行酒，連刺二帥，始自剄死。瀕死呼曰：吾之不得殺自成，天也。自成聞，大驚，令收葬之。明史愍皇后傳。青霞女子，青霞室中答應女也，上自后妃諸嬪外，每有選淑可承侍者，於乾清宮傍室更名青霞，令雜居室中，名女子。賊入宮，女子共奔入乾西，闔户自焚死。時諸宮宮人多殉者，不得其姓氏。彤史拾遺六。

袁氏，寶坻生員楊翻妻也。翻少孤，秉母訓，弱冠游庠，娶婦，奉孀姑盡孝。會遭兵燹，翻以募兵出，城忽陷。其姑王氏泣曰：國破家亡，何以生爲！親視氏投井畢，其孫女三、幼孫四悉手勒死，曰：庶闔門清節，無一被辱者矣。乃從容自縊死。氏投井數日，以水淺，竟不死。兵過後，有目於井者，乃得出。翻亦生還，抱持大哭，恍如隔世。復生一子曰孝純。未幾，翻卒，時家已蕩然，寸箸俱無。氏備嘗艱苦，孤子得立。迨孫雍舉康熙壬子解元，己未成進士，入翰林，楊門蹶而復興，人謂天之所以報節烈也。寶坻洪志。

提氏，魏繼標妻，通州人。崇禎甲申，流寇陷京師，翁、夫皆死於難。氏聞訃，號痛欲絶。家人勸之曰：夫柩未返，可遽死乎？畿輔唐志八十六。及翁與夫柩歸厝城外，提往哭，欲留厝所自殉。時土賊蠭起劫掠，家人強之歸。提曰：欲我歸，當迎靈位於家，朝夕得奠食也。家人知其將殉，防護甚嚴。提強言動如平時，防者懈，提詭病，夜常數起，以誤衆人。一夕，跪縊於夫之靈前。死年纔十九，時六月十五日也。越三日成殮，伏暑中，顔色如生。通州高志。比殮，兩膝終屈不伸。其父聞之不哭，曰：此真提橋女矣。家人舉其喪，與夫合葬先塋之側。畿輔唐志。

宛平查氏，烈女九人，死者七人。查氏居宛平既三世，曰國英，娶周氏，生子二、女一而歿。曰國才，娶張氏，生女二。妾廉氏，有母與女相依。黄孟春之妻，國才之妹也，早寡，來依於兄。及流賊陷昌平，謀避賊榆垡莊。周氏命子允哲著往治屋。既而賊猝至，國才出覘賊勢，惟老僕守門，室内凡九人。賊攻城急，九人懼城破見辱，決志莫如死。最幼女先投繯，墜。周氏顧曰：吾固當先。遂少長就縊。九人者：周氏及女二姑，張氏及女三姑、四姑，四姑年甫十二，最幼者也；自黄歸宗老姑及女三姑，妾廉氏偕其母老姑。廉氏母年四十六，周氏少二歲，張氏又少八歲，二姑、三姑、黄三姑皆十六。賊掠後，國才還，入室，見九人面如生，解繯大哭，則幼女四姑，妾廉氏死而復蘇，其去縊時已更晝夜。戴震查氏七烈女傳。

紀氏，文安舉人井焯妻。井氏，焯之妹，生員李在公之妻也。紀襁褓失恃，年十八歸焯，沈靜寡言，不妄嬉笑。甲申，闖逆犯順，焯攜妻逃至石溝，避難于妹氏家。會崇禎訃至，焯方與妻妹聚泣，忽僞邑令甯捉焯赴京，旋乘間逃歸。值土寇蜂起，相率匿于深蘆，旋逃歸仙居。適大清兵來，又匿于土窖。時職方楊名索焯急，不得已往見楊。訛傳焯捉去，無還理。紀泣曰：哀哉夫子！清白孝廉，今已矣，余何顔人世！妹亦泣曰：先光禄殉難，門衰祚薄，零丁孤苦，倚兄爲活，兄死，妹何生爲！二氏相率同繯縊。文安楊志雙繯傳。

李氏，劉灝妻，大城少司馬李松女也。性嚴而有禮，好談古今忠義節孝事。嘗看唐人詩。年十許歲時，司馬偶談及人世處事，只宜隨分，不可求全責備，女應聲曰：世無百年人，枉作千年調。司馬大奇之，隨教以列女傳、女史諸書。既于歸，侍灝下帷。灝方讀畢，氏已歷歷上口矣。未幾，灝卒，氏艱辛教子弟，當除夕，奠夫，氏口號曰：半世光陰付等閒，可知泉路也新年。孤燈冷火供芻飯，幼女嬌兒獻紙錢。當日音容今尚在，空中憑弔總徒然。此去清明寒食近，一聲夫罷一聲天。一日，氏燈下紡，次子蓼生讀於榻前，偶至伯夷、叔齊篇，氏輟紡問曰：汝亦知孤竹家兄弟乎？一尊父命、一重天倫。彼侯國也，尚能讓之，汝家幾何？異日成就，無介介于負郭田路人乎！汝兄爲其後。蓼生悉以祖産付其兄。兄用乏，其廩餼館穀仍聽其兄支費，闔邑義之。蓼生以進士仕至巡撫，晉總憲。孫愚以進士仕至布政。曾、元通仕籍、列辟雍，遊泮水者凡三十餘人。人咸謂積善昌後之説爲不誣云。大城張志。

孝女，大興張氏婦也，不知其母家姓。居京師崇文門外花兒市。民以製通草花爲業。女幼奉老父居，父久病不起，女憂甚，忘啜廢寢。適有鄰媪往丫髻山進香者，女因問：進香可能療父病否？媪曰：誠心虔禱，靈應如響。女曰：此間去山，道里幾何？曰：百餘里。曰：一里幾何？媪曰：二百五十步。女謹記之，每夜静父寢，持香一炷，自計步數、里數，繞院叩頭默祝。如是者半月有餘。向例，丫髻山奉祀碧霞元君，凡王公縉紳，每至四月，無不進香，以雞鳴時卽上殿拈香者爲頭香。時有太監張某，往進頭香，甫闢殿門，已有香在爐中。張責廟主。廟主曰：殿不曾開，不識此香何由得上。張曰：既往不咎，明日當來上頭香。廟主唯唯。次日四更，張已至，至則爐中香已宛然，一女子方禮拜伏地，聞人聲，倏不見。張曰：豈有神聖之前，鬼怪敢公然出現者！此必有因。聚香客而告之，並述所見容態服飾。一媪聽良久，曰：據君所見，乃吾鄰女某也。因説其在家救父禮拜之事。張嘆曰：此孝女神感也。進香畢，卽策馬至女家，厚賜之，父病旋愈。袁枚新齊諧六。

八夫人者，姓李氏，宛平人，史文忠可法夫人之妹，文忠弟可則之妻也。可則早世，文忠公殉國難，八夫人奉太夫人、夫人居金陵。浙人厲韶伯者，常入文忠幕，軀貌類文忠，冒文忠名，集亡命數百人，破巢縣，破無爲州。提督率省兵擒之，堅冒文忠名，衆莫辨。召三夫人識認，斥其妄，始吐實。而八夫人有國色，爲衆所窺。會金聲桓反豫章，禁旅往討，駐金陵。遼宦聶三媚少宰某，艷八夫人，强爲委禽。八夫人遣婢拒之，不聽。詈之，又不聽。須臾一婢捧黑漆盤進聶，曰：奉八夫人命，恣若所爲。聶視之，則一髮髻、一耳、一鼻也，血淋漓滿漆盤，聶失措，躍馬馳去。汪有典史外八。

華陽吴祖椿校

人物志二十

列女二

黄岡洪良品纂　江陰繆荃孫覆輯

國朝

蔣氏，順天人，宛平庠生范如樟妻也。事舅姑恭順有則，能先意所向，得舅姑歡。范善病，病作卽數月不瘥。蔣周旋藥鐺茗火，無幾微惰容，歲以爲常。生一子，資穎邁人，范鍾愛之。甫三歲，患痘而殤，遂以思子過悲，病不起。蔣泣謂范曰：請先死，以絶君念。曰：汝念予父老，諸弟幼，以婦代子，且烈婦難，節婦尤難，欲汝爲其尤難者，予含笑九原矣。言訖，瞑目。蔣撫棺大慟，勺水不納者數日。父母、舅姑寬慰再三，弗止也。曰：予有請於舅姑，舅姑許，乃敢生。舅姑詢故。蔣曰：不孝不幸無子，以身殉夫，宜也。以夫囑，婦不敢卽死，惟獲全婦之志，使稱未亡人於范可也。不然，婦卽從之死。舅泫然曰：媳能如是，是吾門不幸之幸也，忍奪汝志乎！自是蔣意稍安。未幾，舅歿，蔣襄大事，俱克如禮，後以憂悲成疾，卒。卒無他言，惟曰：吾事畢矣，可以見夫子於地下矣。宛平王志。

劉氏，張科妻，永清人也。年十六，歸張。未三載，而科卒。卒時劉已有娠。張故豐於財。科生有二兄。科卒後，劉之父母、舅姑及伯氏二人俱欲劉更適人，抑勒百端，劉不爲少動。已而舉子雲惠，乃請見父母、舅姑，泣且誓曰：向所不卽死者，徒以有遺腹耳。今幸生男，天不絶吾夫之嗣矣，願以死守，不知有他。父母、舅姑皆不悦而罷。自是詬誶凌折之，殆無虚日。會天大寒，北風厲甚，劉方夜襁孤兒操紡績業，其姑突入其室，辱詈之，命婢汲水，注其床，滅其鐙火。且曰：吾以觀爾之冰操也。破室漏風，床上、地下冰厚寸許。夫有女弟年始十六，聞急踉蹌而至。劉衣着水，錚鏦如被介胄，嬰兒已噤不能啼，小姑爲綳置懷中，以膚温之，乃得少蘇。二人呵氣相昫，躑躅終夜。遲明，姑排闥入，見其女與劉四足陷冰中，急不得拔，且怒且憐之，攜其女去。其後姑將毒劉，小姑輒身先之，夜必持被就劉宿。姑無如之何，威虐爲之少殺。伯、仲私計賄牙人，將强納里中惡少年。小姑聞以告劉，劉挾利刃自防，曰：倉卒有變，終以是爲歸爾。小姑因語劉曰：父母所以逼嫂，爲二兒也；二兄計出於此，爲家貲也。盍急以家貲推讓二兄，猶得自全性命，與其殺身禍嬰兒也。劉深然之。於是僅乞一陋室，作苦其中，以支歲月。會永定河決，平地水深丈餘，伯、仲廬舍俱漂没。不三數年，俱相繼卒。伯、仲又皆無後，於是水退，淤田皆爲膏腴，而劉乃盡有其業，阜然稱富有矣。雲惠長而業儒，其子鑄爲縣生員。劉年七十八，無疾而終，稱全祉云。永清周志。

張氏，小名七兒，吳道來家婢也。挑野菜於城東門外，遇暴逼污，不從，被殺。時康熙丁亥七月六日也。武清吳志。武清劉之璋作哀詞：朝采野蔌兮，暮不回。貞淫莫辨兮，人方信疑。狂且無狀兮，蹙兇威。身若失守兮，安爲！捨生以全身兮，死如歸。義不辱兮，白刃揮。野蔌紛披兮，朱顏摧。風摇摇兮魂何依？長夜漫漫兮，旅此東門之逵。恨託生於卑賤兮，無閥閱之門楣。斯讐難復兮，遁跡天涯。幽光湮没兮，知者誰！天陰雨濕兮，聲凄悲。

貞婦何氏，霸州人，吏員王經妻。經年二十四病卒，何絶糜數日，姑、姊輩以撫孤爲慰，始進食。踰年歲祲，人相食，何與三歲孤兒共一鄰嫗相伴，四壁栗冽，食草蒂。草蒂盡，繼之以榆皮。榆皮復盡，母子惟啖藠殼。藠殼棘喉，豕之所不甘者，母子號泣，聲徹比閭。姑、姊輩勸曰：以汝才貌過人，夫宗落寞，守此孤兒，則爾門之苦非爾所支，何不適豪家以爲自容計哉！何曰：否否！二夫非人所爲，一死自是易事，我正以王氏祚衰，不忍死而棄去，而況言生去耶！勿復言。數日，姑、姊輩復以携兒適人勸。何大恚曰：爾如不安爾室，自招兩夫可耳，何苦爲人謀哉！勸者蒙面而去，再無敢以是言進者。後以織紝自給，撫子承芳成立，壽八十七歲。霸州朱志。

于氏，永清生員楊梅妻，于文燦女也。年十七，歸梅。康熙丁卯，梅卒，于年二十有四，子宗文生纔三歲。家貧，有屋一椽，確田十餘畝。于勵志守貞，教子讀書，不能具束修，故生員王益謙嘗從梅父受學，至是挈文去，躬教誨之。夫有從弟，貧無行，欲兼于産，强使改適人，于固不從，則抑勒之，使不可朝夕處。兄得海聞之，迎往依居。於時宗文年十二矣。得海爲延師課讀。于居兄家，雜家人中操作。兄止之曰：妹依於我，而操作如家人，我豈以傭嫗畜妹者耶！于曰：我性不好閒逸，且家居習勞苦，固所以計久長爾。由是安於兄家。每歲時寒食，則歸楊一祀其先。而田與居室，遂爲從叔所據矣。居十二年，而宗文録爲生員，遂授室。於是挈子若婦歸家，得復舊業。雍正癸卯卒，年六十。永清周志。

王氏，通州庠生耿宗湯妻，居漷邑。王年三十，夫亡，矢志守節，治家肅然。耿有族壻吕哲，素叵測，適土賊横於鄉，哲煽惑其黨刦耿家莊，縛宗湯弟宗孔及諸姓等，將加刃，舉家驚匿。王獨不避，以大義曉賊。賊知墮哲計，釋縛而退。哲叔茂奇與哲同惡，嘗屬盗誣宗孔下獄，誆王曰：付我五百金，可脱汝叔。王識其詐，佯應曰：善，須開明所需各項，乃可與姪商耳。遂獲茂奇字據，命姪如標赴巡按白寃，獄始雪，盗伏法，茂奇亦獲罪。王之以節兼才如此。通州高志。

楊閏姐，通州人，畿輔唐志作閏。侍郎楊正中孫女，天性孝友。年七歲，生母宋有宿疾，每疾發，卽焚香告天，願以身代。父年三十五始得子，七歲患痘，甚險，閏姐禱神，乞借己算，目不交睫者十一晝夜，及殤，一哭氣絶，力救始甦。後生母産中卒，閨姐號慟如成人，絶飲食三日，淚乾氣盡而歿。葬於州城南門外。督學張題其墓曰孝女墓。通州高志。

李氏，通州人，童嶽妻。嶽本浙之會稽人，充州掾，挈婦家於通。李天姓孝義，年十三，割股愈父。十七，歸於童。姑病篤，又割股以愈姑。姑畏遠涉，不能就嶽養，以季子留浙，李自甘麤糲，積貲寄姑佐甘旨。嶽爲掾，無苟取，家益貧。旋得失血證，已昏絶，李割脇取肝肉爲羹灌之，李亦暈仆。夫婦俱復甦。嶽病尋愈。李以肝疾發，卒。時康熙甲申夏也。州人李徵淳撰李氏割脇救夫傳。通州高志。

康氏女，通州人。許字鄰家張氏子京。畿輔唐志八十六。通州高志作經。京父素豐裕，後家於京，漸貧，幾不自給。康父兄聞之，謀悔婚。通州高志。女正色持大義詰責，乃止。後數年，京父至通訃：京已死。畿輔唐志。康易素服泣請於母曰：兒聞古之女子有未嫁爲夫守義者，後世以爲賢，兒身雖未歸，許張久矣，願母載兒從夫喪。父兄駭，斥其狂，且恐身殉，防護甚謹。康釋素服，言動如平時，防者懈。一夕，閉户焚所製巾帶綦履，素服自縊死。時年二十一。戚黨議，當偕夫葬。康父乃携女喪至京，歸張氏。康熙三十一年，與京合葬於郭西白石橋。京師士大夫重其節，賦詩弔之。通州高志。

黃氏，通州庠生華國繼妻，年十三于歸。國年老嗜酒，家益落，甚或不能舉火，黃甘之。

國多疾，黄日夕侍奉不衰。國常醉語人曰：通州高志。吾婦雖女子，有丈夫氣，吾死必殉我，諸君他日當見之。畿輔唐志八十六。一夕，國中酒歸，疾大作，翼日卒。黄慟曰：天乎！侍君七年，蓋早暮憂懼也，今果舍我逝矣！遂絶粒，卧柩旁十四日，死，年纔十九。通州高志。

節婦李氏，霸州李方儒女，農民馮顯宗妻也。嫁未三載，顯宗病故。人有勸之改適者，以舅姑在辭之。朝夕供事，克盡婦道，十數年如一日。迨舅、姑相繼終，又有勸之嫁者，節婦曰：余已有夫，可二夫乎！田園二畝，鬻以殯焉；餘者止一陋室。其孤苦有非人所能堪者，而怡怡然若有所得而安之；惟言及翁、姑，則輒涕泣。晝夜紡績以自給。至年老衰殘，不堪自供，惟閉户忍饑，未嘗乞假於人。人有予以米者不受，予以連糠碎米則受之。鄰里窺其乏食，予以米，必先以糠拌之，蓋惟恐其不受也。無子女，殁後十有餘年，而婦女之聚談者猶舉之以相勸勉云。霸州朱志。

王氏，永清殷成業妻也。康熙辛巳，大盜刦其家，擒王之姑，加刃於頸，就爨中去釜，爇薪其下，以身當釜坎，炙之。王衝刃急入，謂盜曰：此吾母，暫止吾家，實不知家中事，刀鋸鼎鑊，宜加我身。盜執王燎炙幾死。南路同知祝聞其事，書冒刃衛姑旌其門楔。永清周志。

鄭氏，馬益亭家婢。鄭本密雲人，年八歲，役於馬。馬素饒裕，後漸貧，他婢盡去，鄭獨留，亦不求配。馬幼子卧疾十餘年，鄭百計覓藥救痊，又爲人澣衣取直，以贍其主。馬子婦久病，有子不能撫，鄭代撫之，賴以成立。事馬家三代，歷七十六載如一日。居恒持己循謹，雖耄年不失主僕禮。以處女終，年八十四。里人羣歎其義。通州高志。

張門雙節：朱氏，張廷瑞妻；張氏，廷瑞子永盛之妻也。俗有一姓非宗而議婚者，故永盛娶於張云。朱年二十一于歸，三十夫亡。遺子二：永茂、永盛俱幼。家貧，夫喪不能舉。朱從弟元介及戚屬共助之。朱賃居一椽，鍼黹育子，歷飢寒不易其操。永盛妻張，十九于歸，能事孀姑，二十七而寡，遺子二俱幼，衣食不繼，有勸改適者，張泣拒之曰：吾法吾姑，苦自能甘也。撫二子稍長，習負販，貧窶如故，張處之無怨言。朱苦節四十三年，年七十二；張苦節三十一年，年五十七。通州高志。

姚氏，通州張維垣妻。維垣與姚議婚後，隨從父炳宦楚中。炳卒於官，維垣卽隸湖廣籍入伍，差務來北，始成婚。甫三月，以限迫，還楚。姚寄食母家。閲歲，維垣遺書絶婚，令姚改適。親黨憤維垣無良，聽姚自主。姚泣告於親黨曰：吾無故見絶於夫，命不辰也，倘死，轉無以自明，願終身爲張氏嫠婦。時年二十三，居母家，事親極孝。每歲時伏臘，猶祀張氏之先。及父母殁，始歸夫族叔家。年踰五十，循循執婦道。張氏義之，爲嗣一子，已娶而夭。姚被棄守貞，歷艱苦者五十一年，卒，年七十三。張氏族人高其節，葬於張氏之壠，以從其志。通州高志。

張氏，香河生員孫維正妻。維正卒，氏方二十歲，無子女，立志守節。與族人約曰：田産俱以相付，不缺衣食，養我而已。於是將所居室築垣周之，止留一户，與夫叔號月亭者相聯。月亭故盛德士，富而好禮，亦與氏約曰：飲饌、衣服，我悉供之。氏足不履户外，惟元旦一拜月亭。月亭亦答拜。如此五十餘年，壽七十八卒。香河劉志。

徐氏，密雲汪乾一妻。歸乾一，以賢孝稱。母疾篤，刲股肉進，母尋愈。無何，徐竟死。乾一復聘於生員楊鳳儀長女文媖，未婚而乾一卒。楊聞耗欲自殺，以父母防之嚴，不果，乃白於父，請臨其喪，許之。臨喪而返。乾一葬有日，請臨其穴，許之。既葬而返。俄以春祭請祭於墓，亦許之。既祭而遂自歸於姑。姑爲之請於其父母。其父母知其終志不可奪也，爲之告於宗族鄉黨而許之。乾一家素貧，楊井臼親操，仰其十指以養母，已而終不給。乾一從叔允輿居京師，傷其志，且憐其貧，挈楊奉姑居京師，周之不倦。康熙五十四年，禮部郎中盧晉錫爲之傳。密雲丁志。

方氏，涿州滕氏奴之母也。美姿容。自入主家，即涕泣請於主婦曰：某良家子，不幸夫無籍。凡役之賤且勞者，不敢避，但使與男子雜居同役，則不能。一日，以生孺子疾使視，兼旬睫不交，所養孺子凡六人，忠勤如始至。自其夫自鬻，即誓不與同寢處，而夫死，蔬食終其身。方望溪集。

節婦段氏，宛平民高位妻也。京師俗，早嫁娶。位之死，節婦年十七，有二子矣。高氏無宗親，依兄以居。喪期畢，數喻以更嫁。節婦曰：吾不識兄意何居？吾非難死也，無如二子何？其兄曰：我正無如二子何也。我力食，能長爲妹贍二甥乎？節婦曰：易耳。自今日，卽無累兄，但望毋羞我貧，暇則頻過我，使人知我尚有兄，足矣。方是時，節婦嫁時物僅餘一箱，直三千，取置門外，索半直，立售，卽日移居小市板屋中。京師地貴，或作板屋於中衢，婦人貧無依者多僦居，爲市人縫紉。節婦以此爲生，幾二十年。二子長，始能僦屋以居。二子幼時，節婦艱衣食，不能使就學。長子市販，中年歿。次子爲小吏，以罪謫遼左。節婦復撫諸孫。又十餘年，孫裔發憤成進士，贖其父以歸，而節婦年九十矣。節婦性嚴毅，常早起，子婦雖老，終日侍立，不命不敢坐。裔之母谷氏，性篤孝，雞初鳴，起灑埽，奉匜侍盥，就竈下作羹食，親上之；食畢，然後退。率以爲常。及貴盛，姻黨皆曰：世有太夫人七十而執婢之役者乎！將公爲節婦言之。谷氏曰：若毋言，吾與姑故寒苦，姑習我，非我供事。姑終不適；吾皤然白髮，身無疾。灑埽盥饋以事吾姑，此日可多得耶！卒，年九十六，距位之死七十有九年。始節婦所僦板屋在珠市西，及孫貴，卜居正當其地，家僮數十，出入呼擁，婦時指示子孫姻黨，京師之人亦以爲美談。方望溪文集。

楊氏，涿州人。許宋雲龍爲室，未結褵，而雲龍殀，楊聞往唁焉，遂誓不他字。其舅一桂力阻之，曰：吾家貧，二老垂暮，兼無次子，何以守爲？楊曰：吾政以二老靡依，願得奉侍左右，以盡餘年，至冰蘖滋味，分所應爾。且舅尚有姪可嗣，他復何慮乎！倘必不從，請以死殉。因歸諸宋，事舅、姑曲盡婦職。及舅、姑相繼卒，楊痛哭曰：吾無生理矣。遂鬱鬱而死。乾隆十四年，奉旨旌表。涿州吴志。

陳氏，永清郭世清妻，陳進禮女也。康熙丁酉，世清卒，陳年二十有一。無子，苦志守貞，孝養孀姑。姑韓嘗病傷寒，昏不省人，數日疾甚，勢不可支。陳爇香禱天，呼號神明。一夕，夢神人語曰：若姑疾，固不起，非食若肉不可爲也。已而姑沈困中，忽思肉食。陳心益奇之，遂刲臂肉一臠，調羹以進，殊不自覺痛苦也。韓啜而甘之，頃間汗出，沈疴遽瘳。因自詫曰：向所食肉，味愈尋常，得自何所，乃甘美若是耶！是時陳臂創漸發，痛不可忍。姑察聲色有異，因詢得情，一時爲之感激，至於泣下。陳於乾隆丁酉卒，年八十一。永清周志。

高貞女，宛平高頤侯女也。許嫁秦氏子文照。舅姑前歿，雍正五年，文照死。貞女請衰經歸秦氏，代夫承重，事祖姑。其父大駭，招方侍郎苞，陳禮經以喻之，志不移，遂歸秦氏，其年二十有二。其舅之側室李氏感焉，誓守節，與貞女同卧起。父卒，家散，繼室暨幼女貧不能自存，貞女父黨無一人可倚。而其夫之叔父子，正徒手而食，養母、畜妻子旁及兄之側室子。婦力不能支。人歲時過秦氏，見貞女敝衣菜色或冬無棉，而意色常和以安。方望溪秦門高貞女糾舉本引。死，年三十有二。卒之日，命衣衾完者勿以殮，迫冬進之祖姑。卒後十日，與文照合葬秦氏先兆之側。其買棺也，匠師語其徒曰：予良材，價從其低。聞者多爲流涕。方望溪秦仲高墓表。

劉氏，賈淶妻，永清劉楠女也。父早卒，母胡寡居。兄煜以家貧遠適四川。劉年方十四，母患危疾，一時醫者皆望望以去。同村有崔氏，延江南談生抵其家視疾。談故有能醫名，非厚禮幣不能赴召。劉聞卽婉曲求一顧療。談視疾有難色。劉長跪涕泣，固請强爲之。談不得已，爲處厲劑，冀幸萬一，因謝去，曰：疾起，不居功；如其不起，不受過也。劉持葯傍徨，計無所出，因刲股肉寸許，投劑以進，母服藥，安卧中夜，汗流浹膚體，遲明，沈疾遽瘳。聞者異焉。先是，劉許嫁賈淶，康熙庚子，劉生十七年矣，賈氏將議親迎。劉以母老、兄又遠出，家無次丁，命老僕徑以已意往哀舅姑，云：女子許嫁，惟夫氏所命，禮也。雖然，居室事父母，他日所以事舅姑者也。請須我三年，俟兄歸，俾母有養，乃請爲婦。事母之日短，事舅之日長也。夫女子未嫁，稱父兄命，未有以已意致夫氏者，兹所謂禮之變，不得已也。於是舅姑相與感歎，且憐其意，許之。比嫁，而孝事舅姑，若夫之祖、父，一如事其母焉。其後，兄嫂俱夭殁，母老無依，舅、姑俾劉迎養於家，又與伯仲娣姒友愛無間。其母終老賈氏，伯仲相與謀曰：劉氏弟婦實能孝事父母暨余祖父，其母之喪，何可薄也！於是厚爲棺衾殯殮，以慰劉心。劉與淶夫婦相敬如賓，有三子：慶棣、慶霖，武學生；慶植，生員。永清周志。

崔氏，霸州崔瑞女，永清廪生犨篤植妻也。篤植卒，崔年二十一，無子，以從子之琦爲之後。崔撫育之，孝事其舅。舅老病，崔躬親服侍，不以委僕婢也。舅卒，附身附棺，誠信合於禮。之琦娶婦生子，雍正癸卯卒。婦張氏，撫鞠遺子，與崔形影相依，支持門閾，教孤孫。其嗣從師受學，每當延師啟館，崔必莊肅升堂，躬自拜謁，祇率其嗣，執弟子禮甚虔，餽飲薦饌，必親檢視乃授館人。館舍清潔，内外無譁。館師有所徵求，無不修具，欽若神明，惟恐一不得當。館師爲所感動，無不盡心啟迪，故其嗣進業，輒倍他人，皆崔教也。其嗣既爲生員，因列崔節行聞。得旨旌表。乾隆庚午卒，年八十五。張賢孝有崔風，年十六嫁之琦，明年生其嗣。之琦卒，其嗣甫八歲，崔疾。張左右服事，凡十三晝夜，目不交睫，不知勞也。崔卒，張拊棺大慟曰：與姑數十年相依爲命，姑舍我去，我亦無意於人世矣！有孫三人，曾孫九人，雍容揖讓，稱其家法。永清周志。

王氏，永清鄒開妻也。幼養夫家，年十三，與開成禮。十六，姑死，哭泣極哀。雍正己酉，開卒，王年二十有六；遺子自亮，生甫七年；一女九歲。家貧無所倚藉，母子三人織蒿爲簾，易錢支歲月。自亮稍長，出爲人傭，得錢不計多寡，悉以奉母，未嘗自擅錙銖。王猶自食其力，積傭錢多，輒賃人田，身勤樹藝，母子作苦十餘年，而家稍有餘。自亮念母勤劬，或以善食勸進。王泣，誨之曰：爾忘當日稗實一合食不充腸，我與若姊出田間掘苦菜，和糠粃雜咽之，若傭工自外來問我食否，我强云已飽時耶？自亮亦泣而罷。自是雖外出，遇人家與珍食，必淒然念母家中，不敢輒嘗。王治家精敏，婦子滿前，不欲自逸，遇事輒身先之。鄉黨欲上其節行，爲之請旌表，王力卻之，曰：是爲名也。永清周志。

高氏，永清縣生員陳應新妻，同里高守業女也。年十七，歸應新。越十二年，應新卒，遺子秀芝，才七歲。是時姑已没世，有夫弟三人，長曰新，次又新，次代新，與秀芝年齒相若。高撫而育之，恩愛備至。人見之者，謂若一母撫四子焉。陳故有薄産，舅日經營於外，門以內高主持之，事無大小，皆犂然以辨。舅老而死，高之持喪葬，盡誠盡敬，合於禮經。諸叔漸長，次第授室，又爲秀芝娶婦成家，而高已老矣。日新兄弟曰：生我者父母，長且成我者嫂氏也。凡兄弟既授室，則析爨以炊，今不幸早喪母，嫂之劬勞於我弟兄者，心力瘏焉，自今以往，兄弟有私貨財自便利溺厥妻與子，不以嫂之心爲心者，非我父母所生子也。諸弟若婦，皆曰然。由是閨房無私蓄，雖一絮之温，一味之甘，非先奉高，不敢自薦。高亦柔而愛之。諸叔俱壯盛，有子女，高撫視温卹，不異孩提時。或有小過，必諄戒之若子婦然，無不惕然以警。故諸叔娣婦以雍睦聞於一鄉。高故善家政，命曰新、又新率子秀芝力於穡事，俾代新卒業於儒。又能時其逸勞，劑其盈缺，家中雖幼子穉女，莫不得其至情，人無知與不知，見高皆肅然起敬，鄉黨推節行，以高爲女宗。高曰：是諸叔與娣實能孝友，不墜先人家聲，老婦何德之有！憶夫病且死，老婦當時實不欲生，嘗刲股燃脂禱神，請以身代，非特爲夫婦情，亦謂舅老、諸叔方幼，可無嫂，不可無長兄，然而竟不獲請，命也夫！今諸叔幸有成，又皆善良，老婦坐享，愧矣，老婦何德之與有！永清周志。

吴氏，永清石璀妻。年十八歸璀，明年生子有聲。又三年而璀死。吴守志不嫁。璀有祖父母，年俱八十餘，祖父病風痺，坐卧出入，非吴扶持之不善也。祖父有狂易疾，時令吴襁負院落中，爲兒童戲，稍不當意，輒批頰辱詈。吴曲意順之。翁有時清醒，或加意慰藉曰：向得勿非禮苦汝耶？吴曰：無之。已，疾復發，則又狂易如初矣。璀祖父母既没，舅姑亦虐遇吴。姑劉，繼室也，生夫弟招，少有聲一歲，劉溺愛之，奴使有聲，不得與招共衣食，冬月寢處無溫，有聲呱呱徹夜啼，而招則重茵增絮，餌食滑甘，或呼有聲至榻下，食招所棄餘，旁觀爲之流涕，吴自若也。比有聲娶婦，劉又虐遇之，吴率其婦婉順承顔，卒無忤。劉有母，貧無依，常寓食于石，見吴所爲，劇愛憐之，以爲有婦如此不知憐惜，我女其鉄石人耶！劉所生女，亦不忍其嫂之重困苦也，時時諷諭劉，言：嫂純孝，鄉里莫不聞，今我母遇之威，人且謂女實無良而陷之，使至於此也。劉由是晚節稍寬假之。家庭稱雍穆。然而劉亦旋没矣。翁年七十餘，猶娶繼室李，齒與吴相若，謙讓不敢專家政。吴尊禮之，與劉無異視焉。晚年，有聲夫婦相繼卒，吴老無依，宗黨憐而敬之，以璀從弟之孫洺歧爲有聲後。永清周志。

永清閻氏，賈浩妻也。歸浩五年，浩卒，能守貧勵節，教子毋廢書業。姑性嚴毅，閻能婉順得其歡。閻在室時，鄰有嫠婦，人强醮之，其婦佯爲理妝，潛以刀斷其髮。閻時方十歲，爲之咨嗟歎息，謂婦人不知此義，非人也。既而竟行其志。永清周志。

李氏，李天福女，永清張果妻也。果父於天福爲私，李以中表爲婚姻云。雍正己酉，李年十六，歸于果。癸丑，果卒，遺子喜兒，生始週歲。舅老目瞽，李養老撫孤，勵志守節。初，果父子居韓村爲布牙生業，足供溫飽，及果病且死，念父老廢，謂李曰：牙業不可恃，族屬衆多，若何所仰以資生？不如改醮，或得餘錢，俾父老有所仰食，余卽死，不恨矣。李泣對曰：是非人所爲。且人各有志，必依藉於人乃得全節，節亦不足重矣。君行矣，毋以我爲念也。果卒，舅亦旋歿，布業爲從子輩所攘，而從子輩皆爲縣吏，居縣中，不相顧恤。李彳亍無依，母弟姜士茂業農田，見李孤孱，挈以如姜志營買一廛以居。躬勤佃種，食力所出。喜兒弱冠，瘵夭，從子輩或請迎養城中，李謝曰：余天性不能安坐食也。或議立從子爲嗣，李曰：諸從久爲吏，不能力作田間，若仰食於余，余力固不給，欲余就養其家，未必安焉，以是計之，甯甘此終身，聽其自然而已。李生平艱難備歷，未嘗受人寸絲粒米惠，苦節四十餘載，終如其誓夫言。永清周志。

貞婦芮氏秉貞，江南人也。流寓武清。少知書，明大義。年十九，適無賴子朱某。姑復素行不修，于歸未匝歲，突有惡少數輩入室鬨飲，姑命行酒，芮恐不免，遂闔户自經死。時雍正乙卯十月事也。武清吴志。武清劉之璋作貞婦詩云：梁燕自有雙，鸂鶒各成行。妾本羅敷女，未行出采桑。年紀二九餘，入門拜姑嫜。阿母頗歡喜，得此好容光。再拜向良人，狀貌亦昂藏。仰望冀終身，誰知未可量。交遊盡狂且，所事俱不良。自揣蒲柳姿，難禦蜂蝶狂。巢傾卵詎完？綱敗目誰張！一日大歡會，攜燈就密房。阿母遽開言：新婦侑杯觴。男女不相親，古禮設大防。重違阿母意，忤逆豈經常！若前措一詞，穢聲恐外揚。不如早迴避，毋碍歡娛場。入室含酸辛，東向拜爺娘。非關匹配差，兒命自不長；非忘顧復恩，懼將遺體傷。前日所結褵，今日以懸梁。一絲永相繫，從一聊自藏。遊魂莫化燕，亦莫化鴛鴦。願作孤生草，無人自幽芳。

杜氏，甯河廩生朱良雋妻，生員杜蕢女也。少從父受內則、女誡諸篇，舉動一遵禮法。年十九，歸良雋，相敬以穆。夫歿，喪葬畢，扃户卧，數呼不應。碎門入，閉目不語。

姑撫床大慟，曰：若從吾兒死，吾兩老人亦從若死，若何忍！氏乃張目視姑，久之，因强起，放聲哭，引刀刺面，誓不他適。及愈，刀痕宛然。氏無子，近支無可繼者，擇族孫鳳爲嗣，鞠育如己出。訪嚴師，命從之遊。家故貧，日勤紡績供朝夕，無怨言。翁姑歿，喪葬盡禮，歲時祭祀，必親履坵墓，哭舅姑並哭其夫。曠野悲風，聞者泣下。守節六十五年，八十四歲卒。乾隆十七年旌表。甯河丁志。

杜氏，生員鄭桂妻，年十九適桂，生子逢輝。桂家素貧，授徒寶坻之皇莊。病，氏聞，無車馬，急趨館所，步行六十餘里，及回家，夫臥床褥不起。朝夕侍湯藥惟謹。五閱月而桂歿。姑老，子方九月，氏慟哭，絶而復蘇者再，勺飲不入，懵然不知爲喪葬計。夜静投繯，急救而活。及明，嘔血數碗。姑泣勸，並請其母家慰解之，氏意始回。自是整理家務，勤女紅以供甘旨。姑倚之如子。時因哀毁過度，苦無乳，日則抱子求食於鄰，夜則嚼米汁哺之，漸長，防範甚嚴，使就學舅氏家。逢輝補弟子生員，食餼，皆氏教誨力也。守節至八十三歲卒。乾隆十七年旌表。甯河丁志。

張氏，處士岳景純妾。景純嫡妻馬氏，中年病故，遺二子：屹然、峻然，俱幼。景純納氏撫養之。時氏年十八。越六載，生一女，止七月，而景純歿。方病劇時，呼二子前，囑曰：張氏無子，年又少，我死必嫁之，無累若終身。爲氏聞，潛入密室投繯。家人驚覺，救之。隨至夫所，泣曰：妾雖卑微，侍巾櫛有年，何不相信也？適案頭有磁器具，立碎之，持刺其面，血流滿頰，且塗以墨。景純太息數聲而瞑。氏慟哭幾絶。比及葬，飭僕婢經紀家務，攜子女於墓旁村落，僦屋以居，朝夕上奠，逾年始歸。面傷既愈，其墨痕斑斑猶存。氏偶採蔬於圃里中，一輕薄子立牆缺以目挑之，語且近謔。氏大怒，欲訴官。某懼，丐戚黨告免。不允，哀懇數四，令於夫墓前叩頭服罪乃止。自是鄉里中無遠近，皆稱爲鐵節婦，蓋指其面上墨痕，并其風操之勁也。氏不獲逮事舅姑，然遇忌日，五鼓卽起，親上茶酒，率家人環拜。子若孫遇歲科試，必出膳田所積以資之。且曰：爾祖父賫恨處，只此書香二字，其勉之！嫡長屹然入泮，次峻然貢成均，孫、曾、元三世，凡十四人，皆先後補弟子員。氏鶴髮盈頭，其家政猶禀命焉，事之一如正嫡。守節五十餘年，壽七十有九而卒，乾隆十九年旌表。甯河關志。

杜氏，生員張培基妻。年十二歸培基。越五載，培基故。遺一子，翁姑俱在，氏誓以死守，母憐其志，遂截髮以誓之。貧至無以餬口，奉舅姑豐腆，鬻簪珥不惜也。夫故時，子方數月。撫育有道，稍有知識，卽教以孝弟，市井里巷語，不使一出其口。比就外傅，督其晨夕攻苦，不稍姑息。讀書應試，悉以婦工所得者資之，嘗終日不舉火。或勸其貸於鄰里。氏泣曰：吾以少年寡居，食貧久矣，敢向他人乞活乎！掇草子、野蔬食之。嚴寒，體無完衣，卒無難色。子補弟子員，氏年八十二歲而卒。乾隆十七年旌表。甯河丁志。

劉氏，甯河州同杜履怡妻。履怡爲大學士文端公姪。孫氏歸履怡，年十七，舉二子：懋論、懋曾。履怡忽患痰疾而絶。氏驚悼，昏仆在地，一日夜始蘇。見夫屍在側，又絶去。救之，逾時方活。泣曰：適見夫子語我，婦道代有，終父母老、子弱，俯仰賴汝，汝亟去，不知其亡也。述畢復痛絶。舅姑泣勸，氏乃放聲大哭，向夫柩前書其昏迷中語於帛而藏之。喪葬後，屏膏沐，稱未亡人。姑王氏以傷子故，得心疾，常患頭暈。暈則氏斜依姑旁，以隻肱枕姑首，至數日或半月，總不假手婢女。舅恭琦，時致仕家居，見氏種種至性，每呼婦，必曰兒云。方履怡歿時，遺孤幼小，氏善撫之。甫能言，即教之識字，凡小學、綱鑑諸書，皆親授之。稍長，擇品行端方者爲之師。以故二子俱早有成立。夫弟早亡，無子，以次子懋曾爲其後。及病革，命取向所書於帛之語以殉。守節三十七年而卒。乾隆十七年旌表。甯河丁志。

初氏，東安旗莊初氏女，永清楊彬妻也。年十八，歸彬。又四年，彬卒，遺孤銑亮纔一歲餘。初氏矢志守節。始彬世業農，有確田半頃，粗給饘粥。彬讀書能文章，應童子試瀕得矣，俄以卷污被斥，大悒惋，遂寢疾不起。彬父得春大痛割，謂有子而死，安用支離衰朽爲！因亦欲引決。初氏泣跪，請曰：翁奈何若是！誠不忍爾子之死，顧忍令爾婦死爾子之死耶？且婦所以不從而子地下，亦爲姑老、孫幼，非婦不支持，翁奈何若是！於是得春泣而許之。當是田業既盡，舅姑俱五十有餘，彬有女弟在室未嫁。初氏則摒擋奩具，稍市薪米，取楊柳枝，劈績麻縷，編爲糞箕，若汲水器，日易可數十錢，搘拄歲月，未嘗仰助於人。姑劉，得春繼室也，晚年目不見人，然性嚴毅。初氏每見，必怡聲柔色，僅免譴謫。嘗嚴冬汲井水，水凍，手指著缶輒凝爲一，置缶膚墮血出，而姑方召語。初氏忍痛，强爲歡笑聲。姑徐察訝之，固詰，得其情，因執手欷歔，撫之曰：兒何至此！由是遇之和于前。劉嘗病頭風，筋牽脉作，痛徹心髓，晝夜號呼，謂：婦速拯我！婦速拯我！初氏徬徨無如之何。中夜見老嫗，雪鬢髮，語初氏曰：若姑病入膏肓，醫藥所不理，惟得人肉可瘥。言訖，忽不見。初氏未解所謂，明日命子銑亮詢巫者，乃謂按法當於夜半焚楮禱北斗神乃可愈。初氏則燃燭庭中，密取鐮刀，啟左臂割肉駢三指許，置香几上，爇火燒脂，匍匐下拜，臠肉忽然躍起，載火旋繞，若舟移水面，僕僕有聲，火盡乃止。跪起視姑卧榻，則呻呼遽息。是時子婦及夫妹驚起，詢之殊無痛苦，視臂亦無血衂，按坎知創，相與錯愕。及歸寢，忽見暗室中霽白有光澄，視益真，良久始散。明日姑疾竟起。人謂誠孝獲天祐云。永清周志。

楊氏，楊恂女，永清縣人，李名賢妻也。年十八，歸名賢，家貧不能自活。三年，名賢死，遺子泉甫周歲。勢益零丁不可支。名賢季父棟，諷楊他適。楊抱孤兒，晝夜號泣不肯食。棟亦惻然動容。然而所居一室，編茅，僅避風雨，棟爲寄宿僧寮。楊勤女紅，易斗粟餽棟，饔飧未嘗闕乏。會大水，涉旬月不能舉火，則預儲善食食棟，自取糠粃，剉榆膚作屑雜咽之。後棟病風痺，手足不能自運，乃迎棟歸，結葦幛室中，取蔽内外，而飲食湯藥，扶持朝夕，殷勤無倦容，棟病中思榆莢初芽者和麥屑爲餌食。楊求得榆林，引繩緣樹登其巔，方捋取，閒俄而枝折，人從半空摧墮地上，望者驚譁。徐見楊端坐不爲動，自謂空中若有所憑，如神助云。棟之病且死也，時恍惚若見鬼神，語楊曰：新婦勉乎哉！余見神人告我，上天感新婦孝，俾爾子力田以富，孫當讀書以甲第起其家。楊晚年，家漸起，乾隆三十九年卒，年六十四。明年始得請旌於朝。（永清周志。）

李氏，東安李俊彩女，永清温得珠妻也。年二十，歸得珠。得珠早失恃，父錫娶後母，生二幼弟，得珠不爲父母所愛，叔父鏡亦時時撻楚之。得珠由是得疾，類狂易者。及娶李，舅姑惡其子，遷虐及婦，李能婉順以受，又私語解慰得珠。得珠或稍悟，起居父母，父母輒撻逐之。其後顛益甚。一日晝卧，其叔父鏡自外呼之，不應，鏡怒，將痛笞之，得珠疾起遁去。父有女弟嫁別村，因往投之，叩頭呼：姑救我！姑救我！其姑詢之得實，因流涕曰：癡兒何至是耶！遂留命飯，將挈以歸，爲之營解，得珠遽趨舍後，投井中死。訃至，父母不哭，李泣請治殮，僅乃許之，時在雍正甲寅也。是年，李遺腹子經元，撫以守志。舅溺愛後妻少子，又恐經元長將析産，强李使改適人，不可，則與其姑用非理凌折之，至不可堪。李度終不見容，則抱孤兒上堂，泣誓于姑舅曰：婦人之義，夫死終守夫室。今新婦不肖，不能事舅姑，爲舅姑憂，願還父母家。天幸藐孤長大，歲時能以杯酒澆若子墳土，是新婦志也。新婦既不能奉事，家中粒米寸絲于新婦無分受義，他日藐孤長大，終不以累諸叔氏矣，願舅姑勉自愛，諸叔善孝養慰高年，勿復以新婦爲念也。再拜出門，慟哭而去。道旁觀者一時俱爲雨泣。是時李父俊彩家亦貧，憐女苦志，與諸子謀養贍之。李又泣曰：女子適人，無返食兄弟義。今不幸處此，願父爲兒籌畫生計，俾寡婦孤兒得自食力。再假一椽，可庇風雨，於願足矣。俊彩爲賃地數畝，李躬自耕種，晝勤樹藝，夜治鍼紉，父兄又時時給助之。經元漸長，頗能勤業，就外氏，娶婦成家，母子作苦三十餘年，而業田及頃畝矣。後温錫老死，繼姑所生俱不肖，家業凋落，兄弟又相繼卒，姑衰病無依，李聞之卽挈子婦諸孫歸于温，起居姑氏床下。姑執李手唏歔流涕曰：吾甚慚吾婦也！由是相得，異於平時。未幾，叔鏡亦死，無子，其妻與諸叔娣之嫠者，皆仰食於經元。經元有四子，俱能力田孝養，今李氏有曾孫矣。永清周志。

張氏，增生張榮女，永清武生程大禄妻也。初，大禄父量廣，有田連頃，家饒於貲，自以家世農夫，不獲以儒業顯，喟然曰：吾得見諸子有着青矜、齒黌序者，死不憾矣。大禄獨感憤讀書，以文詞就童子試，不遇，憤甚。去就武選，甫獲雋爲武學生，得咯血病，家亦駸駸落矣。雍正壬子，張年十九，歸大禄，孝於舅姑，友於娣姒。大禄方汲汲於進取，閨門以内，曠如路人。甲寅，大禄病甚且死，欲張守志，而意良不忍。顧張目兄嫂曰：幸善視之。張喻其意，卽雨泣曰：婦人之義，與人居、養親、長子，老則其身終焉。巳與君爲夫婦，恩愛日暫，雖然，請畢其久者，君毋爲怛化。大禄於是釋然就含。越三日，舉遺腹子玉書，遂撫育之，意甚安焉。己而伯氏卒，其姒貧，不能安其室，而叔氏亦挈其妻往姻内家，舅姑俱老病不能興，張獨支持門户，晝採薪芻，夜勤鍼紉，日易升斗以奉舅姑，能使舅姑一若不知其家之遭中落者。如是數年，姑歿，又二十餘年而舅始歿，然益貧不能支。玉書生數年病風攣，手指不能自運，以此益無所爲生計。父家稍温飽，自舅姑未歿時，亦稍稍資給之，至是始就養於兄子，然而終身無有怨言。永清周志。

索氏，索之禄女，永清王興邦妻也。年二十一，歸興邦。王家世業農，稱温飽。興邦性恢達，好酒善談，厭棄農業，去而學賈。賈業略通其意，又不屑屑權錙銖。同業者盡其利，而興邦枵然廓落。乾隆丁巳卒，家業凋索，遺子三省，生甫四年，業田僅十餘畝，不足自活。索奉養其姑，雖甚窶，甘旨無缺。姑爲興邦繼母，攜前夫女，幼育於興邦家。索與交懽如手足。比嫁，盡出其奩以爲資遣。其女感激言曰：余生不幸有二父，今始知嫂又一母也。後姑疾將死，卧床笫者凡五、六月，索爲衣不解帶，奉事周給。姑謝之曰：余胞裹子女不及是矣！索自奉刻苦，力於役作以佐生計，業田傭值無所出，輒自耕耘。嘗種二、三畝許粟，種下，土須壯男蹴踏，俾上下實，乃得苗生。索無所得人。足纖小不任力，則著男子履，實絮其中，扶杖作力踐踏。終畝，至足僵戾不能屈伸，然後已。夜歸，復治鍼黹。己女遣嫁，資送不敵姑氏女十之三。女曰：我母女不敢望祖母女，兹所以爲我母也。比三省長成，力田勤業，雖不若興邦舊時，而視索守貧年，則倍蓰矣。永清周志。

宋氏，宋守貴女，永清趙振世妻也。生十九年，歸振世。乾隆丁巳，振世卒，宋年二十有四，遺子又彬，生始周歲。宋撫以守志，孝事舅姑，老、疾、喪、葬，能盡誠信，合於禮宜。家貧，以女工自給，依振世從兄振銑以居。振銑無子，伯姒宋卒，振銑再娶王氏。王重醮婦也，性騃滯不慧。振銑卒後，其黨有無賴子利振銑遺業，誘王使析居，宋執不可。復誘振銑二女子，使毒詈之。二女幼穉未有知，於是以惡語相侵，王從而佐之，至不可堪。宋念伯氏既亡，遺業不守且散，姒性駃而從女俱幼，匪人又從而惑之，無可與辨析者，不得已，爲析爨以炊。宋去而其黨欣然得志，狼咽豕饕，蕩廢振銑遺貲殆盡，復欲鬻田，田業故未券析，宋力争之，僅得不鬻。未幾，王卒，二女亦長成知事理，於是迎宋合居。其黨無所恃，乃不敢侵擾。宋辛勤經理數年，悉復舊業。其鄉人謂如風雨飄摇、破巢病雛、無復生理，宋爲營構締結、哺㲉刷翅、瘁瘏爲勞。蓋善狀其實也。遣嫁二女，厚爲奩資。又嫁振世女弟於閻。閻夫婦相繼卒，孤甥標，依宋以居，爲之娶婦。婦卒，復娶繼室，至今猶撫養之。伯氏卒，無嗣續，以己子又彬爲之後，謂伯氏支屬爲長，義不可絶。及又彬生子爲棠，還爲振世孫焉。方振銑之卒，有水宕十六頃，與振世猶未析券，鄉人欺宋孤弱，謀侵蝕之，盡拔畫界木植。宋號召族黨，無出應者，因持牒躬訴縣庭。知縣于昌親鞫之。宋歷陳家事顛末，詞旨酸楚，理解清辨。于爲悄然動容，即命植木定界，申禁不得侵漁。宋乃得以安業。歷歲既久。水宕淤高，菰蒲葭葦之利，十倍于昔，子孫由是起家，稱小康焉。宋年六十有五，又彬、爲棠俱生員。又彬於乾隆甲申列宋節行聞於順天學政，學政故吏部侍郎程名岩書勵志丸熊旌其門楔。永清周志。

張氏，甯河邵聯瀛妻。聯瀛歿，氏年二十八，無子，忍死。承舅姑言，立侄蘭谷爲後。時方弱齡，飲食教誨，罔不盡心。蘭谷承母教，爲邑名諸生，居常以甘旨進。氏必却曰：吾義當從汝父於地下，惟汝故，留有待，啜菽飲水足矣，况我家腐菜素風，慎無違先人儉德也。尤勤女工，朝起紡績，至夜半不輟。家人勸之，終不聽。後蘭谷又亡，媳王氏年二十有七，無子，撫棺慟曰：吾厚望夫子光大門閭，今已矣！未亡人其相從於地下矣！既而以孀姑在，不敢損生，於是忍死從義，立嗣，朝夕奉侍益謹。姑時思子，氏多方排解之，而心愈自凄切，逾三年，竟鬱鬱以歿。疾甚，猶以不克終事老姑爲恨。氏形影獨弔，悼子悲婦，意愈悽然。乾隆三十七年，氏年七十，乃得旌。甯河丁志。

張氏，永清王進才妻也。初，進才居貧。有老母，與兄進忠佃确地七八畝，不足自存。兄先娶貧家女，又不能養。張父力農稱小康。女年十九歸進才，資遺頗完具。老姑甘旨、伯姒衣飾，若進忠兄弟田力有所不給，大率取給奩中。奩資既竭，則乞貸父母家。張父母愛其女賢，常資給之，故終姑世，伯姒門内不聞愁嘆聲。後父家亦貧，而姑與伯姒亦相繼卒，進才病卧床笫，張勤女紅，餐菲糲而以善食食進才。進才卒，張年二十有九。有諷以他適者，泣而不對。撫孤子永安、永治，至于成人。永治爲伯氏後。當進忠歿時，進忠妻父挈永治去。及娶婦遣歸，而張亦爲永安授室，從昆娣姒，亦能孝事張，相得無間，如進忠兄弟時。然貧益甚，兄弟力作於外，二婦早起晏息左右，于張雖爨火不繼，未嘗見戚戚也。永治又殀，嫠婦依于永安。舊志曰：余于張氏，不難其節與孝，而難其能友于伯姒也。末俗風靡，兄弟家事小盈縮即思析居，婦人守奩中物，而不據爲己有，且使姑與伯氏仰給終身，非深明於大義者，孰克與此！其後食貧而終無間言，噫！難矣哉！永清周志。

劉氏，永清劉有和女。生三年，父殁。劉幼依叔父有美。年二十有三，歸李文燦爲繼室。文燦有老母，其前室遺子瑞生八年矣。文燦貧甚，兄文燿早卒，嫂挈遺腹子恭嫁於張氏。及劉歸李，張氏請反其孤。文燦母欲弗受，劉請撫育，存伯氏宗祀。會歲大祲，夫婦力作奉老母，育二穉子，日食粗糲，升合猶不能給。而文燦負鄉鄰子母錢，積累無算，天性樸訥，見責負者面輒發頳，既度力不能償，遂托經營，出門遠遁，自是不復可蹤跡矣。當是時，姑老多病，瑞方十歲，恭生才七歲，劉扃户一室，力勤女工，併日計食。其叔父有美稍稍資給之，因得撙節旨蓄，措拄朝夕，而仰事俯育，未嘗有乏事焉。姑晚歲目不見人，不能悉家中事，而劉侍姑前，未嘗作咨嗟語，告訴困窮。姑疑劉别有儲蓄，私用美食，故以常餐進己，乘間密詢瑞、恭，使搜剔劉所私饌。瑞、恭皆幼，未有知，搜所貯，得稗實稊米，雜糠屑其中，既非常御，轉以爲美食，陰取進姑。姑嘗之得實，於是感激泣下，以謂：吾今而後，始知吾新婦也！後姑疾且死，唏嘘曰：吾念燦也，未嘗一日釋於心。吾新婦支持良苦，我對之傷於心，不忍言爾。瑞與恭非新婦出，吾初慮其不毛裏也，故力護持之，而今而後，二子其勿忘母德哉！姑卒，劉貧甚，不能喪。鄉鄰高其義，争醵金助棺衾殯葬，所居賃室，爲主者鬻於他姓。李氏族黨相與鳩工，創一室，俾劉安焉。時叔父有美官河西務把總，或勸劉往依之。劉曰：二子未成立，往依叔父，得給衣食，則終身不復知稼穡艱難矣。遂堅忍自守，教督瑞、恭，恩而有法。瑞、恭長，有知識，亦能率訓無違，以次娶婦成家。兄弟相與力田孝養，晚歲起家，稱温飽焉。劉幸家事稍裕，則念文燦所逋負者，其人大率非甚有餘，歲久無可稽，數人亦無肯爲劉言，遂命瑞、恭具酒食召鄉黨所習，故至其家，酒三巡，命瑞、恭請於衆曰：亡人遠游，累諸君深矣。向者煢煢孤與嫠救死不贍，固謂雖死，目且不瞑者爾。今田事幸有秋，母子得免凍餒，諸君猶不言，我獨無愧於心乎！因出紙筆，俾各具款目，自書其數。有不在座者，互舉所知，轉相告語。於是一座爲之太息，以謂劉固非常人也。不獲已，則勉書本直，固請不敢受仔息錢。比終席，得償去者五十餘緡，計數猶有所歉，而劉實薄有所餘，未能徧給，則請期以三歲。及期，又如前法，凡文燦所逋，雖粒鹽勺米之負，無不擴然以清。劉年六十有三矣，猶安儉素，勤操作。或問何爲自苦如是？劉愴然曰：吾思亡人之不及見也！永清周志。

韓氏，韓國偉女，永清葛士廉妻也。年十七，歸士廉。士廉卒，遺子滋，生甫十歲，有二女，俱幼穉。姑牛，以老年喪子，悲哀成疾，韓奉侍左右，輒爲歡笑解慰。其姑視其寢處，淚漬熒熒浮枕簟也。未幾，姑卒，兩喪洊舉，家益凋落，無以資生。初，士廉家故温飽，好藝植，鬻田得價，輒賃他人田種之。鬻直多，賃直寡，計鬻十畝資，可五十畝賃直也。以此權子母，自謂得算。已而歲屢祲，賃田既多，大耗糞蒔，而鬻田不可復還，由此家計益困，所餘業田，或更賃於人。韓既寡，無所倚藉，業田四畝，不能出傭直，則率子女躬履田間，蒔苗耨草，日炙肌膚，面手皸瘃，不以屑意也。然自是歲屢有秋，業稍稍復，能齧辛茹苦，搘拄歲月，俾子滋附村塾，卒業詩書。其後束修不給，不得已欲廢業。塾師故生員何峻，察得其情，固命勿具贄，乃得不廢。夜課無膏火，則爇薪以代。每晚自塾歸家，就明間與食，食已，韓持葦薪盈束，就案啟書囊，出所業編，抽薪炷火，俾滋就讀，度一薪盡，可默識三數行，須熟復再四，乃更燃薪，薪訖，復憶如前。如是往復，盡一束薪，然後寢息，以爲常。後滋業有成，能文詞，爲生員，授徒得資脡脯，而田事所獲，亦浸豐饒，娶婦，嫁女，皆韓力經營之。晚歲，諸孫滿前，家事無乏，稱小康焉。將卒，命諸孫無廢儒業。永清周志。

蔣氏，永清縣人張富妻也。乾隆壬戌，歸于富，年十有六矣。丙寅，富卒，蔣方有身，哀毀逾禮，不爲激烈滅性。其年生遺腹子維泗，撫孤守志，能孝事舅姑。夫有祖母，年老多病，嘗墮階傷足，轉展牀笫間，寢興動止，非蔣不適也。家故貧，粗可具饘粥。舅永泰，豪酒好賓客，不問家人生計，親故至其家，必命具饌，而家中實無甔石儲。蔣勤女工，易酒脯，或時脱簪珥、質衣具，供非時之給。有知其故者，堅不肯留，至拔關而去。永泰則故陳酒肉，舉觥自酳，或挽所不識者强與酬酢，三行酒，即豪啖狼籍，往往主人先醉，頹然寐去，鼻息如雷鳴，客逡巡引退。蔣徐出寫器具，展拭几席，以爲常。以永泰卒，家益凋落。子維泗能服母訓，爲愿農夫，以是得支持門户云。姑晚年失明，蔣已娶婦生孫矣，然扶掖左右，必躬親之，弗以委子若婦。姑每謂人曰：昔先姑傷足，非新婦不爲杖；今老婦喪明，非新婦不爲燭也。永清周志。

西氏，國梁長女，永清生員蘇廷燧妻也。生九年，喪母，依于祖母，得祖母歡心。年十九，歸廷燧。廷燧家世業農，三兄皆力田以養。廷燧獨發憤讀書，未冠爲生員，益自攻苦，體素羸，積勞成瘵，親迎具禮而已。西始入門，解粧侍疾，起居孀姑，與伯叔娣姒相得如女兄弟。不數月，廷燧卒。西飲泣無聲。家人察其無求生意，而廷燧三兄婦方有身，議以所生男爲之後，於是稍稍安焉。而伯氏生子廣，命西子之，成西志也。西既撫伯氏子，遂孝事其姑，不爲憔悴悲傷，謂恐傷姑氏意。姑嘗病瘡，偃蹇床笫，凡數閱月。衣不解帶，摩娑搔抑，無不微以中也。捧持起居，無不曲以適也。伯氏、仲氏感慨言曰：服勞可能也，達於無形無聲，是其難能者矣。姑疾且卒，囑伯氏昆弟曰：季婦賢而居嫠，且善事我，我死，若曹善視之。伯仲俱敬承母旨，終其身未嘗議析爨焉。嗣子廣，讀書爲生員。（永清周志。）

彰氏，不詳其母族，永清張之秀妻也。生七年，喪母，能得繼母懽心。年二十，嫁之秀。張家世業農，至之秀始讀書。能文詞，屢困童子試，積勞成瘵，竟以不遇終。彰年甫二十有八，遺子鎧生八年。之秀之將死也，以母老子幼，家無恒産，欲彰守志而無以慰藉之，因言老幼無以爲久遠計，則瞠目視。彰覺其意，卽慷慨曰：君爲儒冠誤，不可復農也。賃田勤耕作，足以供炊銼；鍼力縫紉，足以給用。老者請養之，幼者請育之。未亡人不死，君則何患焉！之秀頷之而瞑。其行事俱如告之秀語。之秀有二弟，其仲出嗣從父。後季婦早夭，季鰥居無以資生。彰獨事舅姑，老、病、死、葬，俱能稱盡心。舅姑之將死也，以謂：之秀縱不死，業儒有成，余夫婦獲享其實，不過若是已爾。（永清周志。）

曹氏，生员之瑚女，永清張其蘊妻也。年二十一，歸其蘊。其蘊先世以農業起家，饒于貲。至父學詩始讀書爲生員，家亦浸落。乾隆壬戌，其藴卒。曹年二十七。長子和，甫五歲；次子穆，生匝歲耳。學詩早卒，姑張氏年老多病。其藴兄弟五人，以貧故，就食於外，惟仲兄同居。仲亦生員，惑婦言，不能孝事老母，姑就養於曹。寢止一室中，棟宇陋敝，不掩風雨，則編葦爲席，牽蘿補之。仲氏屋脊相屬，召工人葺所居室，惟畫界自新而已。仲氏婦得私飲食，恐和兄弟見之，則扃其户。和兄弟從門外偵視，或牽衣啼索。曹怒笞之，以謂孺子羨人所有，稍長，且何所不至耶！曹故端飭，既寡，容色未衰。東安有大姓郭某，家貲累鉅萬金，慕曹甚，欲聘爲繼室。媒之，不可。乃重賂其父之瑚。邀飲其家，款洽備至，酒半，出寶匣陳之瑚前，實金珠其中，光彩照耀一席，且曰：以是爲若女聘。其允，翁無憂窮乏也。之瑚爲所動，持匣詣曹，顧難於詞説，逡巡啟匣，置几上，目視曹。曹覺其意，立起碎之，泣謂之瑚：父生兒且三十年，奈何不知諒兒心耶？之瑚慚退，反命于郭。郭愈重之，復啖其弟，詭謂母疾也者而迎曹。曹歸，其母與姑姊妹日夕説誘，且曰：從彼，今日窮嫠婦，明日富室孺人矣。曹憤甚，不及駕車，疾馳去。王慶坨距家四十餘里，不遑顧也。其弟控衞追送之，出門數里外始及乘，狼狽歸家。自是足跡不踰閫閾，寄語謝父母：兒不肖，不能順父母意，從今以往，當如兒死，無復存問爲也。方郭某將聘曹，仲氏亦預其議，至是亦爲感泣。其先塋有确地五畝，仲以歸曹，使給饘粥。鄉鄰亦高其節行，思周卹之，而曹義不受無功粟，則屬以刀尺縫紉之事，故厚其工貲，以將意焉。由是日給得無匱乏，終養老姑，撫育二子至於成立云。（永清周志。）

陳氏，方洪寬繼妻。陳本浙人，媵於通州鄭姓。時洪寬爲鄭僕，事主能盡力。妻陸歿，主命以陳繼之。陸遺女五歲，陳撫如己出。年二十九，洪寬歿，無子，或勸改適，陳以死誓，願終身役於主家。居恒習爲勞苦，操作不怠。主嘉其貞，亦厚待之。主歿，主母及幼主俱嬰疾，陳代理殯殮，罔不中禮。撫前室女，長字於韓，旋夭。陳泣曰：悔未早葬若父母，致女不得見也。乃奉夫及前室喪，請於幼主，葬鄭塋之隙地。鄭氏埽墓亦附饗焉。陳役於鄭，凡遇幼主弟、妹、子、女婚嫁及主母喪，靡不竭誠殫力，且出所積貲以助匱乏。其幼主通州舉人、候選教諭英，述其堅操義行甚詳。苦節四十四年卒，年七十二。（通州高志。）

皮氏，通州庠生王懌妻，滁蘇衞千總毓秀女。年十七于歸，事舅姑孝，相夫以賢能著。年二十七，夫亡。子二：長文元；次文翰，甫周歲。皮絕食欲殉。時小姑貞女蘇王氏在室，力勸之曰：嫂若死，嫂爲其易耳。襁中兒，忍累堂上耶？乃勉進飲食，以仰事俯育自任。舅以喪子故，悲憤不解，舉止異平時。皮慮有他變，延至戚相慰，自跪舅前，泣告曰：願翁念此二孫，勿過傷，使媳與孫無依也。舅稍紓憂。越三年，舅歿，家益貧，外家亦莫能助，乃請於姑，以所居餘屋分賃，得租度日。奉姑惟恐失意，身則凍餒無怨言。姑憫其苦，幾欲奪志。皮以死誓，日勤鍼黹，教子讀書。文元年十四，徙他業。文翰就塾，每歸，必叩所課，頻督夜讀，稍懈袒背示之：有瘢痕二寸許，寬盈寸。謂文翰曰：汝父病亟，我割肉以進，卒不效，即欲身殉，爲汝輩苟活，乃不自奮耶！文翰悟，乃力學，年十五，補諸生。皮素曉大義，夫未歿，小姑許於蘇，未字而寡，欲奔喪，皮重其貞，躬送之。王貞女已奉旌表，皮事姑終身不怠。姑臨終謂孫婦曰：汝姑善事我，汝輩爲我報之。教二子成立，俱爲擇婦，苦節二十九年，乾隆四十八年旌表。通州高志。

馮門雙節：張氏，通州馮書雲妻；王氏，廩生馮書爵妻也。張、王本中表兄弟，同歸於馮爲妯娌。時姑高年七十餘，多病，兩婦奉事極孝。王年三十，書爵歿。張年三十，書雲歿。所遺子女俱幼，姑病日篤。兩婦哀毀中侍奉湯藥，旦夕不懈。及姑歿，各罄奩物以營殯葬。自是家益匱乏，諸孤待哺。兩婦力勤鍼黹育之，雖身至凍餒，相處絕無怨言。王苦節十六年，以勞瘁嬰疾，頻危，囑張善撫其子女。張如言，待如己出。書雲子秉銓，書爵子秉鈞，皆成立，能篤友于，人謂其善承母訓，且天所以報兩婦節孝也。王卒，年四十五。張卒，年六十九。通州高志。

鄒氏，鄒某女，永清蔡浩妻。幼養於歲貢生張某，乞以爲女。年十五，張爲許嫁於浩。浩父早卒，奉母依叔父景維以居。浩性騃滯，不爲景維所悦。鄒年十九，浩卒，遺子生才數月，鄒撫孤，上事王姑與姑，能盡孝養，景維亦憐愛之。姑後得疾，類顛痴者，居常啼笑無時，毁裂所用器物，無有完好。又時時撻詈鄒。鄒怡然順受，惟潔清洒掃，俾王姑、叔舅安焉。王姑晚年病風痺，手足不能自運，而飲食輒如常人。鄒左右服侍，跪起進餐。王姑心憐之。王姑卒，景維經理於外，門以内鄒主持之。喪葬具舉，無愆於禮。未一年，姑狂易轉甚，疾勢漸不可爲。鄒朝夕奉事，衣不解帶者凡數閲月。卒，鄒哭必盡哀，經營附身附棺，無有廢事。景維無子，鄒固請納妾。妾又無出，乃撫他姓子爲嗣。鄒教其子以叔父事之，無敢失禮。景維卒，疎族利其家貲，輒持外姓子不得主喪，鬨於庭中。鄒出捍衛之，以謂是叔舅所愛者，如以謂他姓不可瀆宗，則親莫如我。我乃有二孫，獨不可承叔舅重乎？市道論財，吾不忍爲耳。於是疏族乃不敢言。子某，爲國子監生。永清周志。

任氏，任恩次女，永清仇致廣妻也。生五年，失父母，與兄姊依伯氏居。伯氏婦李，繼室也，不甚相顧卹。任常病疫，家中人不知任生死，病愈，亦不知何得免也。及李病，任年已稍長，奉事湯藥，如羞其母。李卒，任哭盡哀，人以是異之。年十六，歸致廣。

孝事孀姑。仇故饒于貲，任自奉儉約，一如寒素。與致廣相敬如賓。乾隆辛酉，致廣病甚，夢屠人持刃刲豕。自以生年己亥，於辰爲豕屬，知不可瘳，持酖欲自殺。任奪棄之，爇香禱天，請以身代。致廣竟不起。任時年二十四，長子永齡生四年，次永祥生始七月，有女二。永祥生七歲而殤，任爲永齡娶婦，遣嫁二女，力經營之，門無廢事。乾隆庚辰，永齡亦夭，婦燕無子，勵志守節。永齡之將死也，夢官吏持文書若勾捕者，視之，有永齡名。左人曰：是任氏子，其母苦節，盍舍之。其人曰：是有定數，不可如何者也。初，致廣昆弟三人，伯曰致方，仲曰致遠，致廣其季也，久析居，不相聞問，而致廣與致遠素不相能。及永齡死，致遠欲以己子爲任嗣。任固不可，乃以致方孫雲龍爲永齡後，俾燕撫之，成其節也。致遠後官河工縣丞，虧帑金無算，事發，將抵死。任爲鬻田産，償所負金，乃得罷歸家居。貧甚，任又貲給之。致遠頗慚悔，將死，語其子曰：季母之德，不可忘也。其子貧甚，不能喪，則又藉於任。雲龍所生父丕勳亦貧乏，任周乏終其身。家濱永定河，乾隆丙戌，河水泛溢，乃遷南關。當河溢時，田禾及居民廬舍俱在水中。任所居室垣牆堅固，水不得入，鄉民遭溺無所歸者，任使盡舍其家，避漂没。室故寬廣，老幼男婦，歸者如林。任命塗門塞户，防水沖決，集家中人，自據正寢，盡徹廳事堂、除周廓列廡，俾避患民，分別遠近，各依族屬部行班止，環拱中室。

大出薪粟，計口授糧，老幼相扶，男女隊別，爐竈井汲，部勒肅然。數日水患漸平，全活者不可勝計。年雖老，猶持家政，肅然有條。子婦燕惟起居盡孝而已。燕，同里萬箱女也，年十七歸永齡，後二年而寡。或勸改適，則涕泣曰：吾姑與王姑皆累世執節，我墜其家聲，誠何心哉！蓋永齡祖母楊，夫華早卒，亦以節著云。燕既撫雲龍，雲龍幼穉，燕化之以德。姑有二女，燕友睦之，若女兄弟，其季適人，夫家貧乏，燕輒告姑，時周給焉。或脱簪珥，鬻奩資以佐姑所不繼。又念其姑節行無所表著，私出所蓄奩資，俾中表兄生員劉錡爲請於府司，得旨旌表。永清周志。

燕氏，葉可興妻，永清人。年十九于歸。越六年，可興卒，遺子有聲才三歲。燕泣不慘聲，悲不形色。夫弟可儒，年僅十四，察燕意似不欲生者，而無以爲辭説，每見燕，輒涕漬不能自休。燕喻其旨，因曰：若欲我不死耶？若宜勉自愛，砥礪有成立，毋爲非誼，辱先人家聲，我爲若勉留一息，終事老姑，撫此穉子矣。可儒泣諾。可儒少跌宕，不可規矩，自是率燕教誨，過于嚴母。燕事姑雖甚困，必備甘旨。姑甚愛幼子及孫，食必與偕。燕度無餘，不能復進，則出所餐糲惡示可儒及其幼子，二人故幼穉，頗爲感動。每侍食，陽爲饜飫慰母意，雖甚欲食，不敢取充腸。姑嘗病目失明，醫藥無所效，燕則清齋夜禱北斗之神，經年無少懈。姑目久晦復明，豁如破翳以出，遠近聞者相傳爲異事焉。燕自是夜必虔禱，爲姑祈壽考康甯。姑後七十七年無疾而卒。可儒業儒不成，去爲農，能力田以養。有聲讀書，能文章，爲縣生員。可儒、有聲，皆娶婦成家，門庭雍睦，稱孝友云。永清周志。

郭氏，永清郭樹芝女，霸州吴繼科妻也。年十九，適吴。翁諸生石潭，繼科其次子也。先是，潭有弟名藻，生二女，無子。潭以繼科嗣之。長子殤，勢難中悔。無何，潭卒，繼科隨母王以田産歸藻。藻與同居。節婦知兩姑之間難爲婦也，奉事之惟謹。藻妻張性嚴而戾，時怒其嫂，節婦爲之調停，張弗善也，曰：新婦我所娶，而向他人！兩小姑時時媒櫱其短，張恚，虐遇之。節婦承順無違，然當盛怒之時，每驚懼失措，則又謂其顢頇不曉事，怒且詈。王氏姑私相憐之，不敢爲左右袒，輒於無人處執其手泣，以慰節婦。節婦曰：怒詈他人，誤聽耳。生子未周歲，繼科歿，臨歿囑曰：吾親也，汝善事之；吾子也，汝善成之；九原下感汝德矣。時節婦年二十一，痛絶數次，顧念亡人有遺囑，且族中有乘其孤弱而覬覦之者，强起支應。翁姑不知恤，益虐使之，日不足，繼以夜，詬誶之聲徹比鄰，聞者爲不平，而節婦心愈下、氣愈和，抱哺其子，笑語如常，恐傷王氏姑心也。或勸之曰：風雪如此惡，家且貧，苦守襁褓物，何愚乎？節婦但笑而不言。然卒不得堂上歡。兒三四歲，便令離其母。每歸甯，欲與兒偕，翁禁之曰：兒許大，無母可活，汝歸任自便。節婦若弗聞也者，忍涕登車去。父母稔知其苦，憐之曰：汝可審所自矣。節婦泫然曰：翁姑老矣，子幼，一旦舍之而去，何以見死者於地下乎！父聞言，大痛曰：真吾女也。未幾，王氏姑卒，翁姑愈嫉之，促令歸母家。既歸，日夜思兒甚，曰：得見吾兒一面，死無恨矣。忽一日心動，坐立不安，徙倚庭中，不覺移步門外，見二小兒自南來，私念曰：庶吾兒來乎？因泣下。及至，果兒，其一則族子也。母子相見大哭，言翁病痰十數日矣。節婦聞之驚，不及禀父母，徒步偕兒反。至則翁卧床上，驚哭問訊。翁遽感悟，拍床大嚎曰：負吾賢婦！負吾賢婦！於是翁哭，姑亦哭。節婦侍湯藥，衣不解帶者年餘。翁稍瘥，而姑得暴疾卒。翁病復發，亦卒。饑荒之歲，諸凡無措，而族人覬覦之者喜得而魚肉之。節婦僞爲不知，陰與兩小姑謀，悉貨田産爲殯葬資。羣謀遂息。及爲兒娶婦生子女，乃泣命兒曰：吾所以不死者，以受汝父託也。然非耐困辱而折田産，詎能全吾節以保汝身？其子慎儀以善醫名，提學者旌其門焉。霸州朱志。

張氏，永清縣張志金女，孫興禹之妻。生十五年，于歸。乾隆丙子，興禹卒，張年二十有八，子鳳瑞生未朞月。張撫以守志，孝事孀姑，能察形聲，視聽及於隱微。姑性方嚴，張能將以婉順，遂得慈愛無間。興禹疾且卒，屬張善爲計，毋慕高節名，致中悔。

張聞之，悲且憤，卽疾趨庭除，爇楮擲空中，呼：皇天后土，所不保同穴者，有如此楮！長呼至再。興禹由是坦然就含。其教孤子，雖甚愛，不爲姑息恩。鳳瑞就師授讀，性頴敏，課誦輒倍同學生，然往往易之，不肯竟學。張聞恚甚，扃户痛笞之，謂有兒不肖，不如無也。孫故豐腴，二世嫠婦，煢煢撫數歲孤，親黨過從，見鳳瑞輒如抱玉以趨，若惟恐蹶者。張至是，怒笞無少顧惜。其黨聞者，至爲咤咄，相與力解得釋。張爲竟日不餐。鳳瑞長跪牀下，泣請悔過。張則泫然流涕曰：我豈不惜兒耶！幸承先人遺澤，得無飢寒憂，若祖與考，皆賫志以没，家聲且中替，爾不任克家，先世鬼其餒，而母子之愛，緊我豈異於人！言已復泣。鳳瑞由是感憤，力學能文章。方從試有司，猝遇疾，卒，時乾隆壬辰云。鳳瑞婦楊，年始十八，無子，勵志守節孝，事其姑以及王姑，雖年少，有綜理才。嫁時年十五，張遽以筦籥歸之。處内外事井然有條理。楊母家貧，羣從於資贈外或私有乞貸，楊婉謝曰：姑治事而我以私家乞貸于姑，情也，今姑方假我事權，則寸絲粒米，非爲人婦者所自擅矣。我無子，保此將欲誰屬！惟女子事人，於法不得顧私黨爾。而夫族有請急者，輒稱姑命濟之。因曰：敦宗睦族，大義固當如是，且是於我無親嫌，亦所以廣姑惠也。御僕婢恩而有法。其有怒斥者，輒自愧曰：今見罪于少主，我誠不可爲人僕矣。居常容色温婉，然見之者謂若老師宿儒，守經執法，凛然有不可犯之色焉。永清周志。

黃氏，永清王明搏妻也。生二十年，乾隆癸亥歸明搏。壬申，明搏卒，遺子法賢，生才二年。能撫孤子，孝事其姑。姑有疾，則持被就姑宿。雖昏憊熟寐，姑小咳唾，未嘗聲不聞。有所求索，雖晦昧中亦能不移以具。比姑之卒，歷數時月。有兄公早卒，無子。伯姒撫遺女三人，黃愛之與己子等。由是娣姒甚相得。其遺伯姒女嫁，則出奩貲，均畫爲三，悉以贈女。伯姒謂：奩少留，爲若子娶婦地？黃笑曰：子婦當自有貲遺也。而家中實無所餘。賃種旗莊地十餘畝，不足日給，遭歲歉，無從得食，則將收槐樹子和麥屑作飯雜咽之。槐子味苦，刻鏤入於心脾，食不可堪，則强自解曰：是雖苦，而氣洌以清，稱未亡人志也。伯姒天性疎散，黃獨業勤，未嘗望伯姒分勞。伯姒好嘲謔，往往詆戲之言或踰閑，黃不爲色莊，恐傷姒意。每發，輒笑解之。故相處歷久，終無閒言。法賢既長，事世母如母。伯姒三女既嫁歸甯，親愛黃，過於所生。人之見之者，不能問子女爲誰氏出也。法賢以勤業起家，一鄉稱其孝睦。永清周志。

趙氏，永清縣人，高緒妻。生十年，喪母。有弟文炳，方五歲，已能撫視之，如成人。十五，父殁，偕文炳養於叔氏。慧而解事，能使叔父母愛憐之。年十有八，歸于緒。孝事舅姑及夫之祖父母，門内外不聞間言。又六年，乾隆壬申，趙歸省叔氏，緒家火夜起，焚其居。緒父子倉猝不得出，並焚死。時趙生子天佑甫三月，挈以歸甯。一夕既寢，天佑忽驚啼，徹夜不少休。趙亦怔忡警怛，若有告者。遲明，方欲辭歸，而高父子凶問忽至。趙慟不欲生，奔喪如禮。或以趙年少，勸改適人。趙泣對曰：如此呱呱者何！自火焚後，家益貧，趙以女紅給朝夕。後緒之祖父母及老姑先後歿世，凡送終之具，若春秋祀事，未嘗有缺焉。趙痛舅與夫皆死慘，終身不忍言歸甯。永清周志。

郭氏，永清縣民李文燦妻。年十七，歸文燦。是時文燦業間架市胡麻，礱磨爲膏，易錢給衣食。後歲祲，失資業，舅姑衰老，郭生子女俱幼穉，文燦故愚惰，無所爲生，私計鬻婦可半歲安食，否則日事傭作，且不得飽。郭知之，泣謂文燦：歲祲可復熟，身失不可復全也。且君鬻婦得食，食盡婦不可還，君庸免傭作耶？我固不能堪此，獨有死耳。君得值，我死，是爲負人；君不得值，我死，是兩失也。爲君計，亦左矣。文燦不悟，郭涕泣求死。郭族父士魁知其事，給短陌錢十千及四斗粟，遂得支持朝夕。郭則簸精食舅姑，次取食文燦與二幼子。自拾菽膚、雜稗實糠粃和水咽之。於是文燦乃不復言。先是，姑嘗得異疾，自腰膂達於左股，堅腫如石，僵卧牀第，不可少屈伸，晝夜呻呼，憊頓垂絕。郭躑躅無計，惟望空默禱，謂姑疾有瘳，雖臠割體膚，所不敢愛。越日，拊摩所患，中堅漸釋，如凍迎陽。郭則夜半爇香中庭，掀啟左袂，齒噙肉起，礪刃絕之，颯爽有聲，肉絶背顫，釋刀置肉，創無血刃，肉則血色，創則肉色，投肉劑火，火盡烟結，蟠鬱如雲，良久乃散。郭匍匐下拜，徐起裂繻裹創，殊無痛苦。數日，姑疾竟起。家人相慶，以謂是固弗藥者耳。是時方夏六月，郭偶炊釜炙胡麻，熱逼刀創，隱約作痛，宛轉遷避間，小姑微窺見之，固詰，得其情，詫相告語，其姑一時感激，爲之泣下，因憶疾沈困中恍若有神人蔽翼之云。郭爲蔬食四月，飲食不設鹽醯，蓋割股時所自誓也。方郭割股焚禱既已，夜分倦寐，夢中見白髮嫗促之起，曰：若姑免矣，若恐不自免，奈何？若睡，南首西面，則免。覺而面已西向，至是益神異之。初，郭之始嫁也，父家貧甚，惟幼弟一人傭力於外，父得疾，不起。郭請于舅姑，歸甯侍疾，扶掖溲便，潔清牀笫，日夕無少休。其母將死，歸侍如前，衣不解者經一月。其至性如此。永清周志。

解氏，永清縣鑲藍旗漢軍張泰妻也。父解全，力田致温飽，無子。解氏端慧，能得父心。全度支屬無可繼者，又甚愛女，罄家嫁之。解年二十有二，歸張泰。張故舊家，已中落，舅姑意甚諱之，凡祭祀賓客，歲時酬酢，小不如其先，舅姑輒引爲恥。解能體舅姑意，不自有其貲，又能資之，而使若不知出於己也。舅姑有三女，愛若男子，恥嫁女之不如其娶婦也，而難於婦謀之，則色然憂。解則盡出筐篋蓋藏，陳舅姑前，四分之，而請留其一，曰：婦家亦中人産，嚮使父母更有女兄弟三人，資遺當不過此爾。舅姑大悦，曰：余夫婦未嘗有子婦也，有女子子四人；而一女大賢孝。鄉人相傳以爲美談。解歸泰二年，泰卒，遺孤樹修，生甫數月，解撫而教之。稍長，偶出自門外來間及市井遊語，必痛懲之。樹修能率教，卒爲鄉黨自好者。事姑十九年，事舅二十年，俱以天年終。姑老疾卧床，不能起，解扶持左右，衣不去帶者逾半年，飲食藥餌，必躬必親，未嘗假僕婢手。解全卒，無嗣，春秋祀事，解必虔肅以將。邱壟楸柏，望之蔚然，過墓下者，不知其無後也。解生雍正己酉，稱未亡人，在乾隆癸酉云。永清周志。

邢氏，永清有起女，燕宗灝妻也。年十六，嫁宗灝。一年，宗灝卒。灝將卒，自以無子，邢年方少艾，欲邢守志而意良不忍，謂邢：善擇所處，我不忍强若以所難。邢慷慨自矢。宗灝瞠目良久而瞑。是日向夕，邢勞困倦極，睡夢中屢見宗灝，顔色慘戚，若欲有言，怔忡遽覺，因泣撫尸曰：我許君不嫁矣，假而人事有變，當以一死謝君，君其瞑諸！將葬，燕氏宗族以宗灝年止中殤，無可立後，而邢齒在幼稺列，於古未得笄也，議遣嫁邢。邢泣誓曰：男子有室，於禮爲成人，女子已爲人婦，無幼長也。設余生子，而夫婦一旦俱殞，子且殤父母耶？且我固誓夫以死殉矣。於是議者乃不能奪。邢孝事舅姑，勗夫弟宗瀛，毋廢課誦。謂叔氏失學，非第有墜家聲，未亡人亦不知終身所倚託矣。宗瀛感憤，卒業後爲生員。壬辰，宗瀛生子二哥，邢撫爲嗣，在童子塾中，歸家必令默所授書，有訛誤必令熟復之，然後卽寢，未嘗稍事姑息。永清周志。

九兒，姓江氏，永清人。父永年，吴氏僕也。九兒美容色，性莊嚴，自幼穉時，處羣婢中，不苟爲言笑，家人異之。及吴女歸滿洲德隆阿，以九兒媵。時年十有五矣。慧而解事，爲主所悦，遂薦寢。已而吴女病且卒，囑以九兒處側室。吴母悼女之死也，則懟其壻，取九兒歸，欲治裝嫁焉。九兒因跪請曰：婢子身已屬郎君，雖固微賤，亦人倫也，主奈何使婢子有二天耶！哀請至三，終不許。嫁有日矣，九兒則盡出衣飾，分贈僚婢，作遺施，乘間出門投井死，年纔十九，在乾隆二十四年夏也。永清周志。

趙氏，霸州士毅女，永清生員劉維屏繼室也。生三歲，伯氏士宏愛之，育爲己女。及長，秀慧著於閨中。維屏既喪偶，乃議繼室，媒妁紛然，維屏母高，稔趙女賢，乃求爲婚姻。趙始入門，與伯仲娣姒相得，如女兄弟，鞶帨絺繡，酒漿筐篚，俱有典則，能得姑氏歡心。初，維屏從父熫卒，無子。父熑以維屏爲之後，已而熫妾舉遺腹子，維屏還歸所生。熫妻賜維屏田二十五畝，爲熫作遺施，及維堧兄弟析爨，五分熑産，而僅以熫遺二十五畝歸之維屏。維屏欲有言，趙慰之曰：男子不自食力，惟仰祖、父所遺，愧已。天壤之大，功名富貴，學術事功，何者不可自取，而斤斤井湫之下，争升斗水且傷骨肉和耶？維屏亦笑而罷。兄弟議母所養。母曰：第五婦賢，吾依于第五，足娱我晚年。

卽挈養贍田，共維屏居焉。維屏受田少，不能自贍，授徒京師，資脡脯所入，以供滫瀡甘旨。又攻苦力學，得咯血病，未幾增劇，歸養于家。趙力扶持，拮据經營，不敢言家計盈縮。維屏將卒，顧老母不得所依，趙力自任。維屏瞪目而瞑。趙時年二十有九云。維屏既卒，兄弟以趙嫠處，欲迎養高。高曰：吾得趙氏婦，朝夕左右，吾安適焉！雖三烹五鼎，非所易也。卒依于趙。趙無子，擇叔氏少子錡爲嗣。趙因撫錡及八歲孤女，教以幼學。錡自家塾課歸，必令默誦所受經書，成誦則喜，偶有遺脫，卽懲戒之，不爲姑息。教女習繡，或舉古大家能率婦德徵引故事，示訓迪焉。侍姑晨夕無間。姑倚趙如左右手，每朝夕食，雖一蔬羹，必躬自滌潔，調和以進。姑每食，未嘗不甘。自餐菲糲，撙節儲蓄，家事亦漸充裕。姑卒，伯仲以趙孀居，且未授產，議兄弟五人均出資財襄事，不徵趙金。趙曰：姑生與我相依，姑歿而我無與其事，于心安乎！且我固言，男子不仰遺產，又何以分授爲也？卽竭力營數十金，納于伯氏。伯氏爲之感歎，而喪費適以足用，因量其貲，益治觀美，以謂志弟婦孝也。趙初育于士宏，士宏家故豐，其後凋落，又無子女，晚年病疥，偃蹇牀笫間，趙貲助終其身。士宏婦王就養于趙，及卒，棺衾殯葬，俱當禮則，鄉人以謂養女如是，卽生男亦何加焉！性惠慨，自奉能約，而恤患拯貧，輒無倦色。有傭工，壯未有室，趙助之婚。其人無以養，卽令以家自隨。門有孺子丐者，趙熟視之，則鄉鄰魏氏兒也。詢其所自，則以年飢，父母、兄妹分散，無所蹤跡。趙留養之。其後夫妻子女復聚如初。趙年六十有四矣，子錡爲廪膳生員，淳謹樸愿，重于鄉黨，皆趙教也。錡女適邑人孫鳳彩，乾隆丙申，鳳彩卒，劉年十九，爲婚方匝歲耳。是年生遺腹子，劉撫以守志，雖年幼卽已堅凛若老成人。每歸甯，趙引與同卧室，時時述己舊事，爲之典型。孫氏人以謂于是見家範焉。（永清周志。）

康氏，薊州生員何希聖妻。年二十四歲而夫亡。遺一子鈞，甫週歲。父母哭之曰：何氏書香自此隕矣！恒鬱鬱不樂。氏上侍舅姑，下教幼子，稍長卽勉令就塾，歸令背誦於祖父母側，以慰老人心。鈞竟少年食餼，後以例貢肄業成均，爲里中佳士。乾隆二十五年學憲旌其閭曰：義方淑節。（薊州沈志。）

盧烈女，佚其名。據密雲縣志云：邑人王鼇瓚作詩贊之，而不言事實。今附録其詩云：古人烈女傳，千載稱羅敷。羅敷雖可傳，自解爲有夫。豈如彼姝子，母嫠女幼孤！母操懍霜雪，女貌賦雲荼。庶幾得所天，反哺報慈烏。一旦崑岡炎，玉石燼無殊。運蹇值凶暴，倚勢求歡娛。烈女獨自奮，顧母長哀呼。伉儷非媒妁，有生不如無。懼彼白玉玷，甘碎明月珠。一室雙雉經，行道爲心吁。盧家有少女，綱常賴爾扶！

王氏，王自平女，永清孫志金妻也。年十七，嫁志金。越六年，志金卒，遺子煥，生纔四歲。舅姑俱年老有疾，舅目又失明，哀王年少，家故貧，欲使自擇所處。王哀咤曰：是殆禽視而豕教我也。我不忍聞。即勤力操作，强舉粗重，示可久狀。王質故纖柔，善女紅，志金生時，蹤跡未嘗越户外。至是，舅姑見其所爲，相與歎息，每出樵汲，必與幼子偕。嘗冬日汲水井上，失手墮缶井中。母子傍徨，無如之何，乃用長練束子腰膂間，繫端大樹之本，俾蹣跚伏井幹上，窺良久，僅乃得之，取供晨炊。其强自力，苦如此。然稍間暇，必率其子詣村塾中，以女紅所餘贄童蒙師，且曰：固不敢望成名也，孺子讀書識字，能粗曉大義，不爲禽息獸處，庶幾人爾。王既習勤苦，煥漸長又善經營，舅姑老病，喪葬未嘗仰助於人，家無乏事。其初，佃人确田二十畝餘，晚歲有田連頃畝矣。其卒也，孫曾滿前，子婦俱善孝養，人以是樂稱其晚節云。永清周志。

孝女牛氏，昌平州人，性至孝，無兄弟，矢志不嫁，操作如男兒。父母既殁，有問字者，辭之曰：吾不忍舍父母於生前，忍舍之地下乎！年逾七十，殁於家。族人爲立碑墓側。事在乾隆五十年。昌平宋志。

周氏，昌平人。年及笄未字，父母相次即世，遺兩弟，一五歲，一二歲，號寒啼饑，動輒呼姊，女遂矢志撫弟，誓死不嫁。及弟長，爲之婚娶。女年已三十矣。弟念姊撫字恩，欲爲擇配。女弗許，曰：弟已成立，吾事畢矣。遂退處一室，鍵户獨居，不與人見。弟婦早晚饋食，皆自牖納之，如是者三十年，年六十而卒。昌平宋志。

李氏，薊州生員盧憘妻。年二十八歲，夫亡，遺一子，甫週歲。立志守節。家極貧，以鍼黹爲生計。雖藜藿不充，處之若固然。一日，子匍匐入井，氏見之情極，卽亦投下，置兒腹上，浮水面以號。鄉人急救之，得不死。問以不沉之故，則云：初下時，以母子俱無生理，未幾，若有物負之者，兒亦不知何以躍赴腕下，遂提置於腹。人皆以爲有神佑云。薊州沈志。

董氏，永清生員賈澐繼室。康熙六十一年，澐故，董年二十二，無出，毀容絶粒，將以身殉。舅姑諭之，乃止。以族姪慶棠繼夫後。歲歉家貧，躬先作苦。姑病，侍湯藥罔懈。姑殁，停柩在堂，適北鄰火，幾延燒矣，董仰天號慟。俄而南風作，得無恙，人以爲孝感云。乾隆五十四年，得旨旌表。永清續志。

任氏，霸州徐國玉母也。年十九，適徐朝桂。朝桂家貧，而習讀，出嗣胞伯父家，亦貧。任祗奉，朝夕無間言。及朝桂殁，任年二十三，慟幾絶。繼念舅姑年老，子甫三歲，勉起蕆葬事。服除歸甯，諸姊妹以貧無可守，勸之改適。任怒斥之，遂誓不復歸甯。隨姑紡績度朝夕。嘉慶五年，翁猝得痰病，任轉側扶持之，無幾微倦意。翁食非肉不飽，任典衣以供甘旨，而自咽糠粃，不使翁姑知也。逾年，歲大飢，翁思食野菜，任自涉水採以供。翁勸而慰之曰：賢哉吾婦！卽子在，能如是耶？蓋翁自病後，不起牀者七年，事之如一日也。十一年，翁殁，乃涕泣假貸以葬。逾六年，而姑殁，亦如之。時子已長，不得已釋儒而商，家以漸裕。仍率子婦紡織如故。族中有婚喪力不足者，必資助之。見里中少寡，必語之曰：天不負人。方吾夫殁時，只知守從一志，雖貧不自存，而心堅鐵石，豈暇計及後日！乃今衣食無缺，子孫滿堂，使當日志稍奪，豈復有今日哉！以故從而化之者衆。如徐趙氏、徐靳氏，皆任姪婦，並以節孝聞，任之訓也。年七十四，卒，道光十一年旌表。霸州朱志。

邢文林妻張氏，家苦貧，值歲旱，夫赴塞外傭，旋客死。氏乞戚族醵錢，畀夫兄歸夫骨。夫兄中途耗其貲，徒手返。氏復積針黹所入二十金，攜幼姪出塞，得夫骨於三座塔，負以歸。每至旅次，骨輒作巨響。客驚詫，氏祝之乃止。有哀氏者，命僕代負，重不能舉，氏祝而負之，如故也。見者歎爲奇節。武清縣採訪册。

烈女田氏，武清縣田大成之女，幼許字郭齊聖。女年十七，未成婚，而齊聖卒。訃至，女失聲哭。其母以女未過門，抑止之。女乃乞母攜之野，一慟幾絶。浹旬，蹇脩反其聘。母拒不納，若惟恐女知者。女闖然搴帷出，慨然曰：若輩何爲？我有死而已！聞者失色。持聘物去。越數日，翁姑丐姻族聯車至，請見田氏，母女慰歎婉諭，言詞雜遝，女俯泣若不聞。有知其志者，曰：女殆欲赴翁姑家守節也。女遽入室，易衣裹被，出拜翁姑，别阿母，將登車去，翁姑辭以禮未備，不日將除舍相迎，乃已。久之，翁姑無逆女意，但浼人示意，使另受聘。母亦意變，遂别與議婚，已有成説，乃婉告女。女不置可否，寢食如恒。母不爲備，乃潛取農家治螟毒，置衣袖中，摘葡萄雜而吞之，救之不及。但聞空中人語云：人生百歲終須死，名節留傳死也生。遂絶。葬田氏塋。越二十八載，其叔田大慶始以其事聞於衆，遂集姻黨，議以其夫兄之子玉山爲嗣，而合窆於郭氏。啟棺，棺已敗，骨白如玉，咸以爲正氣所感。（武清縣采訪册。）

張貞女，武清人。年十歲，許字于（一本作余。）沛。舅以欠租，憤殺地主。地主故旗校，讞成，舉家戍甘肅，遇赦不原。女矢志不嫁，紡織自活。年四十病殁。而于沛在配所，以軍功保舉守備，娶妻生子，已入泮矣。沛年七十，嘗晝寢夢女來，如泣如訴，覺而異之，如是者三。適道光辛巳恩科，因命三子殿卿應京兆試，就訪之，果符所夢。女之姪巖識墓所，啟視之，旗裝衣色，面宛如生，隨風向西而化。殿卿扶柩歸甘改葬，鄉人爲詩送之。又高貞女，武生某女也，字趙玉琴。幼失恃，舅姑童養之。玉琴年十一，忽亡去，舅往覓之，皆不返。貞女漸長，以賢孝著。既得玉琴父子凶問，富家争聘之，堅不可。事姑盡孝。家故貧，姑復多病，氏勤於女紅，自採野蔬雜糠粃食之，而奉姑必以甘旨，三十年如一日。姑歿，復侍老父終天年。氏歿時年六十矣。玉琴族子仙舫爲之徵詩文成集，並請旌表。又玉貞女，故家子也，年十九，歸劉氏，壻年甫十三，未合巹也。女事王姑、舅姑，皆盡禮。會村中有燈劇，家人皆往觀，惟王姑病不出。女歸，省之已寢，乃入私室。壻有叔名鐵者，突出調之。女堅拒，遂懾以刃。女乃狂呼，復扼其喉。氣盡聲嘶，王姑始聞而驚起。鐵遁去，女亦昏絶。卒未受汚，久之始蘇。武清采訪册。

高氏，密雲縣人，武生鵬之女。夫張進寶，内務府鑲黄旗人。嘉慶十六年，進寶卒，高年二十三。翁存信憫其年少，告鵬曰：吾夫妻年逾六旬，旦暮就木，足下止此女，可勿守也。且僕家綦貧，即守亦無以自存。鵬諾，商於高。高曰：婦人之義，從一而終，禮也。親老、子幼，請身任之，雖貧何害！高固嗜酒，旗俗尤喜吸淡巴菰，自是並禁絶之。治家勤儉，操作有人所不堪者。奉翁姑克先意承志，教子嚴明。翁姑歿，喪葬備禮。家漸裕，爲子榮桂娶於李氏。子婦並能順事。家人率厭粱肉，高蔬食如初。日誦女孝經、多心經，寒暑無間。子婦跪請進精膳，高曰：非不肥甘悦口，然終不逮淡泊之養心也。未亡人前之爲此，所以代割耳、削鼻也。今改之，初志伊何！執不可。李遂亦從而蔬食。咸豐十一年，高年七十三，卒，遺囑曰：後世子孫無論子女，必須讀書明理，庶無忝所生云。密雲丁志。

劉氏，固安縣人，劉鶴鳴女，許字新城孫廷玉。年十五，未婚而廷玉死。女告母，乞往送葬。父弗許。女斷臂自誓。父仍不許。女泣數日，縊於室。母救之，不得死。事聞於夫家，舅姑備禮迎歸，其夫已葬矣。女請見夫面，舅姑許啟棺，女以巾拭之，復自翦髮一束置夫首旁，痛哭幾絶。扶歸，事舅姑甚謹，守喪服闋，自縊而死。固安陳志。

柳氏，三河縣柳遇春女。十七歲，適密雲李成蘭。道光三年，成蘭卒，柳年二十九，親老家貧，子荃僅十歲。當是時，柳哀毁欲絶，忽仰天呼曰：今非死時也，未亡人詎可以死謝責耶！夫既葬，爬羅衆務，力任其難，而不俾翁姑知，曰：恐傷親意也。蓋成蘭歿時，翁姑並年六十矣。柳既善持家，家小康，自奉儉約，而不吝施與，夫姪社以貧故幾廢學，柳資之膏火，竟得就業，成明經。夫兄弟之女尚齠齔，教養亦如所生，比嫁，竭力經營，嫁衣裙襦皆柳所縫紝者也。遠近族人窮困無依者，率賙恤之，并量能授以治生之道。子荃，年至三十，率母教以起家。柳性嚴毅，饒居積，嫠處五十年，人無閒言，而家益裕。翁姑之喪，家尚貧，或以是爲憂。柳曰：吾所茍活者，將以代吾夫事其親，今縱不豐，稱家有無，敢惜費乎！喪葬盡禮。觀者莫不嘆服。密雲丁志。

某氏，佚其姓。父某，古北口防守禦，滿洲人。夫姓關氏，密雲人。年十九，于歸。關固縣巨室，氏夫尤豪侈，極聲色之奉，漁獵不已。氏初不敢諫，既而關寢疾，乃婉言諫。關不聽。諫綦切，關怒，氏恐拂其意，則疾將益劇，遂不復諫。及關病篤，謂氏曰：我死，汝將奚歸？氏請以身殉。關漫應之，不信也。氏曰：夫子終不信，吾不能後夫子死。吾死，夫子乃瞑目矣。遂爲嗣子授室畢，執關手，哭之慟，揮淚出，從容飲酖，竟先關卒。邑人蘇振芳爲作關烈婦行。密雲丁志。

王氏，固安鄭孝妻。孝本無賴，屢欲出妻。氏不允。孝棄其廬舍，且餓之。氏歸外家，紡紉易食，凡二十年。後孝病卧不能起，氏聞，奔赴寢所，飲食之。孝死，積紡紉工錢殮葬焉。署縣陳給匾曰：苦竹淩冬。固安陳志。

趙氏，保定王進璽妻。年十九，歸進璽。迨四載，生子洪範，方兩月，而進璽死。初，璽病危，語趙曰：與汝中道相棄，雖遺此子，未知成育否？奈家貧汝幼，我死，即當改嫁，幸帶此子去。若得撫育成人，我死自當感激。璽亡後，屢遭凶年，不能存活。公姑因倩其母勸其改適。氏泣曰：夫亡，即不願生矣。所以隱忍不死者，以夫永訣之際，託付此子於我也。生爲王家人，死爲王家鬼，豈能事二夫哉！遂甘飢寒，晝夜紡績，事公姑，執婦道。及洪範七歲，即竭力延師，供給讀書，得入芹宫。自青年以迄白首，節凛冰霜，人無間言云。保定成志。

王貞女，薊州生員王天元女也。生而莊静。許字蘇幹菀，年十九，婚有日矣，幹菀以暴疾卒。女請往成服。父母不許。百方覓死，不得已，聽之。既往，蘇亦憐其少，勸令歸。堅執不肯，曰：既入此門，即吾畢命處矣。必令歸，止有從亡人於地下耳。翁姑見不可奪，勉從之。女縞衣素履，朝夕哭拜。殯後，上侍舅姑，克盡婦道，鄉黨聞之，莫不嘉嘆。初，姑有次子，尚在襁褓，姑多病，氏代育之，如親生，侍老撫幼，無片刻安，絶無怨恨意。未幾，翁姑相繼殁，女晝夜悲號哀慟，鄰里多方勸解，勉以撫幼弟爲蘇氏存宗脉，女始節哀治事，殯葬悉合古禮。撫養幼弟，以至成立，蘇氏得再造焉。郡人合詞請旌，道光七年，藩憲飭發建坊銀兩。薊州沈志。

韓孝女，名孝梅，宛平縣人。父藻，江南東流知縣。母陳。孝女有夙慧，年十餘，讀詩至女子有行遠兄弟父母，即掩卷涕泣，終日嘿嘿有所思。既長，有請姻者，女聞大驚白母：女願終養不嫁。父不許。伏地頓首出血，慟哭固請。良久，父泫然，命女起，曰：吾窺汝久矣，今從汝志。女乃大喜。會父去官，貧不能歸。諸子先後出謀養，女代母執家政，暇則侍父讀書賦詩，論説史事，以爲笑樂，忘其身之在客也。久之，父年老病篤，女自爲青詞，刺臂血書之，請減己算益親。焚於城隍神祠，哀泣陳愬，語往復不已。守祠者不忍聞，掩涕引去。而父卒不起。女每發聲長號，左右婢妾皆哭。弔者汍瀾沾襟，鄰婦相呼避歸母家。而女亦毁憊垂斃，氣不絶如縷。母撫之而泣曰：吾老矣，兒奮不少待耶？孝女張目應曰：不敢。於是稍稍輟哭，强起進饘粥。逮易衰麻，權家政如故。女好讀書，發寓舍所藏，侍母午食竟，則詣父畫像前，抽一帙置案上，旁立展卷，卷盡，更易他帙，日三帙以爲常。父殁之八年，母亦病，彌留之際，凡子若婦，若他女，若孫，若外孫，並有所訓戒，獨於女注視無一言，而女已於是日絶粒食，作書報父，謂：兒力竭矣，母疾終不可爲，行奉母見吾父地下。女既不食，家人勸阻百端，不聽。一日，若見陳夫人自外至，急呼曰：母來矣！遂絶。年四十有二。陸繼輅韓孝女僑葬志銘。

孫氏，固安劉從聖妻，年二十二而寡。翁食不甘味，自割其肉以進。翁知之，爲之感泣。姑病，親侍湯藥。壽七十八卒。孫婦馮氏，劉進書妻，舉人馮順女，年二十二而寡，通書史，課子誦讀。一門雙節，鄉里稱之。固安陳志。

高氏，王進財妻。家素貧，舅姑性嚴。舅疾篤，氏相夫侍湯藥。夜深，苦油不給，氏割右臂肉置燈中燃之。後舅病漸愈，氏創亦愈，若有神護。自是舅姑厚待之。署縣陳給扁曰：至行感天。固安陳志。

馬氏，李光輝妻，武清縣人。年十九，歸輝。姑有異疾，疾發作，輒傷人，子女無敢近者。氏獨委婉得姑意，雖受重傷不去。姑疾賴以減。輝力學致病，將不起，以母託氏。氏泣諾。輝卒，氏事姑益篤。姑殁，氏視含殮畢，遂仰藥。家人環跪請解，不許，曰：

吾事畢矣，君子當愛人以德，欲我苟活，無謂也。遂卒。比歛，色如生。武清采訪册。

李氏，武清邢興妻。事姑至孝。姑病思肉，貧不能致，割臂烹以進。姑食之，病竟愈。氏裹創臂，難屈伸。小姑歸甯，怪問之。以瘍對。强視之，大驚，泣曰：嫂善自愛，必無害也。氏創尋愈。武清采訪册。

關氏，武清王文俊妻。年二十一，夫殁。事姑至孝。姑病甚，醫皆束手。氏自齧臂上肉，不能斷，以刀斷之，和藥進，姑竟愈。同母兄關士珍，欲爲請旌，氏力止之曰：守節盡孝，婦人本分事，豈以此沽名耶！殁，年六十有四。武清采訪册。

李氏，武清高傑妻。年二十餘，夫御車外出，數年無耗。或勸他適，氏曰：夫未知存亡，姑老無依，事之吾分也。貧不能給，遂爲人傭，夜必歸伴姑。凡所得，悉以奉姑。主人偶給甘旨，未嘗入己口。歷三十年無少間。姑殁，殯葬盡禮。年六十餘乃卒。武清采訪册。

顧氏，武清曹阜泰妻。年十九，歸泰。泰家漸貧，不能具甘旨，而舅姑衰老，氏鬻鍼黹，市以進。越十年，舅姑與夫相繼殁。三子皆幼。氏毁家營殯葬，携子就食父母家。父母老而無子，氏代理家政，奉親極豐，而與諸子啖粗糲。父母殁，罄所有殯葬。子毓桐，妻黃氏，性亦至孝，顧病革，割臂肉烹而進，家人無知者。後數年，姑没，氏擗踴，而左肱常屈，人始知之。武清采訪册。

張孝女瑞符，通州人，賦性敏淑，明大義。幼失怙，以母老，誓不嫁。待人寬厚，勤女紅，以濟家用。素多病，病革，猶以親老未能終事爲恨。並囑諸昆弟曰：須解親憂，勿以女故傷厥心也。其純孝蓋性成云。卒，年三十七。通州高志。

關恭人，通州李壯烈公載文妾。公於咸豐六年在粵西殉難。關年十六歲，有以改適諷者。泣曰：公忠臣，妾得事之，幸矣。今寡，命也。縱不從死，忍再辱乎！遂與嫡氏偕歸，鬱鬱以疾卒。以嫡子貴，贈恭人。劉氏，載文從子華之妾也。華爲廣東巡檢，卒於官，有子甫三歲，旁無親族，宦囊蕭然。劉堅守遺孤，爲扶柩計，里人雷樹墉時知四會縣，欽其節，爲之經理，由海道歸其喪。通州高志。

楊氏，霸州高士華之妻。年十七，于歸。未幾，士華疾，氏晝夜侍湯藥，焚香請代，卒無效。夫殁，氏一慟幾絶，水漿不入口者三日。已而念子幼無依，勉起操作不懈，家道日裕。延師教子，親加考驗，時復以立身行己相勗。待夫弟與姪，不分畛域。不數年，先後入泮。氏性端重，寡言笑，事舅姑以禮，待娣姒以和，賢淑之聲，聞於遠近。同治時，州郡上其事，奉旨建坊入祠。霸州周志。

劉氏，武清王廷選繼妻。同治六年，避賊鄰村。賊踵至，見舍後枯柳，空其中，可容數人，乃先納姑及前室子，己抱幼女踞於外。女啼不止，氏恐爲賊聞，復携女出，爲賊所及，乃棄女道旁，投井死。姑與子皆賴以全。越數日，家人始得其尸，不腐亦不僵。武清采訪冊。

劉氏，武清人。家極貧，携幼女從夫寄居小余莊趙老場圃中。趙遣氏夫入城，遂調謔，氏堅拒，則以巨斧脅之。不從，竟死斧下。幼女號詈，趙又殺之。自易衣履，以盜殺佃人報。令詣驗，氏衷衣皆用線密縫不可解。令知有異，詰趙，趙色變。視其襪，則反著也；褫之，見血跡。一訊而服。武清采訪冊。

陳二姑者，名存，性至孝。幼受某氏聘，壻殤，遂矢志不字。年十二，母患疫幾殆，封臂肉煑汁以進，母汗發，愈。後五年，馬賊至村，縛父以脅之。姑奪賊刃自頸。葬村外，數著靈異，踐其墓者，輒發狂，服罪乃瘳。武清采訪冊。

尹氏，寶坻舊族女也，美而賢。年十七，適艾姓子。甫半載，夫遘疾篤，氏泣曰：期百日與君見。意在完夫葬矣。及夫卒，有土豪求爲側室，啗其翁姑，聘金百，田一頃。翁姑欣然許之。氏聞，驚泣自陳。翁姑叱曰：兒亡，能復養汝耶？氏知莫挽，佯聽命，且曰：願翁收銀地畢，媳卽行矣。翁喜，告土豪。土豪與金與地如數訖。氏秉燭達旦，若治裝者，實暗拈鍼綫，縫綴徧體。迎之歸，則已服鹵斃矣。土豪惶急，願將銀地爲葬費。迨既殯，卽肆追索。乃首諸官。邑令黃志元往驗之，時方炎暑，啟棺，顏色如生，異香護體。志元急令瘞之，重懲土豪，親往致祭，給額於廬，建坊於墓以旌表之。寶坻洪志。

李氏，甯河縣人，趙宗鼎妻，儒士李子訓女也。自幼締姻宗鼎，年十四，宗鼎得癱疾，其家向李氏辭婚。氏密知之，慟哭求死，寢食俱廢。父母懼，嚴防之。數日，氏謂父母：從一而終，婦人之義，誓不背盟他適。父母知不可奪，聽之。年十九，于歸。未及一載，宗鼎亡，氏泣血絶食，幾不欲生，時氏年二十，猶處女也。立志守節，孝事舅姑。撫姪思恭爲嗣，方七歲，家計窶且貧，氏紡織佐讀。思恭年十 縣試後忽患頭痛以死。已聘本邑張之琰女爲室，時女年十九，聞夫故，欲奔喪守節，父母阻之，因得病，遂絶粒而死。姑往視殮，面色如生，哭之而去。論者謂一門節烈，洵足風焉。甯河丁志。

張氏，大興人，適房山縣庠生王明生。方三載，生沉疴不起，執氏手訣曰：汝娠生男，賴爾撫育，幸矣；若生女，可奈何？氏曰：生男固善，不幸生女，則隨子九泉耳。夫歿，哭之慟。人勸以全孕，乃稍節哀。既而生女，氏悲幾絶者數。母趙氏强慰之曰：女亦夫遺體也，曷善視之！矧吾孤嫠，撫汝匪易，可弗念乎？張泣曰：兒既爲王婦，身非己有，卽欲事母，不可得矣。自是水漿不進口，晝夜悲哀，嘔血而卒。監司、邑、郡，同旌其門。大興張志。

孝女曹朱氏，永清貢生汝詣孫女，棫之女也。襁褓失怙，母氏王苦志守節，無子，祗此女。女有至性，讀書通字義。文公家禮、曹大家女誡、鄭氏女孝經，皆曉焉。母善病，女侍疾調護唯謹，相依爲命者十餘年。幼字武清縣生員曹文甲，婚期至，女泣曰：哀哀父母，生我劬勞。丈夫子、女子皆子也，罔極之恩，未嘗稍異。母老且病，何忍遽離！聞者悲之。同治九年，母病增劇，女目不交睫，衣不解帶。母卒，請旌表祀節孝祠。十二月送母入祀節孝祠，見祠内祀二孝女，留連久之，歸卽吞金以殉。遺手書二：一與其夫云：君家孝娥以身殉父，兒愚，祗知有母，深負舅姑慈愛，願更得賢婦以奉盤匜。一與叔祖汝楫云：兒終鮮兄弟，母氏生多磨難，伶仃孤苦，人莫能知，每一念及，五内如焚。生不能孝，願侍地下云云。曹重其孝，以其喪歸。同治十年，得旨旌表。永清周志。

貞女陳氏，文安人。父業木工，早卒。母守節撫之。自幼許字同縣郭世傑。世傑死，母知女性，不敢令知。翁家故赤貧，恐誤女終身，請訂他族。遲之又久，有近村富室某，新喪耦，年少，美姿容，慕女賢，欲倩冰人偕秦晉好。女聞而始知郭死，痛不欲生，矢志誓守。母勸之，不從。適夫喪二期周，僞云，奠別再作他圖。及入郭氏門，執子婦禮，遂不返。時光緒六年六月。貞女年纔十八。某義士憐其貧，奉百金爲饘粥資。女謝之曰：守貞，吾分也，無端而受人金，於義云何！卒不受。其清操又如此。文安采訪册。

榮姑，文安縣馬頭村李氏女，婢曰春華，姓陳氏，相依數年，視如姊妹行。榮姑幼字朱氏子，朱官於浙，壻隨往，十餘年，音問斷絶。女待字年逾三十矣。父母在時，撫育之，有兄無賴，略不過問。二老相繼死，女饘粥不給，且患痿痺，仰婢十指爲活。女兄以博債急，將鬻婢以償。婢戀主不肯去，撻之，女護婢，並撻女，血狼藉，不能堪。主婢謀曰：與其分離而死，何如並命之爲愈乎！夜相持大慟，密綴衣褌，門臨大河，遲明，偕往溺焉。蝭階外史。梁廣文右偓兩烈女行云：友人手持烈女狀，勸我試作烈女歌。我無表揚風義如椽之大筆，對此涕淚空傍沱。文安蕞爾縣，馬頭寥落村，輶軒不恒到，奇事喧里門：春華其名潁川氏，質身隴西供役使。主人有女字榮姑，姊妹相看無異視。榮姑幼結朱氏姻，朱郎隨仕江之濱。錦字十年沈宧海，綠窗卅載虛芳春。不幸嬌姿遘痿疾，翁姆就撫難起立。那有然鬢視藥人，同懷經歲絶踪跡。堂前愛心沈虞淵，榮姑從此愁粥饘。但仰女紅度長日，然其煑豆仍相煎。惟有女奴如共命，十年不字扶姑病。賣珠歸後問興居，壓線間時親祗奉。朝夕低頭苦勸餐，夜眠擁被寒同夢。忽忽聲鬩牆，博債急索償。謀奪執爨婢，質錢賣絹郎。薄言逢怒嘯如虎，李陽老拳捶敗皷。病姑匍匐遮以身，撲地梨花碎春雨。大杖小杖何紛紛，杜鵑啼血血染裙。鄉鄰畏事各閉户，竭聲嘶如不聞。婢在姑遲死，婢去姑速亡。與其齎恨各分張，何如就死相頡頏！既不能如薛家紅線走堂堂，又不能如俠女竊負偕遠颺。厓門蹈海扶幼主，吾將追逐參翺翔。風詡詡兮雲憑憑，天陰月黑楓林青。當門巨浪如山傾，水仙羽葆來相迎。主兮婢兮同一哭，回頭猶見繡閣燈熒熒。詰朝鄰人各驚絶，奔集河干相指説。主衣鮮好密密縫，婢衣暗敝重重結。相見從容就義時，禮數不因造次滅。可憐一水鎮空明，生者何顔死者悦。昔年我作錢塘游，曹娥祠廟臨江頭。歲時村巫奏絃管，我亦躬薦蘋蘩羞。千有餘載得匹儔，彼蒼厚意君知不？假饒主姑無疾嫁，不過媵妾青衣流，孰若兩兩貞烈傳千秋！

烈女王氏，涿州人，甲辰科武舉王恒齡之長女。賦性幽靜，嫻於女工。及長，以孝聞。

親老；撫弟妹及諸姪，賴以成立。年十九，字同州周彝章三子。光緒八年八月，周氏子未婚而卒。女聞之，欲奔喪持服，爲父母勸阻，鬱鬱成疾。後聞婚帖退回，遂劇，絕醫藥、飲食，父母泣諭再三，皆明茹而暗吐之。延至十月初，竟賫恨而終。臨危仍以歸周氏爲言。年二十歲。涿州采訪册。

華陽吴祖椿校